Михаил
АРДОВ

Михаил Ардов

Проводы

Хроника
одной ночи

Б.С.Г.-ПРЕСС

УДК 821.161.1-3
ББК 84(2Рос=Рус)6-44
А79

Макет и оформление *Андрея Рыбакова*

Ардов М. В.

А79 Проводы: Хроника одной ночи / Михаил Ардов. — М.:
Б.С.Г.–Пресс, 2015. — 304 с.

ISBN 978-5-93381-343-9

Сорок пять лет машинопись «Проводов» пролежала у писателя в столе, прежде чем он решился на их публикацию. Появись этот роман в свое время, сразу же после написания, в самиздате или тамиздате, вероятно, он занял бы достойное место рядом с книгами «Школа для дураков» Саши Соколова и «Москва – Петушки» Венедикта Ерофеева, а его автору грозили бы либо тюрьма и психушка, либо вынужденная эмиграция. Эротическая, религиозная и социальная составляющие романа были бы однозначно расценены советской властью как искажение социалистической действительности. Однако в «Проводах» интересно не столько это, сколько формальная новизна: весь текст — единый внутренний монолог с повторяющимися элементами внешней речи, цитатами из Писания, фрагментами стихов и прозы, лирическими и философскими отступлениями. Возвратно-поступательное движе-ние повествования создает эффект замедленной съемки. Книга вовсе не устарела, скорее наоборот — вылежалась и наполнилась новыми смыслами.

ISBN 978-5-93381-343-9

ПРЕДУВЕДОМЛЕНИЕ

«Проводы» я начал писать летом 1968 года в Вязниках, а закончил осенью 1969-го в Коктебеле. Я показывал свою рукопись друзьям и тем из знакомых, чьим мнением особенно дорожил. Почти все читатели отнеслись к этой вещи одобрительно, а среди них были люди незаурядные: друг моих родителей Михаил Давыдович Вольпин, Вячеслав Всеволодович Иванов, Эмма Григорьевна Герштейн, Наталья Алексеевна Северцова, Александр Павлович Нилин...

Увы! — я не успел показать этот текст тому, кого в те времена любил и уважал больше всех, — умнейшему и образованнейшему Александру Георгиевичу Габричевскому, он скончался 3 сентября 1968 года.

Ну а далее «Проводы» пылились в моём архиве. В семидесятые годы пустить подобную вещь в самиздат или отправить в тамиздат грозило автору зоной или психушкой...

Наконец мы дожили до перестройки и гласности, но тут явилось иное препятствие для публикации. Я уже был священником и потому считал невозможным предложить читателям вещь во многом соблазнительную.

Шли годы, прекратила существование советская цензура — «бессмысленная и беспощадная». И вот в течение многих лет обретшая свободу изящная словесность демонстрирует нам не столько изящество, сколько фривольность.

На этом абсолютно безнравственном фоне «Проводы» выглядят не столь соблазнительными, как это представлялось мне прежде, и я стал думать о возможности публикации.

В восьмидесятых годах у «Проводов» появился ещё один замечательный читатель — Владимир Андреевич Успенский. Мы с ним подружились, и я дал ему их прочитать. Отзыв его был весьма и весьма лестным, в частности, он мне сказал:

— «Проводы» — лучшее из всего написанного вами.

И Успенский, и другие близкие мне люди много лет уговаривают меня напечатать «Проводы».

И вот теперь я, наконец, сдаюсь на эти уговоры.

Май 2014

ПРОВОДЫ

Хроника одной ночи

Я не успел. Простите меня, Александр Георгиевич! Я ехал на поезде, я летел на самолёте, я мчался на автомобиле, и всё-таки я – не успел. Я приехал в тот момент, когда люди уже уходили с кладбища, когда они покинули могилу, и я не видел их лиц, я продолжал своё движение, которое началось в ту самую минуту, как только мне принесли сразу две телеграммы, и в каждой из них содержалось известие о Вашей кончине… И я тут же бросился на вокзал, на станцию того маленького городка, куда пришли эти телеграммы… И всё-таки я не успел… И люди выходили с кладбища, и я побежал к могиле, и она была вся в цветах, и на кресте был венок, и я замер перед ней – она оказалась целью моего стремительного путешествия. И я встал на колени, и я был совсем один, и я вдруг понял, что теперь уже не надо говорить громко, что теперь Вы услышите даже шёпот. Я не успел… Я сидел там, вдали от Вас, в бревенчатом домике, куда принесли сразу две страшные телеграммы, и я непрестанно, я всякий день думал о Вас. И я торопился, я писал всё это, и писал для Вас. Я мысленно прикидывал, как Вам понравится тот или иной кусок, где Вы рассмеётесь, а где нахмуритесь... И я совсем не хотел никого и ни в чём убеждать, меня обуревало лишь одно желание – назвать наконец всё, все вещи своими именами... И вот – я не успел. И теперь мне уже остаётся только посвятить Вашей памяти то, что адресовалось Вам живому. Примите этот мой запоздалый дар. И простите меня – я не успел...

Сентябрь 1968

П оследние полчаса перед выходом из дома
я всегда провожу очень беспокойно, потому что не люблю приходить загодя, но
терпеть не могу и опаздывать, и сейчас я опять
смотрю на часы, и они показывают, что до встречи ещё целых двадцать минут, а самое свидание
назначено так близко от моего дома, что весь
путь не может занять и пяти, и всё же я решительно откладываю том, поднимаюсь с тахты, обува-
юсь и оглядываю мою комнату, я осматриваю её
так каждый раз, перед приходом любого гостя,
необязательно такого, как Чужая Жена, и это
происходит не столько ради гостя, сколько ради
меня самого, ради моего собственного успокое-
ния, я всякий раз должен убедиться, что мой крошечный мирок готов к вторжению постороннего,
к чему он, признаться, отнюдь не приспособлен,

но чего — увы! — абсолютно невозможно избегать, и вот всякий раз перед любым визитом я оглядываю свой мирок, свою крошечную комнатку, свою каморку и при этом смотрю на неё как бы со стороны, стараясь войти в роль грядущего гостя, и сейчас осмотр происходит сообразно с визитом; поднявшись, я сначала бросаю взгляд на тахту, не торчит ли край простыни, не видна ли наволочка (хотя именно этим предметам суждено появиться на свет через какой-нибудь час, а то и меньше), и тут я вдруг замечаю Книгу, лежащую в моём изголовье, Книгу, которая исчезает отсюда именно на время таких вторжений, как предстоит сегодня, и, пожалуй, только на это время, и я поспешно беру Её и кладу подальше от глаз, туда, где она обычно пребывает в этих случаях, — на бюро, на самый верх, но от такого удаления мне ничуть не становится легче, ибо стыд и раскаянье по-прежнему разъедают мою душу с того самого момента, как вчерашним утром я услышал в телефонной трубке далёкий и хорошо мне знакомый голос Чужой Жены, и мы условились с нею встретиться нынче вечером примерно через двадцать — нет, теперь уже через пятнадцать минут, а это последнее обстоятельство заставляет меня всё-таки поторопиться, потому что опаздывать я не люблю ещё больше, нежели приходить загодя, и я оглядываю комнату торопливо и с некоторым облегчением, ибо Книги уже нет в изголовье, Она наверху, на бюро, а на стену над тахтою можно просто не смотреть, тут всегда всё в порядке — отсюда глядят на меня писанные темперой на дереве лики, и взгляды их несут постоянную, древнюю скорбь, тут всё неизменно, и мой беглый осмотр продолжается — бюро закрыто, стулья на местах, томы на своей полке, коньяк и лимон — на подоконнике, я могу одеться и выйти, бросить мой мирок, дать ему возможность немного отдохнуть от меня, от своего слабого повелителя, но прежде чем покинуть свою комнату, прежде чем расстаться с нею хоть на самое краткое время, мне необходимо сделать так, чтобы в моё отсутствие никто не мог проникнуть сюда, я должен запереть дверь, и самый момент выхода мне всегда памятен, ибо, если я отправляюсь даже куда-нибудь совсем недалеко, даже не покидаю пределов нашей многолюдной общей квартиры, я всегда выхожу с подобием того чувства, с каким матрос покидает родную гавань, отправляясь в океан, в огромный мир, и поэтому, хотя я совершенно механически затворяю дверь и поворачиваю ключ в замке, я помню все свои привычные действия в их последовательности, до щелчка выключателя, который гасит лампочку в моей части нашего длинного глаголеобразного коридора; но сейчас даже в этой процедуре, имеющей для меня глубокий смысл, даже в ней наличествует поспешность — дьявольское поспешение, ибо стыд, разъедающий мою душу со вчерашнего утра, постепенно близится к своему апогею, и в такие минуты я стараюсь не видеть ничего вокруг, ничего не замечать, и я почти не обращаю внимания на соседских детей, которые возятся на коридорном полу прямо у меня под ногами, я не гляжу и на самих соседей, я спешу, спешу уйти, исчезнуть с глаз, потому что не могу отделаться от впечатления, будто при первом взгляде на меня можно заметить проклятый стыд, разъедающий меня изнутри с того самого мгновенья, как я услышал в телефонной трубке далёкий голос Чужой Жены и условился встретиться с нею этим вечером, через пятнадцать, нет, уже через десять минут, и я быстро прохожу по коридору, стараясь не видеть ничего вокруг, я вовсе не задумываюсь над тем, почему пространство перед самой входной дверью нашей квартиры загромождено сейчас мебелью, той, что помещается обычно в двух комнатах, занимаемых соседкою моей и благодетельницею Марь Иванной и её семьёй — дочерью Нинкой и взрослым внуком Валеркой, я — увы! — не обращаю на это внимания, а решительно прохожу мимо этих шкафов и кроватей, будто они здесь всегда стояли, я отпираю входную дверь и медленно затворяю её за собою, стараясь, чтобы английский замок, защёлкиваясь, не издал слишком громкого звука, затем я делаю два шага и оказываюсь на крыльце нашего подъезда, где всякий раз, выходя из дома, как бы при этом ни спешил, я медлю несколько мгновений и любуюсь, гляжу на самую большую, может быть, во всём Замоскворечье, а не только на Ордынке и на Пятницкой улице церковь Климентия, возникшую здесь лет двести назад оттого, что поблизости стояли боярские палаты Алексея Петровича Бестужева-Рюмина, а были эти палаты в приходе церкви Преображения Господня, паки рекомой Климентовской, и, когда удачный заговор Елизаветы Петровны высоко вознёс боярина, Бестужев-Рюмин в благодарность Господу и святому Климентию, на чей день выпал переворот, Климентию Римскому, тому, что был сподвижником апостолов и одним из первых епископов Вечного города, он умер мученическою смертию в Херсонесе, и его мощи обрели там равноапостольные святители словенские Кирилл и Мефодий на обратном пути из Хазарии, куда они отправились не для того, чтобы «мстить неразумным хазарам», а для того, чтобы просвещать их, — в благодарность ему вельможа за баснословные деньги нанял придворного архитектора и воздвиг на месте бедной церквушки это замоскворецкое чудо, а придворный архитектор, конечно, сделал храм двухэтажным — нижний собственно Климентия Римского, а верхний — Преображения Господня; звонница и западный вход этой церкви находятся в самом нашем переулке, чуть наискось от крыльца, но так близко, что, кажется, рукой достанешь, и в те несколько мгновений, когда вот так, выходя из дома, я любуюсь ею, я стараюсь не думать о том, что она уже лет сорок закрыта, что внутри, верно, почти ничего уже не сохранилось от её убранства, от былого благолепия, что она сплошь забита какими-то второстепенными томами, потому что здание теперь принадлежит библиотеке (и это ещё далеко не худший вариант), я не думаю в эти минуты о том, что дожди смывают с храма краску, и она стекает — красная по белым частям, а белая — по красным, и о том, что с той стороны церкви, за этим лёгким на вид огромным строением, прямо против алтаря функционирует подземный бетонный сортир, сооружение столь же фундаментальное, как бомбоубежище, и что в скверике, разбитом вокруг сортира, всякий день собираются пенсионеры и пьяницы (часто и те и другие вместе), что там всегда слышен смех неподобный, а ещё чаще и кое-что похуже, за чем, как известно, русский человек в карман свой не лезет, как он шарит там в поисках двугривенных на водку или на стаканчик дрянного красного портвейна, который дают в розлив в угловом магазине, — я ни о чём таком сейчас не думаю, я просто любуюсь этим зданием, его лёгкостью при огромных размерах, я представляю себе, какая она внутри, эта церковь, вернее, какой она была тогда, раньше, до варварского пленения, я представляю себе это без особенного труда, потому что не однажды бывал вот в такой же воздушной громаде, воздвигнутой среди самой достоевской части Петербурга, — у Николы Морского, и мне видится нижний этаж — храм Климентия Римского, своды низкие, чуть сумрачные, под стать тому раннему христианству, которое скрывалось от язычников в катакомбах, а верхний храм — невероятно высокий, с пятью бездонными колодцами-куполами, обращёнными в небо, устремлёнными ввысь, там просторно и светло, как августовским днём на Фаворе, — но я делаю шаг, нога моя ступает на тротуар, видение исчезает, а я медлю ещё мгновение, прежде чем решить, каким путём мне идти на Пятницкую улицу, по переулку ли, наименованному в честь этой церкви, в честь Климентия Римского, или по узкому проулку, который пролегает между храмом и бывшим домом причта, и пока я решаю этот вопрос, пока не знаю, с какой стороны мне обогнуть церковь, я топчусь на тротуаре у крыльца нашего дома, в нашем дважды коленчатом переулке, а чуть дальше в моём же квартале стоит плохонький домик, где родился и провёл три года младенчества великий русский драматург, чтобы в конце концов возвратиться во двор этого домика в виде бюста на высокой каменной подставке; и на этот раз я решаюсь идти Климентовским, обогнуть церковь с северной стороны, и попадаю в переулок прямо против деревянной будки сапожника Вахлера, единственного частника, оставшегося теперь здесь, я выхожу к его вывеске, торцом висящей поперёк тротуара, а когда-то их было трое, ремесленников, работающих в Климентовском, — Вахлер, ещё один еврей — часовщик, чьё заведение было через стенку от вахлеровского, и третий — Иван Сергеевич Никитин, чья будка была дальше, уже перед самой Пятницкой улицей, и каждый из них, из этих троих, был своеобразен, был непохож на другого; и непосредственный сосед сапожника, часовщик (имени его я никогда не знал и теперь наверняка уже не узнаю), он был, пожалуй, полная противоположность Вахлеру, кто, также будучи кровным сыном Авраама, пьёт, однако, сообразно своей профессии сапожника, как её понимают славяне, среди которых он живёт и на стоптанные башмаки которых он делает набойки; однажды, помню, шёл я по Климентовскому очень поздно и увидел, что у дверей вахлеровской будки возится с замком женская фигура, его жена, — как я догадался, она заперла помещение снаружи и молча удалилась, а оттуда, изнутри, слышался пьяный русский мат, произносимый почти без акцента, но со специфическими интонациями, свойственными детям Авраама, на каком бы языке они ни изъяснялись, смысл этой непристойной речи был тот, что будка всё равно принадлежит ему, Вахлеру, что тут-то он полноправный хозяин и что по собственной воле будет ночевать здесь (хотя при взгляде на висячий амбарный замок было ясно, что ничего иного, кроме этого волеизъявления, ему уже не остаётся), часовщик же был ему полная противоположность, он сидел за своим стеклом и с философским спокойствием глядел на многочисленных прохожих Климентовского переулка, если только не читал свою книгу (Шолом-Алейхема, как я однажды заметил), он почти всегда сидел без дела в отличие от своего соседа и соплеменника, ибо часы ломаются гораздо реже, чем каблуки, а иногда, в хорошую погоду, он становился на пороге своего заведения и переговаривался с Вахлером, если Вахлер был в это время трезв и стучал своим молотком; а третий частник — Иван Сергеевич Никитин, старый русский мастеровой, работал подле самой Пятницкой улицы и чинил в своей просторной будке кастрюли, электроплитки, утюги и прочую утварь для всех жителей ближайших кособоких домиков, работал он почему-то по большей части по вечерам и даже ночью, и, когда я возвращался домой поздно, я почти всегда видел у него свет и, заглянувши в окошко, видел, как он греет на примусе свой паяльник или ковыряет отвёрткой кишки какой-нибудь несложной хозяйственной машинки, иногда я заходил к нему вместе с моим отцом получить что-нибудь из ремонта, и как-то он сказал при мне отцу с оттенком зависти, даже не зависти, а привычного горя, что его дети погибли во время войны, он был очень старый, Иван Сергеевич, и иногда его будка не открывалась по це-

лым неделям, если он хворал, а потом опять по
вечерам я видел у него свет и, даже если не загля-
дывал в окошко, наверное знал, что осиротев-
ший бессонный старик жжёт свой примус или
что-то ковыряет отвёрткой, держа её в одной
из своих бесспорно золотых рук, а потом будка
не открывалась всё чаще и чаще, и в это время на
двери появлялась записка — «Мастер болен.
По выздоровлении будет работать», — и однажды, помнится, кто-то приписал на той бумажке:
«Желаем скорейшего выздоровления», — но бла-
гое это пожелание — увы! — не подействовало,
потому что в конце концов записка исчезла уже
навсегда, а будка некоторое время просто стояла
заколоченная, пока её не захватил соседний про-
довольственный магазин; а часовщик, имени которого я так и не знаю, вскоре после этого дослу-
жился до пенсии — он, оказывается, не был
частником, а работал от какой-то государствен-
ной конторы, и в один прекрасный день он взял
своего Шолом-Алейхема и навсегда ушёл из Климентовского переулка, контора, видно, не нашла
ему замены, и часовая мастерская вскоре пре-
образилась в галантерейный ларёк, тот самый,
который и теперь ещё соседствует с будкой
Вахлера — последнего частника в Климентовском
переулке, к чьей вывеске, висящей поперёк тротуара, я и вышел, обогнув западный вход и звонницу церкви; сегодня Вахлер что-то засиделся до
вечера, он, как всегда, хорошо виден сквозь стек-
ло своего окна — большое, безобразное, постоянно опухшее лицо и прямо перед носом яркая,
должно быть, стосвечовая лампочка, на которую
он вместо абажура нацепляет какую-то бумажку,

чтобы свет не слепил его, и я не перехожу узкую мостовую Климентовского, не приближаясь к будке Вахлера, а, свернув, иду по тротуару вдоль самого бока церкви, иду и с привычной симпатией поглядываю на маленькие кособокие домики на той стороне переулка, в ряду которых и стоит вахлеровская будка; эти замоскворецкие домишки стараются всё ещё держать равнение, как их когда-то научили строители, только теперь это у них плохо получается, они состарились, и скособочились каждый по-своему, и выставились прихотливым образом, почти как их обитатели, взрослые мужчины, которые называют себя парнями или ребятами чуть не до шестидесяти, они очень похожи на эти свои жилища, когда праздничным весенним утром толпятся у ворот, мнутся возле этих самых домиков, около покосившихся фасадов, пока ещё не напились вусмерть, не побили жену, не попали в милицию, не уснули пьяным непробудным сном на белом покрывале супружеской кровати с металлическими шариками, не раздеваясь, в пронзительно-синем или коричневом костюме, из-под брюк видны ярчайшие носки, — всё это надевается только по большим праздникам — на Пасху, на Май или на Октябрьскую, и вот, когда они стоят у ворот в этих костюмах, уже сильно выпивши, но ещё в силах держаться на ногах и разговаривать друг с другом, каждый подбоченясь по-своему, каждый вроде бы похож на другого, но двойников нет, нет одинаковости, как нету и равенства, и нигде его быть не может, кроме как в толпе, стоящей пред алтарём, а церковь Климентия давным-давно закрыта, но будь она и открыта, ребята наши,

наши парни не пошли бы в неё ни в коем случае, разве что на отпевание какой-нибудь старухи, соседки или родственницы и в надежде выпить как следует на поминках; всякий раз, когда я иду Климентовским, я Бога молю, чтобы подольше сохранились кособокие домики, чтобы как можно дольше не приехал бы сюда страшный кран, на стреле которого будет болтаться массивный железный шар, беспощадный, как Тотила, чтобы не выросли здесь как можно дольше тупые прямоугольные коробки, потому что если домишки наши напоминают мне своих собственных обитателей, то бетонные эти громады, которые растут теперь всюду, даже на Пятницкой, в двух шагах отсюда, они напоминают мне нечто совсем другое — моё жуткое приключение, которое было одним весенним днём на том самом месте, где когда-то пролегала Тверская улица — теперь её разрушили, перестроили, переименовали, сделали частью необъятного языческого поселения, что десятки лет растёт на развалинах колокольного града, и вот в тот весенний день я переходил широкое пространство между двумя рядами хрестоматийно уродливых домов на бывшей Тверской, а день этот по несчастливому совпадению был днём приезда в новую языческую столицу какого-то важного заморского гостя, и поэтому пересечь это пространство можно было только в одном месте, и там тёк тоненький людской ручей, а по сторонам, вдоль домов, стояли настропалённые на принудительные приветствия толпы клерков, согнанных из прилежащих учреждений, а первый ряд этих толп составляли подозрительно рослые и подтянутые в своём партикулярном платье люди с твердокаменными лицами, и я не знаю, сколько времени они все тут стояли, но и у согнанных клерков, и у молодцов, составлявших первый ряд, на физиономиях было написано безнадёжное ожидание, — всё это я успел заметить, пока бежал по широкому пространству среди таких же случайных, как я, людей, не связанных цепью ожидания и поэтому заведомо суетливых и чуть жалковатых даже перед лицом двух толп, вытянувшихся вдоль обеих сторон бывшей Тверской, за спинами твёрдо стоящих на ногах безмолвных и спокойных людей, составлявших первые ряды, но я не успел перебежать пространство между этими рядами, как сначала по рядам, а потом и по обеим толпам передалось какое-то движение, отчего людской ручей, в русле которого я бежал, вдруг моментально иссяк, будто был впитан асфальтом, я рванулся вперёд, но почему-то оказался всё же позади других, и опоздал, и добежал до тротуара в тот самый момент, когда плечи людей, составлявших первый ряд толпы, налились невидимым железом, их грудные клетки выпятились, маленькая брешь, пропускавшая наш ручеёк, заполнилась чьей-то мощной грудью, и я в панике заметался перед твердокаменными лицами, как жертва, со всех сторон окружённая преследователями, с одним только жгучим желанием — пропасть, исчезнуть, испариться, — я не помню, кто ехал в длинных лакированных машинах, которые чинно двигались вверх по холму, где раньше пролегала Тверская, в них стояли и, кажется, приветливо махали, — но я не могу забыть жуткое ощущение своей беспомощности, своё желание провалиться сквозь асфальт, потому что прорваться сквозь первый ряд толпы нет никакой возможности, можно только разбить себе череп о грудную клетку, ставшую стальной в этот миг, — так вот, если кособокие домики Замоскворечья напоминают мне своих обитателей, то растущие повсюду тупые прямоугольные коробки — тот самый первый ряд толпы, так хорошо умеющий держать своё равнение, и сейчас, в тысячный раз благословив домишки Климентовского, я минyю изгородь скверика с бетонным сортиром и скамейками, что против алтаря, и поворачиваю налево, на Пятницкую улицу, где совсем неподалёку стоит уродливое цилиндрическое здание — цель моего короткого путешествия.

Первые два квартала Пятницкой улицы, общие у неё с Ордынкой, я давно привык считать чем-то вроде коридора в своей, пусть в общей, но в своей квартире, где всё так привычно, что замечаешь только перемены, а перемены эти — увы! — те два с лишним десятилетия, что я помню эти кварталы и себя самого, не прекращаются; правда, Бог миловал пока обе улицы в этой части, и бетонных коробок здесь и по сей день ещё нет, но перекрыли, например, зачем-то проходные дворы, которыми в детстве было так удобно выскакивать с Ордынки на Пятницкую, чтобы купить мороженое или карамель или чтобы положить на трамвайные рельсы патроны, доставшиеся нам, мелюзге, от недавно кончившейся войны, многим из моих товарищей вместе с увечьями и даже гибелью отцов, патроны, которые так оглушительно стреляют, когда по ним проносится стальное колесо дребезжащего и скрежещущего старого московского трамвая, а такие трёхвагонные поезда звенели, ходили по Пятницкой до тех пор, пока её не решили асфальтировать, а заодно и убрать рельсы, поскольку дребезжащие трамваи стали мешать современному бегу сначала «побед» и первых маленьких «москвичей», а потом уже «волг»; но и сами трамваи к этому времени претерпели изрядные изменения, уменьшились и числом вагонов, и количеством номеров-маршрутов и только тогда отступили окончательно, правда, совсем недалеко, всего лишь за первую линию домов на противоположной стороне Пятницкой, туда, где были дворы этих домов, теперь там пролегли рельсы, и по ним время от времени почти бесшумно проносятся новёхонькие чешские вагончики двух или трёх оставшихся маршрутов, а старые московские трамвайные составы постепенно вымирают на окраинах, и, проходя по той стороне улицы, вдруг неожиданно отшатнёшься с непривычки, заглянувши в один из дворов и увидев там не стол для домино и распития бутылок — утех мужской части обитателей дома, ребят, парней, а пролетающий по рельсам бесшумный вагончик; но не столько новые эти трамваи, оттеснённые с Пятницкой, сколько всё те же тупые и прямоугольные громады — институты, комитеты «по» и «при», все эти пресловутые «почтовые ящики», окружившие мои два квартала от Балчуга и до Климентовского, уродливые эти здания, которые дважды в сутки переполняют Климентовский чуть ли не до крыш мутным потоком людей, каких раньше не знали в Замоскворечье, торопящимися пешеходами, алчущими вакансий, желающими бед и смерти своим начальникам и высшим, в мужской своей части выбегающими в обеденный перерыв проглотить стаканчик вина или глоток разбавленного коньяку в специально для них учреждённой шашлычной, не столько вагончики, оттеснённые с Пятницкой, сколько коробки институтов, комитетов «по» и «при» — «почтовые ящики» и их дневные обитатели говорят мне о том, что и мои два квартала уже обречены, что рано или поздно появится и здесь страшная машина со стрелой, на которой будет болтаться разрушительный шар, беспощадный, как Тотила, и ничего не пощадит он, этот шар, ни игрушечный домик, где несколько дней когда-то провёл граф Лев Николаевич Толстой (о чём говорит нам доска величиной едва ли не с сам этот домик), не пощадит он ни остатки старого московского Черниговского монастыря, жалкие после полувекового языческого пленения, ни старенький патефонный заводик, который до сих пор прячется где-то у нас на задворках, ни артель, расположившуюся на месте сада, принадлежавшего дому настоятеля моей приходской церкви — Всех Скорбящих Радость, артель, куда я мальчишкой лазил через крышу с товарищами, чтобы таскать оттуда всякие занятные металлические штуки, — ничего этого не пощадит проклятый шар, будет бить, бить, бить, пока всё не рухнет... но сейчас, как и всегда, я стараюсь об этом не думать и иду вдоль Пятницкой по тротуару, мимо многочисленных лавок, где мне хорошо знакома каждая витрина и даже, кажется, каждый предмет, выставленный на ней, и мне пора уже пересечь улицу и приблизиться к безобразному цилиндрическому строению, составляющему цель моего пути, оно, пожалуй, напоминало бы кулич, если бы не окаймляющая его редкозубая колоннада, но мне, чтобы увидеть, осознать это безобразие, необходимо всякий раз делать определённое усилие, я слишком привык к нему, я устал думать о том, что это — мерзость, и не просто, а вопиющая, та самая — «стояща на месте святе», ибо раньше тут было благолепие, раньше красовалась тут лучшая во всей округе церковь Великомученицы Параскевы, наречённой Пятницею, церковь, которая дала название всей улице, но я сам этого благолепия не помню, я помню только отвратительный серый деревянный забор, огораживавший стройку этой мерзости — вокзала подземной чугунки, что распространилась под колокольным градом как раз там, где старые москвичи предполагали существование ада, и однажды, остановившись на Пятницкой, вот на этом самом месте, я задумался о том, почему новые язычники, сооружая вокзалы подземки, непременно сносят ближайшую церковь, даже если станция и не занимает впоследствии места храма, и за примерами недалеко ходить, так случилось на Преображенской площади в Москве, где красовался собор Петра и Павла, это произошло и на Арбатской площади, а в Петербурге — на Сенной и против Николаевского вокзала, где снесена была церковь Знамения — та, подле которой произошёл больше сотни лет тому примечательнейший разговор, там стояли тогда двое — умирающий недоучка, маньяк с чахоточным блеском в глазах и гениальнейший российский писатель, которого недоучка чуть ли не сам открыл, но, по счастью, так и не сумел удержать в числе своих невежд-приверженцев, своих партизан, и вот тот, несчастный, чахоточный, глядя на строительство вокзала, имеющего вырасти на площади против церкви Знамения, говорил тогда гению: «Я сюда часто захожу взглянуть, как идёт постройка... хоть тем сердце отведу, что постою и посмотрю на работу: наконец-то и у нас будет хоть одна железная дорога. Вы не поверите, как эта мысль облегчает мне иногда сердце», — так говорил он, а другой, первейший гений, слушал его и, верно, почти предвидел, как чугунка, распространяясь по России, проложит шпалы свои и по Владимирке, по той самой Владимирке, по которой он и сам ещё поедет в кандалах, с фельдъегерем и жандармом, и вот потом по ней лягут рельсы и вместо медленных пеших этапов полетят теплушки, битком набитые ни в чём не повинными его потомками и соотечественниками, и это будет делом рук последышей, партизан, внуков и правнуков его жалкого собеседника, гений этот вообще многое предчувствовал, он только не хотел в это верить, ему всё казалось, что легион бесов — «внидоша во свиния: и устремися стадо по брегу в езеро, и истопе», — казалось, что — «Россия выблевала вон эту пакость, которою её окормили», — ах, Фёдор Михайлович, вашими бы устами мёд пить! — ан нет! — презрев ваши благие пожелания, одержимое бесами стадо в последний момент повернуло вспять от самой бездны и лавиной устремилось — как вы того и опасались — на возлюбленную вами Святую Русь, на колокольный град, на сорок сороков, на честные монастыри, на Оптину пустынь, на старца Зосиму, — нет, он, верно, предвидел что-то в этом роде, только как ему не хотелось в это верить! — всё казалось, низвергнутся свиньи в озеро, но ведь описал он и пожар Заречья, и страшную гибель Лизы Тушиной, но уж чего он никак не мог ни предвидеть, ни предчувствовать, это — то, что чудовищным памятником литературных мечтаний его страшного собеседника, который одной своей ногой уже стоял в чухонском болоте, на мокрых «Литераторских мостках», варварским памятником встанет на месте их последнего разговора здание вокзала подземной чугунки, встанет на месте неповинной церкви Знамения, и я думал в тот раз, отчего это так бывает, отчего язычники непременно уничтожают храм, если намерены хотя бы в относительной от него близости возвести вокзал, и мне на ум пришло нечто вроде отгадки, ведь церковь — это врата на небеса, ну а станция подземки — это ход, лаз в преисподнюю, а раз так, то, конечно, эти противоположности не могут соседствовать друг с другом, и тогда становится совершенно понятно, почему новые язычники, с таким рвением уничтожающие красу, созданную их пращурами-христианами на земле, столь же ревниво убирают подземные галереи и залы, превращая их чуть ли не в капища, столь недавно ещё набитые скульптурными и иными изображениями их кровожадного усатого кумира, кто (уж, наверно, не случайно!) даже отчеством своим носит имя чахоточного маньяка, который больше века тому любовался постройкой Николаевского вокзала, стоя спиной к Знаменской церкви; а я повернулся сейчас лицом к тому месту, где когда-то красовалась церковь Параскевы, лицом к той мерзости, что возникла здесь — «на месте святе», и я гляжу на это здание, которое помнится мне ещё недостроенным, и чтобы обратить внимание на то, как оно безобразно, мне всегда необходимо сделать определённое усилие — оторваться от привычности картины, не только от вида самого строения, но и от всего, что его окружает, — от множества мелких ларьков и палаток, от продавцов мороженого, лимонов и сластей, от чудовищного груза повседневности и, главное, от бесчисленных воспоминаний, связанных с этим местом, и из них одного из самых неприятных — о том, как я покупал тут десяти лет от роду огромные карамели-подушечки, ценою в тогдашние три рубля — самые дорогие, покупал на краденую красную тридцатку, которую я тайком вытащил из чёрной сумочки моей матери, лежавшей в ящике туалетного столика, — таким эпизодом началась моя карьера мелкого домашнего воришки, и это обстоятельство до сих пор гнетёт мою душу по временам очень сильно; но гораздо сильнее, чем этот стыд давних дней, меня гнетут воспоминания сравнительно недавнего времени, весьма определённо и неразрывно связанные с этим местом, недавнее время это, впрочем, длится уже более десятилетия, с того вечера, когда я впервые, ещё совсем сопливым юнцом, пришёл сюда, чтобы ждать свою девушку, даму, партнёршу, первую из них, но с тех пор я бессчётное число раз стоял здесь вот так, как и сейчас, стоял и глядел на толпу, размеренными порциями изрыгаемую через эту дыру, над которой сооружено совершенно бессмысленное здание, ибо архитектору, проектирующему вокзал подземной чугунки, я бы мог рекомендовать лишь один классический образец — отверстие, брешь на более или менее ровном месте без какого бы то ни было аляповатого сооружения над ней, но он не послушает меня, этот гадкий архитектор, а непременно снесёт ещё где-нибудь какую-нибудь церковь с сознательным или подсознательным желанием утвердить на земле не Бога, о Котором он ничего не знает или старается не думать, а самого себя, свою сомнительную полуграмотную персону, с тайной надеждой, что на воздвигнутом капище когда-нибудь прилепят надпись, в которой будет значиться его имя, имя разрушителя, кто иронией судьбы носил наименование «архитектора», по-гречески главного, первого строителя; и вот уже десяток лет я смотрю на толпу, ритмически разделённую на порции расписанием подземных поездов, толпу, выталкиваемую из аляповатого здания, я стою и, как все предыдущие годы, жду свою даму, партнёршу, чтобы выхватить её взглядом из толпы, и я часто ошибаюсь, обманываюсь, потому что тут — нет-нет да и мелькнёт чужая фигурка, но подобная тем, какие являются мне на это место уже второе десятилетие, и теперь временами так мучительно хочется, чтобы не было у меня за спиною этих лет, чтобы из памяти исчезло всё — и годы, и моё ожидание, и все нечистые мысли, которые посещали и посещают меня здесь, но всё это не может исчезнуть, и я, уже принявши Книгу за непреложную истину, всё ещё стою, продолжаю стоять у этого дикого капища, у этого лаза в преисподнюю, я всё ещё жду здесь женщину, возраст и внешний вид которой постепенно ме-

нялся вместе со мною, с моими привычками
и моим вкусом на протяжении этого времени, —
эта женщина — собирательный образ, её составляют многие и многие фигурки, те, что я выхва-
тывал взглядом из толпы, и сначала это были
тоненькие, юные, невинные девушки, правда девушки, в прямом, а не в современном каком-то
диком смысле этого слова, потом мои дамы стали
старше, развязнее, опытнее в тех делах, для которых они появлялись тут, на поверхности, по моему зову, по моему приказу, опытнее и, пожалуй,
безответнее, безмолвнее, ибо больше всего я со
временем научился ценить у них именно эти ка-
чества (разумеется, часто в ущерб другим), —
и вот теперь я всё ещё смотрю на прерывистый
этот бесконечный людской поток с изредка вкра-
плёнными в него соблазнительными фигурками,
на которые я всё ещё не могу не смотреть с вожделением, я стою и умножаю мои и без того бесчисленные прегрешения, прелюбодействуя в сердце
своём, а во время этого мысленного утончённого
прелюбодеяния я невольно сравниваю чужие не-
знакомые фигурки с той, которую я жду в этот
каждый конкретный раз, и вот в конце концов
это десятилетие длящееся уже состояние, это
ожидание напоминает бесконечный и безрезуль-
татный выбор, поиск недостижимой избранницы, Дивной Донны, Благороднейшей, которая
могла бы царить в моих помыслах, — я жду её, а её
всё нет и нет, я выбираю её из тысяч других ей
подобных существ, а прерывистый этот людской
поток, изрыгаемый подземкой, всё-таки есть не
что иное, как одна из ничтожных струек, которые составляют все вместе уже необъятный по-

ток, движение всей жизни, и в этой необъятности есть крошечная часть, ничтожный отрезок вечности, тот, что мне дано провести в этом мире, и я, безумец, всё же ещё стою тут, осквернённый грехом, с грешными мыслями и с похотью в моей душе, и я жду здесь теперь женщину, чтобы нарушить с ней заповедь, сразу две заповеди, открывшиеся мне в Книге книг, которую я добровольно и без всякого принуждения принял, потому что мир не смог мне предложить ничего лучшего, чем эта Книга, и никогда не сможет предложить ничего даже подобного Ей, а всё равно жду здесь Чужую Жену и уже слегка раздражаюсь на то, что она опаздывает, — и в этот самый момент она появляется наконец, и идёт по направлению ко мне, и улыбается, радостно улыбается, и, к счастью, к нашему обоюдному с ней счастью, я сейчас, по крайней мере, в силах верить, что радость эта — неподдельная, она подходит ко мне, и улыбка раздвигает её и без того широкие монгольские скулы, и я уже улыбаюсь ей в ответ, со всею возможной приветливостью, на какую способен по отношению к даме, к партнёрше, к нынешнему суррогату моей несбывшейся Дивной Донны, и приветливость моя, как всегда, зажата между смущением и желанием не обидеть ту, которая была столь мила, что появилась из преисподней по моему зову и, стало быть, опять безропотно согласилась прелюбодействовать со мною, — но дамы мои обыкновенные такого слова, как «прелюбодеяние», не знают и, уж конечно, никаким грехом это не считают, они относятся к этому с подкупающей простотой, предметом моей ненависти и тайной зависти одновременно, они не подозревают о терзаниях, которые я испытываю во время их визитов, и когда я ещё жду их, и после их ухода, и знать им это было бы совершенно ни к чему, и я достаточно умело всё это скрываю, как и скрываю своё смущение сейчас, приближаясь к Чужой жене, чтобы утроить это смущение — взять её под руку в глазах целой толпы и мимо сотен свидетелей вести её по Пятницкой улице, где каждая собака меня знает, но — увы! — собак тут почти нет, да, признаться, они меня и не знают, не то — люди, соседи, сверстники, ведь сейчас уже вечер, а по вечерам Замоскворечье освобождается, очищается от дневных обитателей тупых прямоугольных громад, от служащих в институтах, комитетах «по» и «при», в «почтовых ящиках», освобождается от оккупантов, непрошеных варягов, нагловатых и — в сравнении с аборигенами наших кварталов — богатых гостей, чувствующих себя днём полноправными хозяевами, но по вечерам их здесь нет, и в эти часы даже шашлычная, учреждённая на Пятницкой специально для того, чтобы выкачивать из них премиальные и разные надбавки посредством разбавленного коньяку и горелого мяса с подозрительным соусом, даже шашлычная наполняется в эти часы аборигенами Замоскворечья, моими соседями, кто, конечно же, разбавленного коньяку не берёт, тащит с собою бутылку с водкой, распитие которой прямо запрещено специальной вывеской, они покупают затем один шашлык на троих, а то и на четверых, и кассирша, и буфетчица глядят на них неприязненно, но с опаскою, ибо им обеим лучше, чем кому-нибудь, известно, что эти посетители за матерной руганью в карман руку не суют, как они шарят там в поисках подкожных двугривенных, тайно изъятых из бюджета семей, за монетами, которыми оплачивается эта водка, эта единственная жалкая порция горелого мяса и несоразмерно большая горка хлеба при ней, — в вечерние часы наше Замоскворечье принадлежит только живущим здесь, и сейчас мне могут встретиться сплошь одни только мои соседи, а потому близость женщины, которую я вынужден держать под руку и вести по направлению к собственному дому ради цели, не требующей дополнительных объяснений, всё это смущает меня до такой степени, что я предпочитаю, как страус, никого и ничего не видеть вокруг и стараюсь не думать обо всём об этом, но, конечно, не думать не могу, и, приближаясь к Климентию, я решаюсь на этот раз идти не переулком, а интимнейшим замоскворецким проулком между закрытой церковью и бывшим домом её причта, потому что в переулке я каждую минуту рискую столкнуться с моим ближайшим соседом, со своим отцом, с матерью, с братом, чуть ли не с самим собою, спешащим на подземку или на стоянку таксомоторов, и всё же я решаюсь идти проулком не без колебания, ибо тот южный бок церкви — вовсе не то, что северный, мимо которого бежит людный переулок, дважды в сутки пронося толпы алчных по отношению друг к другу и равнодушных ко всему остальному миру непрошеных варягов Замоскворечья, и северный как бы отполирован их совершенным равнодушием, он даже отгорожен от переулка решётчатым забором, а южный бок Климентия Римского, южный — совсем не такой, с этой стороны больше сотни лет глядели на церковь труждающиеся и поющие в ней, а потому и храм смотрит в эту сторону добрее, приветливее, на каждого прохожего как на прихожанина, и уже за этим мне всегда чудится Взгляд старый, как мир, вернее, даже старше мира, Тот Самый Взгляд, что наполнился вековой скорбью в ту минуту, как ещё в Эдеме видел Он, что — жена «вземши от плода древа, еже есть посреде рая, яде, и даде мужу своему с собою, и ядоста», — или, как уже на нашей грешной земле, — «на поли, воста Каин на Авеля брата своего и уби его», — и этот чудящийся мне здесь Взгляд страшнее любой встречи, страшнее косых и двусмысленных взоров целой толпы, но есть одно обстоятельство, одна деталь, которая всё-таки позволяет мне проходить с моей партнёршей со стороны закрытого храма, деталь эта — лепные изображения трёх ангелочков над южным входом, три лукавые мордочки, путти, эти порождения Ренессанса, папского непота, всеобщего баловня, незаконного отпрыска итальянского католицизма и античности, лукавые мордочки, занесённые в Россию вольтерианским веком как раз ко времени зарождения великой дворянской культуры, они вполне уместны тут над дверями храма — почти ровесника императорскому указу, которым, сам того не ведая, несчастнейший и ничтожнейший из российских монархов дал толчок к тому, чтобы культура эта, подобно Онегину, родилась на брегах Невы, мордочки здесь совершенно на своём месте, хотя за двести лет так и не привились они к подлинному русскому православию византийского толка — строгому и готическому в своей строгости, и мордочки эти, когда я их вижу в церквях, всегда вселяют в меня мысль если не о прощении грехов, то уж во всяком случае о снисхождении к слабостям; и поэтому я всегда после минутного колебания веду свою партнёршу этим замоскворецким проулком, свернув в который можно видеть окна старого, на целую треть врытого в землю дома, где я на птичьих правах занимаю крошечную каморку, куда мы и идём сейчас с Чужой Женой, и мы уже подходим к дому, я уже поднимаюсь на крыльцо, растворяю одну дверь, отпираю ключом другую и, наплевав на законы вежливости и гостеприимства, первым вхожу в коридор нашей квартиры, чтобы на несколько мгновений скрыть за своею спиной Чужую Жену; но как назло, когда бы я вот так ни пришёл с партнёршей за спиною, с похотью в сердце, я почти непременно сталкиваюсь с кем-нибудь из моих соседей, а если даже ни с кем не сталкиваюсь, то застаю все соседские двери распахнутыми настежь, и тогда мне кажется, что их вовсе не три, а тридцать три, три тысячи триста тридцать три, и все они распахнуты, как алчные пасти, мучимые не голодом, а любопытством, требующие не хлеба, а зрелищ, и я всякий раз должен проходить со своей партнёршей под одобрительными взорами моих соседей, да, именно одобрительными, ибо лица и фигуры моих дам кажутся им почти безупречными, и они гордятся моими успехами на поприще клубнички, тем, что мне удаётся заполучить себе таких прелестниц, сделать так, чтобы по моему зову они выскакивали из преисподней, моим соседям нравится всё это, и их восхищение, по их разумному расчёту, должно было бы льстить моему самолюбию, и я никогда не смогу им объяснить, что я начисто лишён психологии самцов, которые гордятся статью своих самок, тех, кто способен даже жениться на соблазнительной дуре, чтобы потом таскать её за собою по улицам, по ресторанам, по клубам нашей гадкой элиты, таскать, чтобы другие самцы глазели на неё, чтобы прелюбодействовали с этой дурой в сердце своём, таскать её повсюду и получать от этой собачьей свадьбы едва ли не большее наслаждение, нежели от нормального совокупления с ней, я не смогу им объяснить, что у меня едва хватает сил переносить положение самца, который всеми правдами и неправдами втёрся в доверие к соблазнительной дуре и приближен ею, так что, будь я Фауст, уже по одной этой причине никогда бы и ни за что не приблизился бы к Елене, и, что там далеко ходить, ни в каких самых пышных обществах, ни в каких самых разнузданных компаниях, ни во время самых гадких оргий я не смел демонстративно приблизиться к женщине, которая имела несчастие понравиться мне в эту минуту, или даже заговорить с нею как-нибудь так, чтобы вокруг могли угадать моё влечение или повышенный интерес, но мои соседи по квартире не могут и не должны знать этой моей особенности, и вот, как знак вящего ко мне расположения, они всякий раз шлют мне одобрительно-двусмысленные взоры, всякий раз, как видят, что я прихожу домой не один, и взоры их усугубляются мучениями, которых у меня в эти минуты и без того предостаточно, потому что сейчас наступит момент, когда я поверну ключ, толкну дверь в свою комнату и сразу же окажусь перед ликами, писанными темперой по чинам истинного православия, перед скорбными ликами, в которых я научился беспрепятственно читать первозданную скорбь Взгляда, кто смотрел, как жена «вземши от плода древа, еже есть посреде рая, яде, и даде мужу своему с собою, и ядоста» и как «на поли, воста Каин на Авеля брата своего и уби его», — и в эти минуты я должен идти по своему коридору, как по провинциальной улочке, где все специально сидят на крылечках и лавочках, чтобы глазеть на прохожих и друг на друга, и я прохожу под соседскими взорами, несущими в себе в эти минуты нечто более пронзительное, нежели рентгеновские лучи, я не смотрю на них, я стараюсь ничего вокруг не видеть, я даже не оглядываюсь назад, где слышатся каблучки моей партнёрши, и я, конечно же, опять не замечаю, что в нашем коридоре возле самой входной двери стоят шкафы и кровати, которых тут никогда не было — они всегда расставлены по двум комнатам, занимаемым соседкою моею и благодетельницей Марь Иванной, я ничего не замечаю, стараясь поскорее проскользнуть мимо алчущих зрелищ дверей, мимо взоров, пронизывающих меня, а мою партнёршу в очередной раз оценивающих, и уже мы миновали было всю эту муку, эти мучительные десять метров коридора, как вдруг у самого порога моей комнаты, когда ключи были уже наготове, меня останавливают, я спотыкаюсь о слова, обращённые ко мне, и это делает, ко мне обращается единственный близкий мне человек во всей квартире, благодетельница моя Марь Иванна — само воплощение доброты и стыдливости, живущей в нашем народе с той поры, как

в Киеве равноапостольный князь «повеле кумиры испроврещи, овы исещи, а другия огневи предати», — она, Марь Иванна, приближается ко мне
и говорит мне, уже стоящему с ключом около двери, с партнёршей за спиной — моя дама топчется
сейчас на месте, как бы не в силах прекратить
движение к цели нашего с ней путешествия, —
Марь Иванна говорит мне сиплым своим голосом, даже не голосом, ибо связки в этом почти не
участвуют, говорит хриплым своим полушёпотом
то, что я знаю, то, что я уже однажды слышал, да
только запамятовал, начисто забыл: «Миш, сегодня Валерку провожаем, заходи», — она произносит это и сейчас же проходит дальше, удаляется,
оставивши меня ошеломлённым, убитым, приконченным, каким угодно, поставивши меня перед ужасным выбором, между двумя огнями, между нашей с ней особенной дружбой и даже
любовью и тем, что существует у меня с Чужой
Женой, с партнёршей по нарушению заповеди,
кого я, как на грех, на усугубление греха, решился вызвать, вытащить из преисподней именно сегодня, когда провожают в рекрутчину Валерку,
внука, возлюбленное чадо Марь Иванны, когда
в нашей квартире, в пятнадцати метрах от моей
тахты, будет гулять чуть ли не весь наш квартал
и чуть ли не во главе с бюстом великого драматурга, ну, если не весь квартал, то уж наш-то дом непременно, все соседи, да ещё Валеркины друзья,
да ещё невесть кто набежит на дармовую выпивку, да завсегдатаи сквера при сортире с той стороны Климентия, и на проводах будут ждать меня,
одного из почётных гостей, и я не могу там не появиться, это — просто невозможно, а вместе с тем

вся возня с Чужой Женой, весь этот нехитрый обряд, давно уже сведённый к самому минимуму, должен продолжаться во времени, и как тут ни крути, как ни выгадывай минуты, совместить это с проводами почти невозможно, но — увы! — и отступления уже никакого нет, и ничего не остаётся, как только продолжить движение руки, которая сейчас отопрёт ключом замок, толкнуть дверь, пропустить Чужую Жену, войти вслед за ней и там, в моей каморке, в моём мирке, помочь ей снять пальто, уже под скорбными ликами, уже под тем самым Взглядом, кто взирал, как «жена... вземши от плода древа, еже есть посреде рая, яде, и даде мужу своему с собою, и ядоста» и как «на поли, воста Каин на Авеля брата своего и уби его».

И я отпираю замок, я толкаю дверь, я пропускаю Чужую Жену, я вхожу сам, я затворяю дверь за собою с обыкновенным, всегдашним в этих случаях ощущением захлопнувшейся западни, и оно никогда не покидает меня, это ощущение, если я являюсь сюда не один, а с партнёршей, — да, мы в западне, мы в волчьей яме, нам некуда здесь спрятаться друг от друга, нам ничего больше не остаётся, как только наброситься друг на друга, что и происходит чуть раньше или чуть позже, но в общем-то примерно в одно и то же время, поскольку обряд этот нехитрый, эта церемония уже давно установлена, и не мною, и не моей партнёршей, а, может быть, уже там, под тем деревом, где партнёрша моего праотца «вземши от плода его яде, и даде мужу своему с собою», — и обряд этот был и тогда уже совершенно такой же или примерно такой же, с небольшими отклонения-

ми в ту или иную сторону, и вот он предписывает
мне сейчас помочь моей партнёрше снять пальто
(наше платье и есть одно из незначительных откло-
нений в сравнении с нагими прародителями),
а снявши с неё пальто, надлежит запечатлеть на её
накрашенных губах первый приветственный поцелуй, куда надобно вложить довольно много разных эмоций, которые у меня на сей раз отсутствуют, но ведь приличия ради я должен их выра-
жать — нетерпение, горечь ожидания, тягость
разлуки и прочее в этом же роде, что полагается
чувствовать нормальным людям, а я в данном случае должен изо всех сил притворяться нормальным, абсолютно нормальным, таковы правила
этой игры, и мне приходится принимать и хоть
как-то исполнять их, раз уж я опять решился на
то, чтобы Чужая Жена вынырнула по моему зову
из преисподней на месте, где раньше красовалась
церковь Параскевы Пятницы; но всё это не так
уж трудно сейчас, в самом начале, ибо вообще
первая часть обряда вплоть до естественной
кульминации всегда проходит более или менее
гладко, поскольку вожделение наше обладает одной удивительной особенностью, даже способно-
стью, которой мы все пользуемся, хотя не всегда
даём себе в этом отчёт, не всегда замечаем это,
как не замечаем, например, воздуха вокруг нас,
и способность состоит в том, что вожделение, то
есть чувство или чувствование, может перехо-
дить и всякий раз переходит в несколько иную
субстанцию, как бы материализуясь, оно способно застилать нам глаза не хуже самого густого
дыма, в котором уже ничего нельзя разобрать,
кроме ближайших предметов, вернее, тут уже од-

ного, единственного предмета, собственно предмета вожделения, оно способно и закладывать уши, как не заткнуть их никакой в мире ватой, оно делает глухаря не только из птицы, но и из любой твари, даже той, что появилась в день шестый творенья, — и сквозь этот дым ничто не проникает, и только в самом отдалённом уголке мозга не дремлет память о скорби во Взгляде Творца, который видел, как его своевольные изделия, несмотря на строжайшую заповедь, «вземши от плода... и ядоста», — и сейчас, в самом начале, вовсе нетрудно по этой причине поддерживать в себе ложное впечатление, будто мы с моей партнёршей уединились, будто мы совершенно одни в целом свете, как наши прародители «под древом, еже есть посреде рая», — что мы будем заниматься пожиранием заповедных плодов совершенно обособленно, а не в беспорядочной куче, в свалке миллионов нам подобных, и от ближайших из них мы отделены всего лишь призрачными перегородками, «а стены проклятые тонки», и эти ближайшие за этими стенами прекрасно знают, зачем мы сюда удалились от них, и мысленными взорами они ясно видят все наши нехитрые действия, — так что не будь этого дыма, создаваемого вожделением, каждой паре надо было бы быть гениальными актёрами, чтобы вообразить себя наедине друг с другом, поверить в это и вести себя так, будто это есть на самом деле, будто они не преследуемы жадными мысленными взорами тех, кто остался снаружи, — и вожделение уже совершает это привычное всем волшебство, это колдовство, и моя тесная каморка уже наполнилась дымом, и мы уже оба с моей партнёршей видим и даже ощущаем только друг друга и действуем как бы ощупью, хотя в моём изголовье и горит неяркая лампочка, хотя я могу даже откупорить приготовленную загодя бутылку с коньяком и, не пролив ни одной капли, наполнить обе рюмки, стоящие на моём раскладном столике, я могу усадить мою партнёршу на точно рассчитанное место на тахте, а сам могу сесть рядом, но всё это как-то сомнамбулически, не то слишком поспешно, не то чересчур медленно (тут уж совсем трудно наблюдать за собою со стороны), не только трудно, но и опасно, ибо колдовство вдруг может рассеяться, вожделение исчезнет, вслед за ним улетучится дым, так что лучше не стараться видеть себя в такие минуты, лучше предоставить это тем, кто, без сомнения, внимательно следит за нами мысленными взорами, свободно проникающими сквозь перегородки, «а стены проклятые тонки», сейчас лучше всего глотать коньяк, спохватываться вдруг, что лимон не нарезан, можно попытаться пошутить, а если это не удастся, можно припомнить какой-нибудь глупейший анекдот, который уже в зубах навяз, тут и он сгодится, наплевать, что уже и собственный голос звучит ненатурально, глухарь на току тоже орёт не своим голосом, но всё надо делать в темпе, без пауз, и быстрота эта, легко маскируемая под нетерпение, тоже предписывается обрядом или, если хотите, подсказывается опытом, а сегодня мне следует особенно спешить, мне ведь непременно надо попасть на проводы, которые вот-вот могут начаться по соседству, а я ещё не перешагнул даже через самую первую часть обряда, впрочем, о проводах сейчас тоже совсем не время думать, думать сейчас можно только о том миге, когда ты впервые увидел её, нынешнюю свою партнёршу, вернее, даже о том миге, когда она сделалась тебе желанной, вожделенной, ибо все эти минуты и есть неотвратимое последствие того, главного мига, хотя их могло бы и не быть, таких последствий, если бы я был трезв и не дал бы волю застарелой своей привычке не пропускать мимо почти ни одной юбки, привычке, которая завелась у меня ещё тогда, когда я был юным, а потом уже и молодым язычником и когда я совершенно не думал о Книге, а уж о Книге сейчас и подавно невозможно думать, от этих мыслей дым улетучится наверняка, и я буду сидеть со своей рюмкой на своей тахте, подле своей партнёрши, как плохой актёр, который не в силах поверить в то, что происходит с ним по ходу пьесы, словом, уже ни о чём нельзя думать, кроме как о самой партнёрше, ну, может быть, чуть-чуть о вкусе этого коньяка, об этом даже можно обменяться с нею мнением, а всего лучше сейчас же отставить рюмки и предпочесть вкус её накрашенных губ, обратить к ней своё лицо, приблизить его к её лицу, словом, перейти к непосредственному вкушению тех плодов, о которых Ева решила, что они «добры в снедь», приступить к этому «и ядоста», забывши, начисто забывши о том, как много раз в жизни ты уже обманулся в их вкусе, и — увы! — сколько ни доводилось мне в жизни пожирать их, не знаю, что — природа ли моя, проклятие ли, тяготеющее над всеми нами, которое материализуется в этот самый дым, бес ли, который вселяется в любого из нас в это время, но что-то мешает нам нажить хоть минимальный опыт, чтобы мы могли хоть изредка вспоминать, чем чреваты минуты после вкушения этих плодов, когда дым улетучится и ты останешься вдвоём со своей партнёршей и опять, опять, опять будешь убеждаться в своей наготе, как прародитель, поддавшийся искушению, наверно, от его вожделения дым переполнил дом, заволок до вершины «древо, еже есть посреде Рая», а когда исчез, улетучился, оба очнулись от безумия, «и отверзошася очи обема, и разумеша, яко нази беша», — и сколько бы раз я ни испытывал эту постыдную, неисправимую наготу, неисправимую оттого ещё, что невозможно, очнувшись в объятиях прелестницы, вдруг устыдиться явно, схватиться за одежду, пытаться отгородить себя от неё, защитить своё грешное и беспомощное в наготе тело, да и что его теперь защищать? — раньше надо было думать, а раньше думать было некогда, раньше ты алкал этих колдовских плодов, хотя знал же, должен был помнить, какой вкус они оставляют после себя во рту, какое похмелье следует за этим опьянением, и ведь ни разу, никогда ещё не было так, чтобы этот привкус совершенно отсутствовал, как бы ни мила была тебе твоя партнёрша, как бы ни разрывалось сердце от любви к ней, не обошлось без этого и в тот самый первый раз, когда я по врождённому убеждению, что плоды эти «добры в снедь», отведал их впервые так рано, всего четырнадцати лет от роду, после того как, барчук, белоручка, я два месяца кряду приставал к служанке своих родителей, ну, теперь-то я понимаю, что инициатива исходила не только от меня, но тогда я этого сообразить не мог, мне было четырнадцать, и я два месяца вплоть до памятного июньского полдня непосредственно шёл к вкушению плодов, и мне, недомерку, стригунку, подростку, дама — предмет моего вожделения, двадцати двух лет от роду, казалась тогда древней, как Сарра, а ей, по всей вероятности, понадобились эти двухмесячные игры в кошки-мышки для того, чтобы признать меня, сосунка ещё, достойным претендентом на её пышные прелести, чтобы наконец накормить меня до отвала этими плодами, которые не дают насыщения, — а прелести у неё действительно были, такой огромной груди я с тех пор не встречал ни у одной из моих последующих дам, и она то прижимала меня когтистой лапкой, то опять отпускала на волю, так было два месяца, и с тех пор моё вожделение никогда больше не длилось так много времени подряд, а потом, когда она решилась уже дать мне понять, что я достигну своей цели, то полночи плела мне сказки, чтобы на этот раз довести себя до моего уровня, до уровня моей невинности, она долго повествовала мне, как в Румынии, где она была в качестве медицинской сестры с нашими оккупационными войсками, в Румынии её соблазнил и бросил офицер, обманщик, похититель девственности, и рассказ этот, вариации на тему которого я потом только и слышал от них всю мою последующую жизнь, но тогда новый для меня рассказ произвёл на мою душонку такое впечатление, что я на несколько минут сделался весьма благороден и решил отказаться от своих притязаний, хотя это был эффект, на который повествовательница меньше всего рассчитывала, эффект совершенно излишний, поскольку она мысленно уже вплотную приблизила момент нашей первой совместной трапезы, меню которой состоит из одних только заповедных плодов, и это должно было произойти в самом конце рассказа, и я до сих пор не знаю, какую она в тот момент собиралась принять позу, то ли разыграть великодушие опытности, то ли показаться вторично совращаемой невинностью, последнее, конечно, вероятнее, ибо к этому естественно подводил рассказ, который я теперь назвал бы длинным, нудным и банальным, а тогда он мне казался таким трагичным и возвышенным, я так и не знаю, как она закончила бы своё повествование, поскольку она вела обе партии — и героини, и драматурга, но тут произошло досадное вмешательство извне, как если бы пожар охватил вдруг здание театра, спектакль пришлось прекратить, — в ту комнату, где мы с ней ночевали, неожиданно явился третий постоялец — мой старший брат, он явился и нарушил наше сладостное уединение, он улёгся на третью кровать и уснул сном праведника, и вот самое захватывающее в моей жизни представление, где я был не только зрителем, но и исполнителем не последней роли, было тогда так грубо прекращено, и чуть ли не перед самой вожделенной развязкой сюжет вдруг метнулся в сторону, вернее, он даже не изменился по существу, а просто развязка была отложена, продолжение следовало в следующем номере, в следующей части, в следующем действии, в следующем акте, если хотите, и продолжение это воспоследовало на другой же день, июньским полднем, после того, как я вернулся с английского экзамена (бог весть как я ухитрился его тогда сдать), она сама мне открыла дверь, и тут уже всю лестницу и всю квартиру заволок проклятый дым, я сразу почуял, что сейчас никого, кроме неё, нет дома и, даже не удостоверясь в этом, я взял её за руку и повёл через всю безмолвную квартиру от входной двери до самой дальней комнаты, которая тогда ещё называлась детскою, я вёл её в дыму, вовсе не ощущая стыда, и она упиралась классически притворно, так фальшиво, что даже я, кому два месяца понадобилось пускать слюни, прежде чем догадаться, что она сама не прочь угостить меня плодами, я уже ни капли не верил в это притворство, после двухмесячного предисловия я вёл её твёрдо, как мужчина, привёл к ложу и произвёл всё чуть ли не с опытностью, средь бела дня, при солнечном свете, падавшем на нас через широкое окно, и пред тем как вновь обрести себя в реальности, после двухмесячного колдовства, наваждения, пред тем как «отверзошася очи обема, и разумеша, яко нази беша», в тот кратчайший миг я первый и единственный раз чуть-чуть не произнёс было вслух, чуть было не закричал те самые три слова, которые всегда с тех пор меня подмывает произнести хотя бы шёпотом и которые я, конечно, так никогда и не проговорил, но сформулировал тогда же, в момент первого моего падения: «И это всё?!» — и это было всё, нет, совсем не всё, потому что дым вожделения уже улетучился, уже «отверзошася очи обема, и разумеша, яко нази беша», — и вот — нагота, нагота в солнечном свете июньского полдня, проникающего в комнату, в мою детскую, не только лучами своими, но и шумом двора, звонкими голосами играющих там невинных ребятишек, окно — настежь, июнь на дворе, и я лежу со своей наготою, со своею стыдобою, лежу рядом с нагой партнёршей, самой первой из них; и этот полдень можно считать началом опытности не только потому, что я вкусил тогда колдовских плодов, не только оттого, что в первый раз почувствовал привкус, который они оставляют, ощутил похмелье, но и оттого, что, лёжа в беспощадном солнечном свете, я впервые с ужасом убедился, что между мною и ею — стена, стена пострашнее и повыше, чем Великая Китайская, та самая, что стоит между всеми нами, потомками тех, кто вкушал плоды непосредственно под древом, где они произрастали, и стену эту преодолеть невозможно, и единственную лазейку подсказывает людям Книга, но люди в большинстве своём от Неё отворачиваются, бегут Её, правда, когда происходит колдовство, когда всё вокруг затянуто дымом вожделения, мы не замечаем стены, мы пытаемся пройти сквозь неё, как пьяные, но вот опьянение прошло, наступило похмелье, рассеялся дым, а я лежу нагой с нагою же партнёршей, ближе, уж кажется, невозможно, лежу и вижу, чувствую, что стена целёхонька, я лежал тем июньским полднем, преждевременно повзрослевший, лежал и думал о том, ради чего я два месяца пускал ртом слюни, как последний кобель на собачьей свадьбе, ради чего? — ради мига последних содроганий перед тремя словами: «И это всё?!» — или, может быть, ради мужского тщеславия, ради того, чтобы ещё в дыму, ещё до этих слов, в самую кульминацию приоткрыть один глаз и увидеть прямо перед собою лицо женщины таким, будто её без боли поджаривают на сковородке — отдалённый отблеск будущих адских мучений, — «И это всё?!!» — не слишком ли большая плата за стыд, за то, чтобы воочию, ощупью убедиться в существовании китайской стены, разделяющей нас всех, — и всё же я с завидным упорством, с упорством, достойным гораздо лучшего применения, продолжал обманывать себя, продолжал пожирать эти колдовские плоды, и я продолжаю — увы! делать это и сейчас, когда раскрылась предо мною Книга книг, когда я осознал всю несравненную Её правоту, я так и не приобрёл никакого опыта, и это можно хоть как-то оправдать тем, что люди, мир вообще неспособен приобретать опыт, неспособен принимать его во внимание, как неспособен он, мир, послушаться ни одного благого совета или разумного предупреждения вплоть до тех, что содержатся в Книге, вернее, собственно, начиная с Книги, и мир в беспорядочных своих движениях действует, не только не принимая ничего во внимание, но всегда вопреки благим советам и грозным сбывающимся пророчествам, откуда бы они ни исходили, и я лежу сейчас, валяюсь где-то посреди этого мира, о котором давным-давно сказано: «мир Тебе не позна», — я валяюсь в самой свалке людей, лежу нагой, мысленно уже проговоривши: «И это всё?» — дым уже улетучился, рассеялся, а я лежу на своей тахте с Чужой Женой, «и отверзошася очи обема, и разумеша, яко нази беша».

Иногда, если я лежу вот так, скверный и нагой, как ни гоню я от себя одну неотвязчивую мысль, как ни бегу её, всё же мгновения, когда она спо-

собна дать почувствовать мне леденящий, почти
смертельный страх, самый настоящий ужас,
и хотя Книга в такие часы не лежит у меня в изголовье, а покоится на бюро, на самом верху, и таким образом, что я сейчас даже не вижу Её кореш-
ка, но тем не менее я многое из содержащегося
в Ней слишком хорошо запомнил, и в том числе
слова страшного предостережения, которые, как
и всё, что в Книге содержится, мир не помнит,
или не хочет помнить, или делает вид, что не
помнит, и слова эти сказаны о злом рабе, о том,
что «приидет Господин раба того в день, в оньже
не чает, и в час, в оньже не весть: и растешет его,
и часть его с неверными положит; ту будет плачь
и скрежет зубом», — и мысль об этом нежданном
и негаданном появлении Господина снова и снова способна сковывать меня мгновенным ужасом,
потому что, ещё будучи язычником, мало что
зная о Книге, я выделил для себя одно порази-
шее меня место из Шекспира, из «Гамлета», то,
где принц не хочет убить узурпатора во время молитвы — после такой кончины Клавдий может
спастись, нет, Гамлет желает ему смерти той, какой он предал своего августейшего брата, разго-
рячённого вином и похотью, принц мечтает за-
стигнуть узурпатора «в объятьях сна или
нечистой неги, в пылу азарта, с бранью на устах
и чем-нибудь, что только не к спасенью, тогда
подбрось его ногами вверх, чтоб кубарем, весь
чёрный от пороков, упал он в ад», — я давным-давно это место для себя отметил, но всё валяюсь
сейчас, продолжаю валяться на скверном ложе,
весь чёрный от пороков, зная, прекрасно зная,
что Господин мой может явиться в любую минуту

«в день, в оньже не чает», Он явится и застанет меня вот таким, и Книги нет сейчас в моём изголовье, и только бесстыдный неяркий свет, который озаряет наготу, и я, блудодей, иду, иду, иду на это, как шёл много лет тому сквозь наполнившуюся дымом квартиру к первому в моей жизни ложу позора, озарённому ясным июньским солнцем, и я лежу совершенно так же, как и тогда в бывшей моей детской комнате, куда июнь проникал сквозь окно не только лучами своими, но и шумом двора, голосами бегавших там невинных ребятишек, но тогда это было простительно, тогда я познал первое огромное разочарование, а с тех пор в моей последующей жизни я только и делал, что разочаровывался, и не таким лишь низменным образом, я на опыте постиг непреложный закон этого мира, где стремление к любой, самой возвышенной цели всегда лучше и блаженней, нежели самая цель, и, уже придя к этому выводу, я потом прочёл его у великого старца, ересиарха Саксен-Веймарского и Эйзенахского, вложившего эту мысль в уста любимому герою: «Так обстоит с желаньями. Недели мы день за днём горим от нетерпенья и вдруг стоим, опешивши, у цели, несоразмерной с нашими мечтами», — так переложил это славянскими литерами мой покойный сосед, почивший в Бозе великий поэт, который жил в ближайшем квартале, в двух квартирах сразу — одна над другой, я часто, бывало, встречал его гуляющим по Замоскворечью, — и вот, даже вполне обладая этим знанием, я всё равно вызываю мерзкое колдовство, наполняю свою комнату клубами постыдного дыма, чтобы потом, когда дым улетучится, лежать вот так, как сейчас, лежать и чув-

ствовать на себе с новой силой мысленные взгляды людей, отделённых от моего ложа призрачными
перегородками, «а стены проклятые тонки», —
чтобы слышать звуки внешнего мира, беспрепятственно проникающие в мой мирок сквозь эти
проклятые стены, и звуки эти, такие безобидные
всегда, звучат теперь язвительным укором и иронией судьбы, до меня сейчас доносятся невинные
детские голоса, совершенно такие же, как тем
июньским полднем, будто не прошло с тех пор
полутора десятилетий, будто не сменилось у меня
с тех пор множество дам, голоса звенят, чистые
и ясные, и уводят сейчас моё воображение почти
против воли за тонкие стены моего мирка, туда,
в коридор, где они играют и возятся сейчас, эти соседские дети, и мой собственный мысленный взор
уже выходит из пределов каморки, я уже мысленно
вижу тех, представляющих себе сейчас меня и мою
партнёршу, — пожалуй, не бывает другого времени, как эти стыдные часы, когда мой интерес
в такой мере сосредотачивается на них, находя-
щихся в нашей людской вселенской свалке ближе
всего ко мне, я как бы отвечаю им на их собственное нескромное любопытство, и вот сейчас, разделённые призрачными перегородками, мы мысленно рассматриваем друг друга, правда, мой
интерес к ним несколько нарочит, вроде того вы-
зывающего взгляда, таящего в себе смущение, которым смотрит человек, застигнутый за неблаго-
видным занятием, на того, кто его за этим
занятием застиг, он не хочет опустить своего вы-
зывающего взора, и, если он при этом проявит
определённую твёрдость, устыдиться может тот,
другой, находящийся, казалось бы, в более вы-

годном положении, — вот так и я сейчас мысленно вижу соседских детей, с топотом пробегающих по нашему коридору, двоих — мальчика поменьше и девочку постарше, соответственно трёх и шести лет, я вижу ясно их особенности, мелкие чёрточки, как бы бутончики, которые потом распустятся в целые характеры, они уже сейчас совершенно непохожи друг на друга, эти дети, рождённые от одной матери и от одного отца, паренёк — белобрысый, толстый, весёлый, жизнерадостный, уже в этом нежном возрасте слегка грубоватый, а девчонка тихая, скрытная, безмерно любопытная и совершенно бесцеремонная, к тому же ещё косая, существо заведомо несчастное, даже у родителей своих уже вызывающая неприязнь и, конечно, уже обиженная всем миром, уже носящая частичку ответной злобы в своей крошечной груди, в своей душе, и частичка эта будет всё разрастаться и разрастаться, как раковая опухоль, и не покинет её, пока не погубит совсем, пока не убьёт, не задушит, — и несчастная эта девчонка уже сейчас сама, первая, норовит всегда обидеть парнишку, который пользуется симпатией у всех, даже у меня, когда я выхожу в коридор, чтобы вручить им обоим по конфете, я тоже выдаю сласти мальчишке с большим удовольствием, я тоже не могу преодолеть в себе неприязнь к несчастной этой девочке, хотя отлично вижу, наверное единственный из всех, что на моих глазах происходит завязка одной из миллионов трагедий, подобная той, где в развязке, вернее, в кульминации «на поли, воста Каин на Авеля брата своего и уби его», — и сейчас, лёжа на своей тахте, слыша их топот и звонкие голоса, я могу почти с математической точностью предсказать, когда раздастся детский плач, на котором кончится эта игра, когда девчонка ударит мальчишку или отберёт у него что-нибудь не только из чистой ревности к людям, которые все без исключения относятся к нему лучше, чем к ней, но и просто из зависти, из ревности к его добродушию, к его покладистому нраву, и вслед за детским плачем я услышу голос соседа, отца этих детей, который, конечно, накажет девчонку, и к комочку злобы в её тщедушной груди прибавится ещё одна крошечная частичка, но сейчас они пока ещё играют в согласии, а отец их ещё сидит на крашеном стуле посреди их маленькой комнаты, где они чудом умещаются все четверо — родители и двое детей, он сидит у стола, развернув вечернюю газету, единственное его чтение, кроме разве что этикеток на тех четвертинках, которые он ежедневно поглощает и которые делают его взор, устремлённый в газетный лист, несколько более сосредоточенным, чем того требует шрифт и предмет повествования, — он — столяр, и почти каждый день у него есть мелкие заработки, и они целиком тратятся на эти четвертинки, тогда как зарплата идёт на семейные нужды да на те жалкие игрушки, из-за которых ссорятся и дерутся его дети, вот так он сидит со своей газетой каждый вечер, кроме субботнего и воскресного, когда он напивается уже основательно, сидит и бессмысленно смотрит в газетный лист, пока наконец ему не приходит в голову запустить телевизор, и это решение созревает у него каждый вечер примерно в одно и то же время, и тогда телевизор этот уже рявкает до самого конца, до тех

пор, пока смазливенькая дикторша не пожелает
всем спокойной ночи, а голубоватый экран —
к тому времени единственный источник света
в их комнате — освещает уже спящих детей, раз-
обиженную, жалкую девчонку на раскладушке,
а парня, того, конечно, на более удобном ложе,
и родителей на высокой металлической кровати
с никелированными шариками, возвышающей-
ся, господствующей надо всем, что есть в комнате, где столяр с женой предаются в это время
«брачным и законным наслаждениям», супруже-
ским утехам, ежевечерним, как он с гордостью
сообщает всем родным и знакомым и нам, соседям по квартире, и когда дикторша пожелает
всем спокойной ночи, он встанет с кровати, чтобы выключить телевизор до завтрашнего вечера,
и в комнате тогда станет совсем темно, а он, может быть, воспользуется тем, что уже стоит на
ногах, и нальёт себе из алюминиевого чайника
тёплой невкусной кипячёной воды в грязнова-
тый гранёный стакан, а скорее, не станет даже
наливать — просто выпьет её жадными глотками
прямо из тонкого носика и уляжется опять, уже
совершенно ублаготворённый, чтобы на этот
раз, отвернувшись от жены, заснуть своим не
вполне трезвым и безмятежным сном, но сейчас
ещё рано, ещё даже телевизор у него не включён,
ещё слышен топот и голоса мирно играющих,
ещё не поссорившихся его детей, топот слышится сейчас из дальнего конца нашего коридора, от
самой входной двери и от двери комнаты, где наверняка уже включён телевизор, только поменьше и похуже того, что стоит у столяра, с мелким
тусклым экранчиком величиною в большую поч-

товую марку, самый первый из всех выпущенных
в продажу, но величина экрана значения не имеет, ибо хозяйка его, благодетельница моя Марь
Иванна положила сейчас голову на стол и дремлет,
совершенно не замечая мелькания голубых теней,
не слыша хриплых звуков, издаваемых этим ящи-
ком, она дремлет, уставши за день от бесчисленных
и изнурительных своих обязанностей, от матерных скандалов, которые ей ежедневно устраива-
ет алкоголичка-дочь, от всей этой жизни, которую она — слава Богу! — и благодаря Ему — не
проклинает в силу своего удивительного характера и ещё оттого, что принадлежит к незначитель-
ному числу тех, кому доподлинно известно, что
события, о которых повествует нам Книга, — чи-
стейшая реальность, — и вот так она дремлет, не
глядя на свой рявкающий и мигающий ящик, и я
знаю, что именно так, в этой неудобной позе,
сидя за столом, положив голову на руки, Марь
Иванна отдыхает гораздо лучше и полнее, чем
когда несколько часов спустя выпьет кипяточку
с сахаром, заставит ящик замолчать и уляжется
на свою низенькую пружинную лежанку, заснёт
своим беспокойным сном, потому что, засыпая
на постели, она уже будет думать о том, что завтра надо встать пораньше, засветло, надо всё
успеть, надо справиться с бесчисленными обя-
занностями, а сейчас в тёмной комнате, где мелькают голубые тени от тусклого экранчика, она
спит безмятежно, и потревожить её сон не в силах ни рявкающий ящик, ни топот и визг соседских детей под самыми дверями её комнаты, — но
на этот раз я ошибаюсь, вообразив себе последнюю картину, как я уже ошибся несколько раз

в этот вечер, я опять, опять забыл о проводах, нет, она сейчас не сидит за столом, положа голову на руки, и ящик сейчас в той комнате не рявкает, она сейчас вся в хлопотах, вся в движении, она занята мучительнейшими расчётами, она провожает в рекрутчину внука своего, ненаглядное своё чадо, ей надо устроить ему проводы не хуже, чем у людей, а у этих пресловутых людей у всех больше денег, чем у неё, а ведь водки надо выставить, чтобы хватило всем, а на закуску надо купить селёдки, той, что получше сортом, той, что подороже, а колбасы полукопчёной, а сыру, а вина ещё красного, да ещё взять у соседей посуды — вилок, тарелок, гранёных стаканов, и она мечется сейчас между расставленными в её комнате столами и кухней, всё выгадывает мысленно, всё высчитывает, ведь Валерочке и с собой надо дать денег, а ещё и лимонаду купить, и вот я слышу её торопливые шаги мимо моей двери, она мечется между комнатой и кухней, где вовсю уже идут приготовления, где орудует дочь её — несчастная безмужняя алкоголичка, она ещё трезва, пока, но ужасно возбуждена не столько от грядущей разлуки с единственным сыном, сколько в предвкушении легальной и обильнейшей выпивки, она бойко манипулирует кастрюлями, тарелками, сковородками, а рядом с нею над своим корытом склонилась другая женщина, безучастная ко всему, даже к этим суматошным приготовлениям, даже к крикам собственных детей в коридоре, где девчонка наконец обидела парня, и он теперь ревёт на всю квартиру своим не по возрасту крепким баском, она безучастна даже к крикам собственного супруга, который уже производит экзекуцию, вслед за чем сейчас же раздаётся тонкий жалобный вой наказанной девочки, — она безучастна решительно ко всему в этом миллионном городе, куда её лет восемь назад привёз муж из какого-то глухого лесничества, потерявшегося в дебрях воронежских лесов, он привёз её, неграмотную дочку лесника-пьяницы, взял за себя замуж, я думаю, за эту вот безответность, она склонилась себе над корытом, женщина моих лет, низенькая, плотная, белобрысая, какая-то даже вполне бесцветная, без всякого намёка на талию, несмотря на свою сравнительную молодость, она молча и усердно стирает сейчас подштанники своего мужа, своего повелителя, или жёлтое с голубыми цветочками бумазейное платьице своей несчастной, всем миром обиженной дочки, и всё это делается с такой безучастностью, будто прямо у неё над головою не мелькают сейчас тарелки, сковородки, кастрюли, будто здесь царит такая же блаженная тишина, как дома, в лесничестве, будто тут так же, как и там, на десятки километров — ни души, будто подштанники эти принадлежат не отцу её детей, городскому пьянице-мужу, а её собственному отцу, сельскому, вернее даже, лесному пьянице, — и она, может быть, сейчас неторопливо вытрет руки и пойдёт, по-прежнему никого и ничего не замечая вокруг, пойдёт через коридор своим размеренным шагом, пойдёт совсем недалеко — к моей двери, но совершенно так же, как ходила за пятнадцать вёрст за водкой отцу, за керосином или за спичками для их немудрёного лесного хозяйства, пойдёт за хозяйственной же надобностью, чтобы занять у меня рубль дня на два, на три — до мужниной зарплаты, пройдёт через наш глаголеобразный коридор, всё такая же безучастная, полусонная, и тихонечко постучит в мою дверь, а когда я выгляну в коридор, она обратится ко мне со своей обыкновенной застенчивой, но вместе с тем какой-то лениво-нескромной улыбкой, что-то обещающей, и улыбка эта, я думаю, а не что-нибудь другое в её облике и в её ровном поведении, улыбка эта и есть причина ревности и следующих за ней побоев, достающихся ей от мужа, который старше её лет на двадцать, бьёт он её исключительно в тех случаях, когда дневная его норма по каким-нибудь счастливым обстоятельствам превышает четвертинку, бьёт с разной степенью силы, иногда кулаками, когда совсем сильно пьян, иногда специально имеющимся у него для этой цели толстым офицерским ремнём, ремнём с тяжёлой пряжкой (детей своих он порет другим, более партикулярным — из брюк от праздничного пронзительно-синего костюма), иногда, но уже к самому концу двухдневной или трёхдневной пьянки, что с ним случается только по большим праздникам, он даже принимается душить её, и тогда она находит политическое убежище в другом конце нашего коридора, у Марь Иванны, и весь дом в этих случаях сотрясается от его страшной ругани, но дальше матерных угроз соседям дело не идёт, ибо наш Васька — так зовут этого Отелло — сильно трусоват, хотя под пьяную руку всегда хвастается тем, что он — фронтовик и служил в контрразведке (обстоятельство, позволившее нынешнему рекруту Валерке наградить его когда-то кличкой Контра), — и вот, по моему разумению, причиной всех этих скандалов, побоев,

крика является сама по себе ленивая и сонная
Шуркина улыбка (так зовут эту Дездемону), улыбка застенчивая и нескромная одновременно, обе-
щающая что-то, заставляющая на что-то рассчи-
тывать, и с такой этой своей улыбкой она в любую
минуту может постучать в мою дверь, чтобы попросить чуть ли не традиционный уже рубль —
бо́льшую сумму, по-моему, она вообще попросить
неспособна, — и я встану со своей тахты, я высунусь к ней в коридор, стараясь держаться таким
образом, чтобы она не заметила накинутого на
мои плечи халата, которым я в подобных случаях
прикрываю наготу, я услышу её просьбу, выска-
занную с этой улыбкой, исчезну опять, добуду
рубль из кармана лежащих на стуле брюк, снова
высунусь и отдам ей монету, и всё это со спутан-
ными волосами и в мерзком поту, совершенно такой же, каким бывает её собственный партнёр
«по брачным и законным наслаждениям», когда
он хлещет из своего алюминиевого чайника тепловатую воду, только что выключивши телевизор и стоя в подштанниках у стола, а потом, уже
выдавши ей этот рубль, я улягусь вновь подле своей нагой партнёрши и опять, опять и опять заду-
маюсь над тем, почему всякий раз, выслушав её
ничтожную просьбу, я должен сначала преодолеть в себе первое гадкое поползновение «отказать» — раздавить сначала где-то внутри, в самой
душе мелкого гада и помедлить от этого какую-то
долю секунды, прежде чем исчезнуть и выдать ей
этот несчастный рубль, и эти размышления, как
всегда, уведут меня далеко-далеко, и я начну думать, почему у всех у нас душа постоянно повёр-
нута к плохому, вниз, как рыло у крыловской сви-

ньи под тем дубом, и почему мы всегда легче и лучше воспринимаем всё низменное и плохое, и в конце концов я начну думать о том, почему женщина, увидев на улице Данте, говорит своей спутнице: «Видите того, кто сходит в ад и возвращается по своему желанию?» — почему ей в голову не приходит сказать или подумать о том, что этот же человек по желанию поднимается в рай и смотрит там на Господа Бога, и почему же, почему я, способный думать обо всём об этом, всё-таки продолжаю лежать на осквернённом ложе нагой с нагою же партнёршей, трусливо убравши Книгу от изголовья, лежу молча, прислушиваясь к звукам, которые доходят до меня сквозь тонкие стены и доски двери, я слышу топот и громкие голоса ссорящихся детей, слышу поспешные шаги Марь Иванны, которая мечется между своей комнатой и кухней, где идут приготовления к проводам, я лежу, уже непозволительно затягивая молчание после бурного приступа ласк, я уже нарушаю обряд, задерживаю его плавное течение, мне давно уже пора начать или новую серию объятий, или нежный незначащий разговор, а я всё медлю, медлю и медлю...

Мой хороший приятель когда-то научил меня одному простому, но хитроумному приёму — во время такого лежания, в этих вынужденных паузах, если почему-либо нет сил или просто не хочется вести незначащий нежный разговор, то существует одно спасительное средство, всего одна фраза, которую надо только вовремя произнести, непременно до той минуты, как партнёрша твоя заговорит первая, чтобы она случайно сама не сказала её, — в этом случае ты сейчас же автоматически меняешься с ней местами, сейчас же уступаешь ей роль более возвышенного, более тонко организованного существа, кому отчуждённость непереносима, нужно первым произнести эту волшебную фразу, всего четыре слова: «Ну почему ты молчишь?» — и как только эти слова прозвучат, как уже твоё собственное молчание сделается естественным, покажется следствием едва уловимой обиды, дело повернётся таким образом, будто партнёрша твоя была в какой-то мере бестактна, она не смогла обратиться к тебе с проникновенными словами, свидетельствующими о вашей близости, не смогла сказать тебе их в тот единственный момент, когда ты так остро в них нуждался, и если ты успеешь вовремя произнести: «Ну почему ты молчишь?» — если волшебные четыре слова слетят с твоих уст, то уже совершенно неважно, что будет дальше, станет ли она говорить что-нибудь в своё оправдание или что-нибудь такое, что косвенно могло бы служить ей оправданием, или даже, если пауза будет длиться, она просто не ответит тебе, в любом случае дело сдвинется с мёртвой точки, поскольку обряд допускает здесь любой из этих вариантов, дальше всё пойдёт своим чередом, лишь бы затянувшееся молчание было нарушено именно этой фразой: «Ну почему ты молчишь?» — а сейчас, пока мне всё это лезет в голову, молчание длится, длится и длится, и наш обряд застыл, застрял на какой-то точке, и уже партнёрша моя вот-вот может не выдержать, может заговорить первой, и тогда всё пропало, тогда мне придётся поддерживать разговор, а на это у меня сейчас нет ни желания, ни сил, и чтобы выиграть время, чтобы подстегнуть наш с ней ритуал, я первый успеваю произнести: «Ну почему ты молчишь?» — и она мне не отвечает, она будто и не слышала моего вопроса, но это уже неважно, вопрос мой был скорее риторический, всё пустяки — важно одно, мёртвая точка позади, человеческий голос прозвучал здесь, над моим ложем, в комнате, прозвучал уже после того, как улетучился дым вожделения, и время может продолжать свой путь, тихонько скрежеща чем-то внутри электрического счётчика над моей дверью в коридоре, дети могут уже сколько угодно кричать и топать, могут ссориться и драться, их отец может производить экзекуцию партикулярным ремнём, Марь Иванна может делать последние свои сумасшедшие рейсы между кухней и накрытым столом, — «Ну почему ты молчишь?» — позади, и тишина, молчание на нашем ложе имеет теперь уже совершенно иной, не такой тягостный смысл, как имело до этих волшебных слов, произнесённых мною как некое заклинание, древнее и всесильное, прямой смысл которого утрачен, и сходство это тем более разительно, что, произнеся эти слова, сказать по совести, я больше всего на свете не хочу сейчас, чтобы она заговорила, я благодарен ей, безмерно благодарен именно за молчание, за то, что она молчит, за то, что у неё хватает ума и такта не нарушать паузу, она длит её и теперь, не поддаваясь на мою заведомую провокацию, ибо всё то, о чём нам по нашему обоюдному негласному договору можно говорить, всё это уже переговорено на пути от того места, где красовалась церковь Параскевы Пятницы, до этого ложа, где мы лежим сейчас нагие в бесстыдном неярком свете, — я уже всё знаю, каким самолётом она сюда прилетела, мне известна и цель её командировки, и сколько она здесь пробудет, я уже знаю всё о здравии и благополучии хозяев, у кого она останавливается, прилетая сюда в эти свои подозрительно частые командировки, мне рассказано даже и то, как к ней пытался пристать пьяный, пока мчалась ко мне в подземном поезде, — всё это говорено, а иных тем мы с нею по обоюдному согласию никогда не касаемся, и поэтому, произнося, как заклинание: «Ну почему ты молчишь?» — я в самом деле мысленно внушаю ей: «Молчи, молчи, молчи! Не смей говорить! Не поддавайся на провокацию!» — потому что я знаю — о, как я знаю! — о чём она вдруг может сейчас заговорить, о чём они всегда норовят побеседовать, вот так-то лёжа, нагие с нагими же любовниками, и они даже, как правило, всенепременно начинают эти проклятые разговоры, ну, если не все они, то уж две трети из них наверняка, — она сейчас могла бы, совершенно свободно могла бы завести речь о своём муже и о своём ребенке, о служебных успехах того и о ранней смышлёности другого, она с равным восторгом пересказала бы мне сейчас отзыв начальства на последнюю работу мужа и остроумные реплики своего вундеркинда, она бы пожаловалась мне сейчас на свою свекровь, которая несправедливо — ах, как несправедливо! — донимает её своими мелочными преследованиями, пожаловалась бы и на то, что муж её чересчур подвержен влиянию этой скверной свекрови, что он, муж, хотя хороший, удивительный во всех отношениях человек, однако в таком тонко организованном существе, как она, он чего-то там недопонимает, не может вполне разделить каких-то там её возвышенных горестей и радостей, — и всё в этом роде, всё в этом роде, и, главное, это выкладывается тебе с такой простотою, с такой милой наивностью, с такой прямо-таки невинностью, что только диву даёшься, и, если зажмуриться, можно решить, что всё это тобою случайно подслушано из её разговора с интимнейшей подругой, а не выкладывается тебе — обнажённому любовнику, и вот это уже для меня совершенно непереносимо, — Боже, как меня бесит эта бесстыдная невинность, которую они сами не замечают и не способны замечать, а если им попробовать указать на это, они будут крайне удивлены, поражены даже, потому что... ну, потому что здесь, со мною, это — одно, а там, дома, это совсем другое, — «И что — одно?! Что — другое?!» — позвольте спросить, — но куда там! — я себе никогда в жизни не позволю сам ничего подобного у них спросить, и тем не менее чудовищная бестактность этих разговоров, этих рассказов способна доводить меня уже до каких-то пределов отчаянья, — вот отчего, произнеся вслух: «Ну почему ты молчишь?» — я мысленно кричу ей: «Молчи! Молчи! Молчи! Наша связь с тобою оттого и длится, что ты молчишь! Что ты умеешь молчать обо всём об этом, о твоём доме в далёком городе, о служебных успехах мужа, о том, как смышлён твой ребёнок, о том, как придирчива свекровь, — обо всём об этом, о чём мне не нужно, мне мучительно было бы знать», — и она молчит, молчит с того самого первого вечера, когда я был в гостях, когда я был нетрезв, когда я дал волю своей застарелой привычке, которая завелась у меня, пока я был ещё юным и молодым язычником, пока я вовсе не думал о Книге, — она молчит и молчала и в другой наш вечер, когда я впервые провёл её интимнейшим замоскворецким проулком между закрытой церковью Климентия и бывшим домом её причта, она молчит и молчала после первого моего с нею непроизнесённого: «И это всё?» — она молчит и до сих пор, до этой самой минуты, молчит, потому что, по счастию, она умнее и тактичнее большинства тех распутных дур, которые почти полтора десятка лет выскакивали по моему приказу из преисподней в том самом месте, где красовалась церковь Параскевы Пятницы, а может быть, тут дело вовсе не в уме, а в том, что в её жилах течёт тюркская кровь, и она, как восточная женщина, просто более тонко настроенный инструмент, чем мои обыкновенные дамы, и она, верно, сразу, с самой первой встречи нашей там, в чужих гостях, она сразу же почувствовала, что я ничто в ней так не оценю, как это молчание, она поняла это и тогда же, верно, пошла на негласный обоюдный договор со мною, договор, который один, в конце концов, и решил судьбу нашего с ней романа, оттого это всё и длится, что она молчит, оттого я и разрешаю ей звонить, когда она прилетает сюда в эти свои подозрительно частые командировки, оттого-то мы лежим сейчас здесь оба нагие, едва касаясь друг друга в бесстыдном неярком свете, оттого сейчас со мной соседствует она, а не другая, — и за это постоянное нарочитое молчание я сейчас испытываю к ней чувство благодарности, она по мере сил своих облегчает мне мои мучения, а благодарность если и не родная сестра, то уж во всяком случае — кузина нежности, и я поворачиваю сейчас к ней свою голову, лежащую на подушке рядом с её головой, я смотрю на неё в упор, на свою партнёршу, на нынешний суррогат моей небывшей Дивной Донны, я смотрю в её раскосые чёрные глаза, я начинаю осторожно трогать пальцами её широкие скулы, и тут я вспоминаю о своём татарском происхождении, вернее, не о происхождении, а о том, что в моих жилах течёт четверть или восьмушка татарской крови, и вдруг на какую-то секунду я так увлекаюсь этой мыслью, что чувствую себя едва ли не в кибитке, и душа моя сама собою незаметно поворачивается той стороной, которая родственна моим далёким предкам — мусульманам, и моя на десятилетия растянутая полигамия не кажется мне уже такой чудовищной, ибо у мусульман это не входит в понятие греха, а если и входит, то, во всяком случае, не с такой определённостью, и я ощущаю себя каким-то далёким татарским выродком, я стараюсь закрепить в себе и продлить это чувство, отвлекающее меня жульническим образом от мыслей о Книге и о тех жёстких и недвусмысленных словах, что в Ней содержатся, и облегчение, которое приходит, настолько ощутимо, что я решаюсь и впредь в подобные минуты культивировать в себе этот отдалённый зов крови, зов своей татарской четвертушки или восьмушки, я даже чуть не упрекаю себя за то, что не делал этого раньше, что мне это раньше не приходило в голову, хотя, признаться, я в любую минуту всегда с лёгкостью выпячиваю каждую часть из моего конгломерата кровей, я могу особенно чувствовать любую из них — русскую, татарскую, польскую и еврейскую, могу чуть ли не одновременно ощущать своё отдалённейшее родство с маршалом Понятовским и гордиться военными успехами Чингисхана, который дошёл до самого Кракова, могу повторять про себя напутствие преподобного Сергия юному князю Димитрию, сказанное перед Куликовской битвой, я считаю себя счастливейшим из смертных, потому что изъясняюсь на этом языке, но заглядываю по временам в первую часть Книги — в Ветхий Завет, может быть, несколько дальше, чем это необходимо православному христианину, — и вот с последней, или, если хотите, с первой частью моей крови — с еврейской, с этой частью моей души у меня долго были самые сложные, самые запутанные отношения, тут уж я просто кидался из крайности в крайность, я был легковозбудимым антисемитом и сионистом в то же самое время, и то один, то другой, то сей, то оный брали во мне верх, и я путался, путался, путался до тех самых пор, пока не понял, что двойственность эта лежит где-то вне меня, и я никак не мог понять, где именно, и только когда Книга стала постепенно раскрываться предо мною, я нашёл наконец начало этого разрывавшего мою душу дуализма — в третьей из четырёх книг величайшего пророка: «егоже позна Господь лицем к лицу», — там я нашёл начертанными слова, которые объяснили мне всё, всё вплоть до самых последних кровавых событий, разыгрывающихся на Святой земле почти два тысячелетия после того, как по ней ступала нога Назареянина, — и я читал почти

с трепетом, читал, глядя из того самого отдалён-
ного будущего, что Господь предсказал Своему народу устами Моисея: «И утвержу лице Мое на вас,
и падете пред враги вашими, и поженут вы ненавидящии вас, и побегнете ни комуже гонящу вас...
И сотворю пусту Аз землю вашу, и удивятся о ней
врази ваши, живущии на ней. И разсыплю вы
в языки, и потребит вы находяй мечь, и будет
земля ваша пуста, и грады ваши будут пусты...
И оставльшымся от вас вложу страх в сердца их
в земли враг их, и поженет их глас листа летяща,
и побегнут яко бежащии от рати, и падут ни ким-
же гоними... И презрит брат брата аки на рати,
ни кому нападающу, и не возможете противуста-
ти врагом вашым: и погибнете в языцех, и потребит вас земля враг ваших. И оставльшиися от вас
истлеют за грехи своя и за грехи отец своих,
в земли враг своих истают», — это читал с полным удовлетворением, чуть ли не с восторгом,
антисемит, живущий тайно в моей душе, читал
и узнавал, читал и радовался, и не мог нарадо-
ваться, и ликовал, но лишь какую-то минуту, ибо
сразу вслед за этим такой же тайный сионист воз-
обновил чтение: «И помяну завет Иаковль и завет Исааков, и завет Авраамль помяну, и землю
помяну... Обаче сущым им в земли врагов своих,
не презрех их, ниже вознегодовах о них, яко по-
требити я и разорити завет Мой иже к ним...
И помяну завет их первый, егда изведох их из
земли Египетския, из дому работы пред языки,
еже быти Мне Богу их: Аз есмь Господь», — так закончил тайный сионист с упоением, со злорад-
ством и поглядел на антисемита с торжеством во
взоре, и тут уже я приказал им обоим замолчать

навсегда, я решил больше никогда об этом не думать и уж во всяком случае никогда не путаться, не мешаться в Его дела с Его народом, с кого Он не снял Своего благословения и заветы Свои с которым Он не желает нарушать, — так решил я, и закрыл в тот раз Книгу, и отложил Её, но поместил не туда, на бюро, где Она покоится сейчас, и таким образом, что мне не виден даже Её корешок, а в изголовье, где Она лежит обыкновенно, когда неяркий свет в моей каморке не кажется бесстыдным, когда я лежу на своей тахте один, когда нагота моя прикрыта, и в эти часы я почти не слышу громкие голоса и шаги соседей, вернее, я слышу их так же отчётливо, «а стены проклятые тонки», но они почти не доходят до моего сознания, я просто не думаю тогда о моих соседях и об их мысленных взорах, которые могут быть сосредоточены на моей скромной персоне, я держу тогда в руках какой-нибудь том или даже Саму Книгу, я только что закрыл Её, и слова, прочитанные в Ней, ещё держатся в моей памяти в том же самом порядке, что и на странице, и я лежу на спине, а в этом случае взгляд мой невольно упирается в многоярусную полку, битком набитую томами, которая висит у меня в ногах, над самой тахтою; и свет в моём изголовье, как всегда, неярок, и в полутьме на корешках томов почти невозможно разобрать названий, но мне это и не нужно, я и зажмурившись могу безошибочно снять любой из томов, я на ощупь помню, где у меня кто стоит, и всегда, глядя на полку, на корешки томов, созерцая их в полутьме, я испытываю ощущение, сходное с тем, что испытывал барон Филипп, спускаясь к своим сундукам и зажигая пред ними свечи, ибо там, на полке, стоят мои кумиры, бывшие кумиры, но идолы такого сорта, что поклонение им в конце концов оказалось спасительным, а не погибельным, — там, на полке, на этом моём бывшем Олимпе, действует строгая табель о рангах, существующая только в моей собственной голове, и на самом верху там стоят особы первого класса — высокопревосходительства: Дант, Достоевский, Шекспир, Пушкин, чуть ниже — превосходительства: Гёте, Баратынский, Крылов, А. К. Толстой, Пруст, Фолкнер, Чехов, и так далее, согласно табели, статские советники, бригадиры... — но, созерцая свою полку, я часто мысленно дополняю её недостающими томами, я представляю её себе иногда такой, какой она могла бы быть, если бы новая империя так грубо не отшвырнула нас к каким-то догутенберговским временам, и в воображении моём тотчас же являются недостающие тома Пруста, Фолкнера, Кафки и ещё целые собрания моих любимых великих русских поэтов серебряного века, особенно обожаемых мною оттого, что своими голосами они составили мощный гармонический аккорд, которым, как лебединой песней, огласила мир великая возлюбленная мною российская дворянская культура, — но полка моя и без того тяжела и массивна, одно время я очень боялся, что она однажды рухнет на меня, спящего, всею своей благоприобретённой тяжестью, и когда-то такое сновидение даже посещало меня, но теперь я не страшусь этого, с тех самых пор, как понял, что я был и так совершенно придавлен этой полкой, и при этом наяву, и явь эта, признаться, была ужаснее того повторяющегося сно-

видения, я был придавлен всеми этими томами
и пальцем, казалось, не мог бы пошевелить, и мне
удалось сбросить их с себя, но лишь после того,
как сквозь все страницы и переплёты я разглядел, что в мире есть одна — Книга книг, а сообразивши это, я сейчас же потянулся к Ней, попы-
тался достать Её, и — о, чудо! — от этого самого
движения вдруг рассыпались в разные стороны
все тома, что лежали на мне страшным гнётом,
все они свалились с меня, я поднялся и ещё долгое время никак не мог окончательно прийти
в себя, — но с тех пор, уже вставши на ноги, я стал
гораздо спокойнее относиться к моей полке,
а ведь было время, хотя бы когда я её составлял,
я так ревниво следил, чтобы туда ненароком не
затесалась дурная или пошлая брошюрка, я так
боялся этого, что даже в каморку свою никогда не
вносил такие издания, я внимательно следил,
чтобы редкие гости мои случайно не оставили
у меня ничего подобного, чтобы какая-нибудь
паршивая овца не проскочила в моё обожаемое
стадо, и эти заботы, эти гонения на литературный ширпотреб продолжались ровно до тех пор,
пока я не потянулся к Книге книг, пока вдруг чёт-
ко не осознал, что все тома на свете сделаны из
одного и того же материала, так же, как и все
люди на земле, что все тома подобны той Книге
книг, как мы все подобны своему Творцу, даже
такие из нас, как Джугашвили или Эйхман, и что
разница между хорошим и плохим определяет-
ся, в конце концов, лишь мерою Божественного,
только от этой меры и зависит, кем вырастет ребёнок — Сергием Радонежским или Малютой
Скуратовым, что продиктует поэту муза – «Отцы

пустынники» или «Стихи о советском паспорте», — что выйдет из-под пера — «La Divina Commedia» или «Mein Kampf», и недаром же любое собрание томов, даже самых мерзких и вредоносных, равно именуется библиотекой, как и ничто не мешает вам обратиться к банде любых головорезов: «Люди добрые!» — но вполне сообразивши это, я всё же не терплю в своём мирке дурных книг, как и по-прежнему избегаю общества негодяев, хотя Книга давно вразумила меня, научивши время от времени думать о том, как плох я сам, а не что дурны другие, — и, освободясь от власти бывших своих кумиров, я как бы снова расставил их по местам, и, к радости моей, к ликованию моему, они оказались там почти в том же самом порядке, как и прежде, табель о рангах, действовавший на моём Олимпе, практически не изменился, изменился только мой собственный взгляд, направляемый на полку, изменилась моя точка зрения, я смотрю теперь на них иными глазами, я теперь гораздо лучше и полнее могу воспринимать многочисленные совершенства моих любимых авторов, и, созерцая свою полку, я испытываю величайшее наслаждение, пожалуй, неизмеримо большее, нежели барон Филипп у своих сундуков; я лежу на тахте, я смотрю на корешки томов и думаю о том, что каждый автор — это целый мир, обособленный от прочих миров, но и неразрывно связанный с ними, и все эти миры в своих переплётах спокойно соседствуют друг с другом, вернее, даже пересекаются, существуют чуть ли не в той же самой точке пространства, только каждый — в ином измерении, — сто́ит лишь взять с полки том, стоит раскрыть его, и он распахнёт-

ся тебе навстречу, и там, на полке, в самом осле-
пительном из этих миров Вергилий ведёт Данта
сначала вниз, а потом вверх, всё выше, выше
и выше до тех пор, пока сам может подниматься,
и там передаст его Беатриче, а потом дивная
Донна вверит своего паладина заботам Бернарда, чтобы гордый флорентиец мог устремить
свой взгляд «куда нельзя и думать, чтоб летел вовеки взор чей-либо сотворенный», — куда не по-
смел поднять глаза Алёша Карамазов, когда попал на брак в Кане Галилейской и имел своим
покровителем старца Зосиму, второго Бернарда,
но не из Клевро, а из Козельска, из Оптиной пу-
стыни, — и это уже в соседнем, в другом мире,
а в третьем — Мефистофель таскает Фауста во
времени и в пространстве, следуя прихотливому
воображению ересиарха из Веймара, тащит и всё
время норовит столкнуть вниз, в преисподнюю,
а в конце концов всё-таки упустит, не уследит,
и Фауст попадёт в рай, целиком заимствованный
у флорентийца, из того, из первого мира, а рядом принц, благороднейший всех живущих, медлит, не хочет убить узурпатора, кровосмесителя,
цареубийцу, преклонившего колени в молитве,
он медлит, опасаясь, как бы тот случайно не оказался в раю, где-нибудь подле Бернарда, и всюду,
во всём, что мне дорого и близко, я могу явственно различить Свет, исходящий от Одной Книги — Книги книг, Он, этот Свет, пронизывает
всё — и те миры, заключённые в переплёты,
и этот мир, где я оскверняю себя, Он везде виден,
этот Свет, — иногда Он испускает нестерпимо
яркое сияние, как на страницах флорентийца,
иногда горит ровным, укоряющим, мучительным

пламенем, как у Баратынского, но Он есть у каждого из тех, пред кем я склонялся раньше, пред кем я и сейчас стою, как жалкий клерк пред небоскрёбом — кажется, колоссальное здание сейчас повалится на тебя, — но зато я счастлив, я навсегда избавился от идолопоклонства, от поклонения второстепенным, провинциальным богам, которые к тому же сами, все без исключения, признают Истинного Бога, — и теперь я понимаю, что раньше был на третьей ступени гигантской воображаемой лестницы, где на самом верху стоит Бог, которому поклоняются и Дант, и Достоевский, и Пушкин, и Гоголь, и все другие гении, — а они стоят на второй ступени этой лестницы, и уже на третьей находятся все те, кто первой ступени не видит или не желает замечать, а видит только своих кумиров, гениев, стоящих на второй, и от этого, от этой слепоты своей, все язычники и недоверки никогда не смогут подняться на уровень тех, кому поклоняются, и от этого не вылезти им всем из второго разряда, ибо если даже кумиры их светят отражённым сиянием, то уж на третьей ступени свет второго отражения, — и, понявши всю эту механику, я решил во что бы то ни стало забраться на ту, на вторую ступеньку, чтобы светиться, пусть совсем слабо, но только раз отражённым светом, как ни страшно там стоять, как ни высоки многие из там стоящих — небоскрёбы в сравнении со мною, жалким клерком, — там можно задохнуться от высоты, ослепнуть от нестерпимых лучей, но зато я спокоен, меня никто там не раздавит, ибо стоящие там, на второй ступени, — все равны, во всяком случае с точки зрения Того, Кто стоит на первой и даёт Свет всем, всем на этой лестнице, вне зависимости от того, признают это или не признают, Он даёт Свой Свет, Свою Искру не только находящимся на второй ступени, но и тем, кто им поклоняется, и даже тем, кто поклоняется поклоняющимся им, и так далее, и так далее, вплоть до самых уже зловредных и злонамеренных посредственностей и бездарностей, которые стоят так далеко от второй ступени, что расстояние, отделяющее их от Данта или Гоголя, уже чуть ли не соразмеримо с тем, что отделяет флорентийца или полтавчанина от Дающего Свет, на Кого в апогее своей жизни взглянул Дант, но не осмелился Алёша Карамазов, — осознав и это, я припомнил и то немаловажное обстоятельство, что всё искусство, в современном смысле этого слова, так же как и словесность, родилось под сводами уничтожаемых ныне церквей, от Книги, и мне сделалась абсолютно ясна причина того, что стоящие на самых низших ступенях воображаемой мною лестницы столь ничтожны, я нашёл объяснение этому ничтожеству, я понял — «оно есть тяготеющее проклятие» за то, что, начисто забыв о своём родстве с Книгой, эти жалкие безумцы, находящиеся в самом низу, позволили себе смеяться над Книгой, как некогда сын над опьяневшим отцом, над его наготою, и отец тогда проклял Хама и предрёк ему, что он будет «раб рабов», — и стоило мне вспомнить это, как я тотчас же понял, отчего эти ничтожества всегда бывают прислужниками всякой падали вроде Джугашвили и Шикльгрубера, отчего они рабски пресмыкаются перед рабами, и, оценивши это всё в полной мере, я возблагодарил Того, Стоящего на самом верху, за то, что Он дал мне это разумение, за то, что мне открылась Книга, за то, что я уже никогда больше не смогу поклониться никакому кумиру, даже если он головою упирается в самые небеса, а я стою пред ним, как клерк пред небоскрёбом...

И я счастлив, я горд своим новым разумением, тем, что я смог подняться на высшую ступеньку, хотя почти лишился при этом большей части примитивных, так называемых земных, радостей и, конечно же, того языческого, чисто животного отношения к женщинам, что было у меня раньше, когда, лёжа с ними, я не испытывал ни мучений, ни раскаянья, разве что смертную скуку — они все так похожи друг на друга, и скука одна меня толкала тогда на то, чтобы первому произнести волшебную фразу: «Ну почему ты молчишь?» — а потом в тысячный раз выслушивать все эти чудовищно бестактные рассказы об успехах мужа по службе, о том, каким смышлёным стал ребёнок, о том, как этот малыш удачно пошутил вчера, когда его папа пришёл со службы пьяным, о том, как несправедлива и несовременна свекровь, как преуспевающий и пьющий папа этого смышлёного малютки подвержен влиянию этой свекрови, — и вот теперь вместо скуки, вместо зелёной тоски, которая возникает от общения двух людей, лежащих так, что ближе уже нельзя, но не связанных ничем, кроме наготы, вместо этого спокойного свинства мой удел — мучения, я беспрерывно сыплю себе соль на раны, но всё ещё никак не могу избавиться от проклятой привычки, появившейся у меня, когда я был ещё молодым или даже юным язычником и бежал за каждой новой юбкой едва ли не с таким чувством, как Колумб мчался в свою воображаемую Индию, и это повторялось и повторяется — увы! — до сих пор, хотя время от времени, в трезвые минуты в моей памяти всплывал тот яркий июньский день, солнечный свет, падающий из широкого окна, когда впервые «отверзошася очи обема, и разумеша, яко нази беша», — и то, в первый раз сформулированное — «И это всё?!» — но сейчас же всплывала в памяти и предшествующая минута, когда одним полуоткрытым глазом видишь прямо перед собою лицо женщины таким, будто её без боли поджаривают на сковородке, — отдалённый отблеск будущих адских мучений — последнее пришло мне в голову гораздо позже, я долгое время почитал это выражение лица за высший комплимент моим мужским достоинствам, мне и сейчас ещё приходится культивировать в себе подобные чувства, это ведь гораздо проще и естественнее, чем одалживать безгрешность у предков мусульманского исповедания, достаточно представить себе два выражения на лице одной и той же женщины — одно вот такое, со сведённым ртом и пылающим румянцем, а потом это же лицо, каким ты его увидел впервые, вернее, каким оно было в тот роковой миг, когда обладательница его показалась тебе желанной, и на этот раз в моей памяти стол, Чужая Жена сидела среди случайных людей, это было в каких-то гостях, в каком-то доме, куда меня занесло одним вечером по тому же самому непостижимому закону, который вдруг швыряет на улице пьяного так, что шарахаются не только прохожие, но и машины на мостовой, и вот я вспоминаю её лицо тем вечером, мы сидели друг против друга, разделённые столом, я вспоминаю её улыбку: «А почему бы нет?» — и взгляд лукавых раскосых глаз, — и я теперь вспоминаю это, начинаю думать об этом, потому что подобные мысли диктуются моей природой, которую я не в силах изменить, даже после троекратного погружения в воду и вопреки этому наше тело — заведомый прелюбодей, — и моё вожделение вот-вот снова материализуется в дым, и дым этот заволочёт всю комнату, он не даст мне слышать, как хлопает входная дверь, пропуская, должно быть, уже первых гостей на проводы, и я перестану чувствовать на себе мысленные взоры, тем более что эти взоры, скорее всего, сейчас косвенные, — проводы весьма значительное событие, а потому и мысли соседей теперь могут относиться ко мне и к моей партнёрше в малой мере, но всё-таки в какой-то части мозга у каждого из них запечатлён момент, когда я прошёл по коридору под их взглядами, несущими в себе чуть ли не рентгеновские лучи, и мне никак не отделаться от мысли об их воображении, свободно проникающем теперь сквозь переборки, «а стены проклятые тонки», — и сейчас ко мне опять может явиться старая мечта о том, что хорошо бы снять какую-нибудь комнату специально для этого, для таких визитов, где-нибудь совсем далеко, в каком-нибудь совсем новом языческом районе, подальше отсюда, от соседей, от Климентовского, от Пятницкой улицы, от того места, где красовалась церковь Параскевы, чтобы комната для этих свиданий была вовсе не моя, а чужая, чтобы ничто меня с этой комнатой не связывало и ничего бы я не убирал от изголовья того, наёмного ложа, но ведь и там сейчас же появились бы знакомые лица — соседи, лифтёры, и они бы вертели шеями вслед мне и моей партнёрше, а потом продолжали бы следить за нами мысленными взорами, свободно проникающими сквозь этажи, «а стены проклятые тонки», и некуда, некуда от этого скрыться, даже если удастся нанять для этих целей комфортабельное подземелье, отделённое от поверхности трёхсотметровым слоем железобетона, бункер — родной младший брат фундаментального сортира против алтаря церкви Климентия, тот самый бункер, куда намерены спрятаться наши ничтожные властители в то время, как мы все на поверхности будем погибать от радиации, распространившейся по их приказу, а они запрутся там в безопасности и будут обжираться уворованной у гибнущего населения дефицитной жратвой, и я знаю, именно бункер этот, факт его существования придаёт этим трусам сознание некоторой храбрости и даже силы в гораздо большей степени, чем все ракетоносцы и бомбардировщики вместе взятые, когда наши спорят с другими им подобными владельцами подземелья по ту сторону океана, — и, конечно же, мысль об этом бункере — уже совсем дикая мысль, и я гоню её от себя, но всё же я постоянно мечтаю о том, чтобы уединяться с моей партнёршей не в этой каморке, не на этой тахте, что стоит у восточной стены, на которую я не смел бросить взгляд с той минуты, как переступил порог, затворил дверь, помог Чужой Жене снять пальто и наградил её нарочито долгим поцелуем, нет, даже раньше, с той минуты, как я взял Книгу от изголовья и трусливо поместил Её на бюро, с этого момента я уже сознательно не гляжу на восточную стену, где так ясно можно прочитать извечную Скорбь, родившуюся в Том Взоре, что один смотрел, как «жена вземши от плода древа, еже есть посреде рая, яде, и даде мужу своему с собою, и ядоста», — Скорбь эта вполне выражена в ликах, писанных безымянными русскими мастерами на выгнутых досках, и доски эти вместе с Книгою доставляют в распутные часы мне, блудодею, особенное мучение, и, самое ужасное, в эти часы мне никогда не удаётся отнестись к иконам просто, совсем просто, как я глядел на них ещё язычником и как, бывает, гляжу и теперь иногда по старой памяти, мне, наверное, никогда не избавиться совершенно от этого меркантильного взгляда на лики, ибо его давным-давно восприняла и распространила та самая культура, что возникла в России по мановению двух монархов, деда и внука с одинаковыми именами, одного — великого, другого — ничтожнейшего, культура, что недавно ещё полыхала на весь мир видным пламенем, — культура первая в России осмелилась смотреть на иконы таким образом, чтобы уже вовсе не видеть, не замечать изначальной Скорби, а видеть только самоё изображение — нечто написанное темперой на доске, и раньше я тоже смотрел на иконы только так, а позднее научился видеть в них то, что подобает, — почитать каждую из них за окно в мир невидимый, окно, гораздо более основательное, чем самый лучший на земле телескоп или синхрофазотрон, — я раньше тоже глядел на лики, как язычник, но потом я задумался над тем, кому первому удалось так далеко отступить от иконостаса, практически оказаться уже вне церкви, я сразу же усомнился, что это мог быть православный, даже отступник из православных, тут нужен был иной взгляд, совсем издалека, со стороны, и, предположивши это, я не ошибся, ибо первый взор, который был нимало не смущён изначальной Скорбью или просто-напросто не обратил на неё никакого внимания, был пытливейший на земле взгляд ересиарха Саксен-Веймарского и Эйзенахского — представляю себе его, впервые вошедшего в русскую церковь, возникшую в Веймаре оттого, что их нищему герцогу удалось заполучить себе в жёны сестру двух российских государей — великую княжну Марию Павловну, воображаю, как поразился Гёте, когда вступил в православный храм, сразу провалившись в живую готику через столько веков Ренессанса и всей той дряни, которая за столетия выросла на Ренессансе, — ересиарх, должно быть, не поверил своим глазам, как он не поверил им, когда впервые осматривал «все сокровища приданого» Марии Павловны, русские меха и самоцветы, он воскликнул: «Зрелище из "Тысячи и одной ночи"!» — и я не представляю себе, что же он мог воскликнуть, впервые оказавшись в русском храме, увидев всё его целомудренное благолепие, — но только в том-то и беда, что не благолепие увидел Веймарский ересиарх, он увидел живопись, поистине величайшую живопись, которая до той самой поры не ведала, что она — живопись, и оттого уже начисто лишена была искусственности, — вот что предстало его глазам, глазам, которым он не верил, ибо никак не мог предположить, что на земле до сего времени может сохраниться чистая и строгая готика, и покажи ему тогда живого мамонта, он, пожалуй, изумился бы не больше, — и вот в тот же день, верно, он уже диктовал очередному почтительному и восхищённому Эккерману длиннейшую записку, которая так и сохранилась с его собственноручными пометками, теперь он хотел знать всё об этом предмете: кто пишет эти картинки, где их пишут, сохранились ли у художников греческие образцы и, главное: «Было бы особенно приятно получить образчики всякого рода этих икон, хотя бы в самых малых размерах, если возможно, от руки лучших современных художников, ибо для любителя искусств весьма поучительно узнать, как вплоть до наших дней целая отрасль искусства, с древнейших времён перешедшая из Византии, сохраняется неизменно, благодаря постоянной преемственности, тогда как в других странах искусство развивалось и уклонилось от своих первоначальных, религиозных, строгих форм», — и вот эта записка уже передана Марии Павловне, уже отослана в Россию, и на неё придёт почтительный ответ, и пришлют ему требуемые образчики, и непоправимое уже свершилось — уже начала собираться первая коллекция, коллекция предметов, никоим образом для собирания не предназначенных, и, конечно, при таком страшном предопределении есть отчего ликам быть скорбными даже и без Той, изначальной Скорби, — а пока записка эта роковая путешествовала в Россию, пока не пришёл на неё почтительный ответ, в Веймар поклониться ересиарху, великому старцу, прибыл русский барин — из тех паломников, что на заре петербургской культуры любили проездиться по Европе и поклониться шелудивым вольтерианским святыням, — барин посетил Веймар и был, конечно, принят творцом Фауста, и старец высказал в беседе с гостем, что Россия обладает великим искусством — иконами, — барин, наверно, был поражён и, если бы не питал он глубочайшего почтения к своему великому собеседнику, без сомнения, рассмеялся бы в ответ или отозвался бы об иконах презрительно, как того требовал пошлый вольтерианский тон, усвоенный этими господами и требовавший безусловно пренебрежительного отношения к религии отцов и ко всему, что с ней связано, — барин был поражён, ибо если из чьих-нибудь уст он не ожидал услышать похвалу иконам, то это был именно великий ересиарх, главный столп европейского просвещения, и разговор этот, и записка, диктованная Эккерману, не остались без последствий, и среди этих страшных последствий я замечаю в наше время разорённые иконостасы в закрытых церквях, фрески, выламываемые вместе с камнями, фантазия моя рисует трагикомические картинки, как в таможнях и на аэродромах молодцеватые чекисты из одной только бравости и служебного рвения ловят норовящих проскочить под железный занавес бойких итальянских католиков и ловких германских лютеран, чьи чемоданы набиты скорбными ликами, которые выменяны у современных дикарей, отступников, вернувшихся к блаженному свинскому язычеству, тех, что населяют территорию Святой Руси, и это выменяно за бесценок, за пёструю тряпочку, за любую копеечную безделушку, — ведь способы обмана наивных дикарей всегда и везде одинаковы, — вижу я, как тупая, неповоротливая новоязыческая империя сначала удивляется тому, что за эти потемневшие раскрашенные доски, за эти кусочки меди со стёршимся изображением платят тем же самым золотом, что и за истребляемую красную рыбу российских рек, а золото ей совершенно необходимо, чтобы содержать там, за железным занавесом, целые легионы паразитов и бездельников, империя удивляется, а потом отдаёт приказ бравым чекистам хватать бойких католиков и ловких лютеран, спохватывается наконец после полувековой варварской ненависти к этим потемневшим доскам, и вот я вижу музей почти в каждом городе, где теперь в мокром подвале гниют многострадальные доски, осыпается с них темпера, и уже не различишь Скорби на ликах, да и самих ликов скоро уже не различишь, всё это сыреет, гниёт, а наверху, в просторном зале, по-прежнему выставлен ретушированный фотографический портрет канонизированного доносчика, одного из главных великомучеников нового язычества, несчастного мальчугана, которого заставили предать собственного отца, и портрет этот висит затем, чтобы другие мальчики и девочки, которых пригоняют сюда надсмотрщики, данные им в менторы, чтобы дети эти учились доносить на собственных своих родителей, — вижу я и те залы в нескольких кунсткамерах, где лики занимают почётное место, где к ним относятся с той же внимательностью, какую когда-то проявил ересиарх Саксен-Веймарский и Эйзенахский, но даже и это зрелище, эти немногие залы отнюдь не радуют моего взора, потому что безвозвратно минуло моё языческое время, когда я, алчно взирая на лики, и вовсе не думал о Скорби, Которую они отражают, а думал о том, как давно они писаны, смотрел, есть ли на доске ковчег, всё думал: «Как?» — и никогда не задумывался: «Зачем?» — а с тех пор, как мне открылась Книга, с тех пор, как мне сделался ведом Источник Скорби, которую язычники на иконах вовсе не замечают, невозможно мне стало ходить в эти бесстыжие залы, где православные святыни развешаны по стенам, словно фотографии дальних родственников в мещанском доме, безо всякого порядка и смысла, вопреки тому благолепию, которое окружало их прежде, вернее, которое они сами создавали своим стройным порядком, в эти залы, где новые язычники — прямые потомки христиан — смотрят на лики точно так же, как на них взирали бы какие-нибудь марсиане, собственно, точно так же, как, наверное, глядел Веймарский ересиарх на благолепие православной церкви там, у себя, в жалком герцогстве, когда впервые вошёл в русский храм без «веры, благоговения и страха Божьего», а с разъедающим всё любопытством, с любопытством, которое гоняет ныне по всему свету миллионные толпы, мучимые этим современным голодом, алчущие не хлеба, а зрелищ, и толпа эта заполняет своею толчеёю зал, где висит рублёвская «Троица»: «Нет! Что это я?!» — куда поместили образ Святыя Единосущныя Животворящия и Неразделимыя Троицы, писанный преподобным Андреем Рублёвым, и я никак не могу заставить себя пойти туда, хотя живу по соседству с аляповатым зданием галереи, не могу заставить себя именно из-за чудовищной музейной обстановки, мне там страшно будет, страшнее, чем было бы эллину или римлянину попасть в античный зал Лувра и увидеть там побитых, изуродованных идолов своих — не среди колонн и не в тени портиков, а расставленных кое-как, лишь бы втиснуть побольше этого барахла, — «о, разрушенные Парфенон, дельфийское святилище, капища на Капитолии! Как отмщены вы уже!» — такой местью, что не снилась никакому Герострату, — «И ты, свергнутый в Днепр Перун, и вы, рассечённые и сожжённые идолы!» — пусть кто-нибудь попробует — пройдётся, проездится по Святой Руси, вернее, по тем местам, где когда-то эта Русь раскинулась со своими честны́ми монастырями, соборами, церковками над тихими речками в чистом поле, — поглядите-ка, что тут делается, много ли осталось от всей этой красоты, от этого благолепия! — придите все, полюбуйтесь, с каким наслаждением, с самозабвением каким плюёт язычник-внук прямо в седую бороду христианину-деду, что делают с древними кладбищами в этой стране, поглядите, какая ненависть к отеческим гробам обуяла тут всех, какое страстное желание обратить всё родное в пепелище, не оставить камня на камне, чтобы даже память стёрлась о том, что здесь обитали и умирали православные, — вызовут подъёмный кран с болтающимся разрушительным шаром, беспощадным, как Тотила, и будут бить, бить, бить, и ничего не останется, ничего не пощадят, разве только подоспеют вовремя те из них, что посовестливее, у кого молодецкого духа не хватает плюнуть в бо-

роду собственному дедушке, и они из-под самого
шара в последний момент вытащат, вынут что-нибудь, оттащат в сторону под неподобный смех
разрушителей, а потом приволокут в кунсткаме-
ру — пусть приезжают праздные толпы бойких католиков и ловких лютеран, мы перед ними похва-
стаемся, какими были умельцами наши деды, те
самые, кому мы теперь плюём в бороду, — нет уж,
увольте, ни за что я не пойду туда смотреть жалкие остатки былого благолепия Руси, ни за что не
поеду ни в Суздаль, ни в Кижи, чтобы не видеть
«мерзость запустения, реченную Даниилом-про-
роком, стоящу на месте святе», — мне вполне достаточно этой мерзости в моём Замоскворечье,
на наших улицах, где я каждый день взираю на то,
что осталось от достопамятных сорока сороков, — да, я вполне могу сочувствовать кровным
детям Авраама, которые утратили свой храм
и свой город, но я хочу и ответного сочувствия,
ибо здесь на каждом углу — стена плача, и слёзы
текут, я это знаю, текут у тех немногих, у тех крот-
ких, кому удалось сохранить в душе своей веру отцов, и лучше я поплачу с ними, лучше я сниму
шапку, подходя к самой разнесчастной, к самой
заброшенной и изуродованной московской церк-
вушке, сниму шапку, перекрещусь, прижмусь
лбом к камням апсиды, к алтарю, где теперь расположился склад или ещё что-нибудь похуже,
я облобызаю эти камни, лучше я постою здесь совсем молча, тихо-тихо, чем пойду в людные залы
топтаться вместе с праздной толпой и глазеть на
похищенные язычниками святыни, я не стану
растравлять свои раны публично, среди этого
идеального равнодушия, прикрываемого любо-

знательностью и абстрактной любовью к абстрактному прекрасному, — нет, я, конечно же, не ставлю знака равенства между образом Святыя, Единосущныя Животворящия и Неразделимыя Троицы, писанным преподобным Андрее м Рублёвым, и жалкими цветными литографиями, которые покупают мои современники-христиане за ящиками в своих чудом уцелевших церквях, разница между старыми и новыми иконами исчезает для меня только в минуты молитв, тогда мне действительно всё равно, когда и кто писал лик и каким этот художник был наделён талантом, я лишь пытаюсь тогда как можно дальше проникнуть в мир невидимый, в Тот Взгляд, что один видел: «жена вземши от плода древа, еже есть посреде рая, яде, и даде мужу своему с собою, и ядоста», — но в другое время разница мне далеко не безразлична, но только теперь она заключается для меня в том, сколь совершенно мой пращур-христианин сумел передать доставшийся ему от его пращуров чин, и ещё в том, сколько поколений христиан до меня могли устремлять свои взоры сквозь эту доску, сквозь это окно в иной мир — навстречу Божественному Взгляду, а вовсе не в том, сколько серебренников мог бы отвалить мне за эту икону богатый католик — любитель экзотического искусства схизматиков с Востока, — и уже не вернуть мне никогда равнодушно-меркантильного взгляда на священные изображения, как и не убрать из памяти того, что написано в Книге, куда ни откладывай Её от изголовья, хоть совсем выноси вон из комнаты, хоть сам беги от Неё на край света, но никуда не спрячешься ни от Книги, ни от этих ликов, вернее, от Скорби их, отблесков Скорби, содержащейся во Всепроникающем Взгляде, и я хорошо понимаю, почему русские староверы завешивают свои божницы, мне всегда кажется, будто тут не только желание, чтобы на них не глядели презренные никониане, тут есть, по-моему, и тайная мечта, чтобы лики не были свидетелями всего, всех наших дел, и я сам охотно сделал бы в своей комнате такую занавеску и, может быть, ещё когда-нибудь сделаю...

А пока мне остаётся утешаться только тем, что тахта моя, где я, блудодей, сейчас валяюсь, стоит у самой восточной стены (хотя смешно говорить таким образом применительно к комнатке размером с пачку чаю), у той самой стены, с которой смотрят скорбные лики, и, лёжа на тахте, можно лелеять в себе впечатление, будто Взгляд проходит надо мною куда-то туда, на бюро, где, сейчас мне невидимая, покоится Книга, и я лежу в какой-то щели, в каком-то окопе, недосягаемый для глаз, которыми смотрят лики, — хоть и нет в мире такого окопа, который скрыл бы кого-нибудь от Того Взгляда, от Него не скроешься даже под трёхсотметровым слоем железобетона, в том бункере, куда намерены скрыться от ядерной войны наши трусливые повелители, и сейчас, пожалуй, легче всего думать о том, что приходится созерцать Ему каждую минуту — сколько гадости, глупости, подлости, сколько чёрных замыслов приходится Ему ежесекундно читать в миллионах и миллионах душ, и вот возникает несбыточная безумная надежда, что моей скромной персоне может быть уделена лишь ничтожная частица Его Внимания, Его, Кто созерцает весь наш крохотный шарик, песчинку, появившуюся во Вселенной по Его Мановению, по Его Слову, с Ему одному только ведомою целью, — Ему приходится наблюдать бесконечное число любодеев — внуков Евы и Адама, убийц — внуков Каина да внуков Хама, все наши бесчисленные Содомы и Гоморры, весь наш безумный мир, где и я завалился в какую-то щель со своей партнёршей таким образом, чтобы избежать прямого взгляда ликов, и потом, я ведь, верно, не худший, совсем не худший, и надо сейчас быстро пошарить наверху, в польской католической ветви предков, неужто там не отыщется хоть какой-нибудь завалящий иезуит, полячишка, и он придёт, поспешит мне на помощь и будет нашёптывать в ухо о том, что я никогда не видел мужа этой Чужой Жены, а стало быть, он уже — не ближний, и она мне очень долго ничего не говорила о его существовании, до тех самых пор, как мы с ней очнулись впервые, и дым похоти улетучился, «и отверзошася очи обема, и разумеша, яко нази беша», — она молчала, соблюдая наш негласный договор, который возник сразу же, сам собою, с тех первых минут, когда она показалась мне вожделенной, мой нетрезвый взор выделил её из пёстрой случайной компании, и, когда она по моему внушению вышла из комнаты, я сейчас же поднялся из-за стола, и пошёл за нею, и потом стоял с ней на чужой кухне у какого-то столика с грязной посудой, и я с былым языческим молодечеством обнял её и запечатлел грязный поцелуй на её накрашенных устах, а ещё меня может осенить предок-полячишка и таким гадким соображением, что она с мужем не венчана, а значит, их брак вроде бы

недействителен, что они живут — во грехе, как
в старину говаривали, и ещё он станет внушать
мне, будто я стал много лучше за последние годы,
никогда не путаюсь с двумя дамами сразу, я им верен абсолютно хотя бы на краткое время, и я всегда был настолько порядочен, что не наставлял
рога своим друзьям, не позволял себе никогда
даже лёгкого кокетства по отношению к их из-
бранницам, и эта иезуитская, подлая часть мозга
будет мне подсказывать, нашёптывать разные доводы в этом же роде, пока не усыпит мою совесть
и память о недвусмысленных и жёстких словах,
начертанных в Книге, — и всё это исподволь, потихоньку, постепенно, чтобы в конце концов
язычник, навсегда заключённый в моем теле, не
начал, отбросивши всякий стыд, припоминать
запах смоляных волос, который я впервые услышал роковым вечером на кухне у стола с грязной
посудой, запах волос, разметавшихся сейчас по
моей подушке, и всплывут в памяти насмешливые раскосые глаза почти вплотную, перед самым поцелуем, монгольские скулы и румянец на
них, губы, улыбающиеся уже с чуть вымученным
лукавством, и совсем ироническая улыбка после
всех поцелуев и объятий, когда я вручал ей записку с номером телефона, и её голос в трубке утром
следующего дня, сразу же узнанный, и встреча
тогда же вечером, и скромное кафе в стороне от
центра, куда я обыкновенно вожу своих партнёрш подальше от любопытствующих глаз, и разговор, который я тянул, как рыбак тащит леску,
ещё толком не зная, удастся ли подсечь добычу,
и я говорил один, всё время сам, и вот уже близко
развязка, вернее, сюжетный поворот, узловой

момент, уже несут кофий и последний графинчик с ужасным, невесть чем разбавленным коньяком, сейчас подадут счёт, мы выйдем на улицу, — и вот уже рыбка у самой лодки — сорвётся или нет? — сейчас я заведу, как бы невзначай, речь о том, что ещё, дескать, рано, что неплохо бы выпить ещё, только не здесь, — а она, скорее всего, скажет, что ей пора, она останавливается у знакомых, и туда неудобно возвращаться поздно, — и сорвалась! — и мы наймём таксомотор, и я прикажу везти нас к этим её знакомым, и в машине на заднем сидении мы всю дорогу будем целоваться, и я прижму её к себе так близко, как только позволит нам наша одежда — наше «листвие смоковное», но этого не происходит, добыча не срывается, рыбка не уплывает, откусивши крючок, всё идёт просто, просто до разочарования почти, она согласна со мною, что ещё совсем не поздно, что неплохо бы ещё выпить, согласна заехать с этой целью на часок ко мне и отведать сносного коньяку, который у меня совершенно случайно оказался, и при этом она улыбается с нескрываемой уже насмешкой, так что чуть ли не нарушает условия игры, этого нехитрого обряда, и вот мы берём таксомотор, и при таком оптимальном обороте дела я даже не терзаю её на заднем сидении, я только беру её руку в свою и время от времени пожимаю эту руку в благодарность за то, что пока всё идёт так хорошо, так гладко, за то, что она не осложняет наши отношения излишним кокетством, не притворяется тем, чем не является на самом деле, как это делает большинство из них, из дочерей Евы, я держу эту руку, пожимаю её и замечаю удивительную гладкость кожи, и мы едем вот так, рука об руку, почти не как будущие любовники, но как некие сообщники по приятному дельцу, соучастники по преступлению заповеди, и я даже ковыряюсь в своём возбуждённом уме, ищу там какой-нибудь витиеватый комплимент на восточный лад, чтобы польстить её и своей татарской породе, — и я остановил таксомотор на Пятницкой улице, и провёл её первый раз проулком между церковью Климентия и домом причта, и уже в этом месте дым вожделения застилал всё вокруг, и в этом дыму я видел храм не дальше как до лукавых католических мордочек над южными дверями, а всё, что выше, верхний этаж и все пять куполов, уже не давало возможности разглядеть проклятый дым, и, по счастию, было уже поздно, когда мы простучали каблуками по коридору, и все соседские двери были закрыты на ночь, и только через стену, у Васьки, у Контры, рявкал ещё телевизор, выплёвывая из себя какие-то последние вредоносные сведения, впрочем, их никто не слушал, ни Васька, предаваясь «брачным и законным наслаждениям» на своём супружеском ложе с шариками или стоя босиком, в одних подштанниках, у стола и жадно глотая тепловатую противную воду из алюминиевого носика, ни я, пока отворял дверь своей комнаты, помогал даме снять пальто, усаживал её на тахту, на точно рассчитанное место, откупоривал бутылку, наполнял две рюмки, стоящие на маленьком раскладном столике, пока спохватывался, что лимон не нарезан, пока обменивался со своей новой гостьей впечатлениями от вкуса коньяка, и, наконец, решивши про себя, что вкус её губ много лучше, я приступил к вкушению «плода древа, еже есть посреде рая», — и я, конечно же, приоткрыл один глаз перед самым — «И это всё?» — и, конечно же, увидел её лицо таким, будто её без боли поджаривают на сковородке — отдалённый отблеск будущих адских мучений, — и вот уже теперь, в день проводов, соблюдая наш в тот далёкий вечер заведённый обряд, я сейчас обращусь к ней, чтобы спустя некоторое время вновь увидеть это лицо с опущенными веками, с этим неестественным пылающим румянцем на широких скулах, на этой гладкой коже, — и ещё раз в самый последний момент я успеваю вспомнить это лицо другим, как тогда, в первый раз, у столика с грязной посудой, на чьей-то чужой кухне, я успеваю вспомнить насмешливые раскосые глаза, губы, улыбающиеся с чуть вымученным лукавством, и запах этих волос — везде одинаковый, и там, на чужой кухне, и здесь, на моей подушке, я поворачиваюсь, я смотрю в упор в это монгольское лицо, я уже больше ничего, кроме этого лица, не вижу, потому что дым снова наполнил мою крошечную комнатку, — но вот наваждение рассеивается, я опять валяюсь на спине, мысленно проговоривши: «И это всё?» — объевшись в очередной, бессчётный раз этих плодов, которые вместо насыщения приносят стыд, — и я вполне обладаю горьким знанием, что от Того Взгляда нечем укрыться в этом мире, можно только стараться не думать о Нём, можно делать вид, будто не замечаешь Его, можно в самом деле забыть, отвлечься от Него на мгновение, но только не спрятаться, не укрыться — какое уж тут «листвие смоковное»? — и я лежу, лежу в бесстыдном неярком свете, боясь взглянуть на стену над тахтою, боясь посмотреть и на противоположную стену, вплотную к которой стоит бюро, а на нём — Книга, я лежу, бесцельно глядя в потолок, изучая трещины на нём, можно полюбоваться и полкой, корешками любимых книг — многому же я научился у своих возлюбленных христианнейших писателей, если вот так валяюсь под самыми иконами, омерзительный для себя самого, гадкий блудодей, рядом с опостылевшей в эту минуту партнёршей, соучастницей по преступлению заповеди, даже двух заповедей разом, лежу в наготе своей, и опять, опять уже звуки из всей квартиры, чуть ли не из всего дома совершенно беспрепятственно проникают в мой мирок, «а стены проклятые тонки», — и сначала голоса эти, эти шаги усугубляют стыд, я валяюсь в десяти метрах от входной двери, которая теперь часто хлопает и впускает гостей — наряженных по мере сил и средств моих соседей, приходящих на куда более приличный обряд, чем тот, что мы совершаем с моей сообщницей, на обряд проводов парня в рекрутчину, — они приходят, трезвые и застенчивые, как всегда, в своей трезвости, они с одобрением глядят сейчас на последние хлопоты хозяев, — нет, как хорошо всё-таки, что голоса и шаги беспрепятственно ко мне проникают, какое счастье, что «стены проклятые тонки», — эти звуки, доносящиеся сюда, сейчас спасительны, они уводят моё воображение наружу, и как же жутко было бы вот так лежать обнажённому в том страшном бункере, под трёхсотметровым железобетоном, где ни звука, ни шороха, а здесь — я слышу торопливые шаги по коридору, суматошные рейсы и без того уже забегавшихся хозяев, вот бежит Нинка, всё ещё, последние минуты, должно быть, трезвая, а вот и шаги Марь Иванны, поспешные, впрочем, как и всегда, я ни разу не слышал за всё время, пока квартирую в этой комнатушке, так и не слышал, чтобы она хоть раз прошла по коридору медленно, она вечно торопится, спешит к какой-нибудь из бесчисленных своих обязанностей, то ли следить за лифтом в соседнем доме, то ли мыть машинное отделение этого лифта, то ли кормить каких-то двух беспомощных старушек, которые парализованы, тут, по соседству, то ли мыть чьи-то полы, то ли стирать чьё-то бельё, то ли убирать улицу за дворника из ближайшего дома, который уехал в деревню женить сына, то ли в магазин за какой-нибудь трёхкопеечной ерундой — и тоже не для себя, а для кого-нибудь из соседей, и всё это за самое смехотворное вознаграждение, потому что, следуя Книге, она никогда ещё, наверное, ни разу не отказала ни одному, да и заработанные гроши тратятся отнюдь не на себя, а на то, чтобы одевать, учить, баловать возлюбленное чадо — внука, того самого рекрута, ради которого в десяти шагах от моей тахты собрался чуть ли не весь наш квартал и чуть ли не во главе с бюстом великого драматурга, и уж наверняка во главе с алкоголиками, которые вечно торчат в сквере у сортира против алтаря Климентия Римского, она покупает внуку костюмы не хуже, чем у людей, а у людей почти у всех больше денег, чем у неё, а всё, что не тратится на Валерку, практически подчистую пропивается Нинкой, его родной матерью, дочкой Марь Иванны, которая выманивает у старухи двугривенные и полтинники, а то и просто тянет

их из кошелька, если увидит его хоть на минуту
оставленным без присмотра, — но даже не это по-
разительное бескорыстие, лишённое и намёка на
позу, и даже не то решающее обстоятельство, что
Марь Иванна, в числе редких моих знакомых,
принимает написанное в Книге за чистейшую реальность, подчас сильнейшую нашего существования в этом мире, — а число таких знакомых
у меня действительно невелико в сравнении с количеством язычников, недоверков — каких-то по-
луоглашенных, с кем я связан узами дружбы и дав-
него приятельства, чаще всего это — товарищи
по былому беззаботному существованию, и вот
они, признающие этот мир за единственную реальность, с некоторого времени отступили, ушли
в моей душе на второй план, с некоторых пор
при общении с ними мне всё время приходится
делать какую-то скидку, как-то приноравливаться
к ним, что-то почти скрывать от них, хотя они,
конечно же, прекрасно знают о моём обраще-
нии, о моем отношении к Книге и, конечно, между собою давно решили, что я — вроде городского сумасшедшего: «для евреев — соблазн, для
эллинов — безумие», — но зато и я, когда мне приходится бывать с ними, всегда чувствую себя
в положении, сходном с положением взрослого,
беседующего с малышами, дядя этот всё время
боится произнести нечто, что ещё рано знать его
юным собеседникам, и хотя в силу обстоятельств
моей жизни многие друзья-язычники мне ближе,
чем те, с кем связало меня исповедание Книги, —
нет, ближе в данном случае непригодное слово,
с моими старыми друзьями я связан воспитани-
ем, свинскими утехами юности, и, конечно, они

навсегда останутся в моей душе, мне не вырвать их из своего сердца, да и пытаться это сделать было бы противно моей природе и смыслу слов, начертанных в Книге, но вот легли между нами двенадцать членов моего нового credo, и невозможно стало былое единодушие, мне всё время приходится недоговаривать, приходится почти скрывать что-то в беседах с моими старыми приятелями, в бесконечных разговорах, составлявших когда-то единственную мою отраду, в разговорах этих теперь молчит первенствующая часть моей души, часть, постепенно ставшая главной и наглухо закрытая для всех, кроме моих единоверцев, с кем объединяют меня всё те же двенадцать пунктов, и иногда только credo, больше ничто меня с этим человеком не связывает — ни характер, ни привычки, ни мысли, но двенадцати членов бывает достаточно, чтобы связать нас с ним крепко-накрепко, самыми добровольными и недеспотичными узами в мире, и мне никогда не забыть одной-единственной фразы, которую я услышал из уст человека много старше меня, к кому я всегда относился с почтением и даже с восхищением перед его умом и дарованиями, я почему-то решил сказать ему при встрече, что крестился по собственному желанию, будучи уже в зрелом возрасте, я не забуду, как он обрадовался этому и сейчас же сообщил мне впервые, хотя мы были знакомы уже много лет, что он тоже принадлежит к числу исповедующих Книгу и те двенадцать членов, что завещали нам Отцы, и потом, чуть позднее, в первом нашем разговоре, когда мы с ним коснулись Книги, он мне сказал ту самую фразу, которую я не могу забыть, я не могу забыть даже интонации, с какой он это произнёс, как он выделил глагол, — «Но мы-то с вами *знаем*, что Он воскрес!» — и вот тогда, в этом самом — *знаем*, да ещё произнесённом любимым и уважаемым человеком, мелькнула предо мною впервые тень, отблеск соборности, того, что мне довелось вполне ощутить гораздо позже, — так вот, даже не решающее обстоятельство, что Марь Иванна исповедует Книгу и двенадцать членов credo, и не то, что она великая труженица и бессребреница, не только всё это позволяет мне мысленно всегда именовать её святой, — она обладает сверх всего и ещё одним, редчайшим в этом мире качеством — полной неспособностью кого-нибудь осудить за любой поступок, за любое слово, и вот сейчас, в эту минуту, святая моя Марь Иванна пробегает в своих стоптанных башмаках мимо моей двери, она спешит, она несёт в руке что-то такое последнее, чего ещё не хватает на столе, — буханку хлеба, баночку горчицы или, может быть, бутылку со сладкой дрянью неопределённого цвета, градусов под двадцать, ту, что народ именует абстрактным словом, заимствованием из физики спектра, — красное, — она торопится с этой бутылкой, потому что за столом сидит какая-нибудь красавица из нашего же квартала, а красавицам, как известно, не пристало сразу накидываться на белое — сорокаградусную гадость, производимую из опилок и ещё Бог весть из каких отбросов, а потом продаваемую по баснословной цене, благодаря чему у империи находятся деньги строить и бункера на трёхсотметровой глубине, и эскадрильи бомбардировщиков, и флотилии ракетоносцев, и ещё кормить и содержать легионы паразитов и бездельников по обе стороны железного занавеса, — и Марь Иванна бежит, спешит со своей бутылкой по нашему коридору, спешит туда, к накрытому столу, к той капризной красавице, которая, манерно отхлебнув красного, вне всякого сомнения, когда все отвернутся, плеснёт себе сама белого — «его же и монаси приемлют», — и стол весь притих в ожидании этой последней бутылки, и красавица сейчас чувствует себя едва ли не виновницей всего торжества, ведь пауза наступила из-за неё, из-за её утончённого вкуса, по её капризу, — уже и рекрут сидит на своём месте в окружении дружков, на лицах которых сейчас написано неопределённо-подбадривающее выражение, и уже белое у всех в рюмках, уже подцепили вилками ту самую непростую селёдку, которую надобно потом хвалить хозяевам, будто это — фирменный именинный пирог, уже и винегрет — неаппетитное крошево с варёной свёклой краснеет по разнокалиберным фаянсовым тарелкам, — Марь Иванна вот сейчас добежит, бутылку откупорят, красавица, протянувши ручку, подставит свою рюмку, заминка кончится, и всё дальше пойдёт как по маслу, — будет первый тост — за рекрута, за Валерку, а потом опять будет пауза, будет стук ножей и вилок о фаянс, будет неопределённый гул, который, как кажется, всегда издают многие жующие челюсти, потом, по мере насыщения дорогих гостей, шум будет нарастать вплоть до новой паузы — до второго тоста.

И вот загремели вилки о фаянс тарелок, уже раздаётся неопределённый гул, как бы издаваемый многими жующими челюстями, уже всё идет именно таким образом, как я и предполагал, и теперь я вдруг нахожу где-то далеко, на самом дне моей памяти, нечто совершенно подобное, так ведь уже было когда-то, почти совсем так же, я уже слышал тогда этот самый стук и этот неопределённый гул, и я лежал вдалеке от него, а мне хотелось быть там, где звяканье рюмок и стаканов, но всё это было очень давно, с тех пор прошло много лет, и в течение этих лет я почти всегда усаживался за стол одним из первых, а вставал одним из последних, нашутивши полную комнату, будучи душою общества, весельчаком, клоуном, желанным гостем, пьянчужкой, бражником, но тогда, давным-давно, в детстве я лежал вечером в своей кровати, и мне мучительно хотелось в столовую, где стучат вилки, где звенят рюмки и стаканы, и му́ка начиналась загодя, гораздо раньше, с того, что меня и младшего брата поили чаем не в столовой, а на кухне, не там, где уже стоит стол, накрытый белоснежной скатертью, и на ней лежат вилки, и стоят чистые тарелки и рюмки, а на кухне, где мы пьём свой чай, мама уже в нарядном платье и в фартуке поверх него режет сыр или рыбу, в её тонких руках нож, или она переливает водку из бутылки в зелёный графин с лимонными корочками на дне, а мы с братом допьём свой чай, и нас отошлют спать, и это произойдёт неизбежно, мы знаем, нам ничто не поможет, мы обречены на этот сон, вернее, на это завистливое лежание в темноте на постели в то самое время, когда тарелки и рюмки на белоснежной скатерти наполнятся едою и питьём, и вилки будут стучать о фарфор, и рюмки будут звенеть, и будут взрывы смеха, и за столом будут сидеть желанные гости, пьянчужки, бражники, весельчаки, клоуны, и всё это кажется нам из темноты нашей детской таким заманчивым, таким желанным, и этот смех, и эти шутки, и это сидение до поздней ночи, и даже эта еда на скатерти нам кажется не такой, как на кухне, — тарелки от сервиза и сыр на специальной фарфоровой дощечке, и мы лежим, мы завидуем взрослым, мы сладостно мечтаем о том времени, когда вырастем, — и от этого воспоминания, неожиданно пришедшего ко мне, скверному, нагому, впору вскричать вслед за Гоголем: «О моя юность! О моя свежесть!» (этот возглас ему не мог простить Достоевский), и сейчас же вслед за этим в памяти являются бесчисленные застолья, где я шутил, объедался, напивался пьян, и вот я снова и снова убеждаюсь в истинности вывода, который вложил в уста любимому герою ересиарх Саксен-Веймарский и Эйзенахский: «Так обстоит с желаньями. Недели мы день за днём горим от нетерпенья и вдруг стоим, опешивши, у цели, несоразмерной с нашими мечтами», и теперь какое-то дикое повторение уже пройденного, только теперь всё поставлено с ног на голову, я по-прежнему лежу в постели, и сюда доносится шум праздничного стола, но теперь меня там ждут, и отсутствие моё, в особенности после недавнего прохода с партнёршей за спиною мимо разинутых от любопытства дверей, отсутствие моё неприлично, уже невозможно, и манят меня теперь туда не бражники, не пьянчужки, не весельчаки, не клоуны, каждое слово которых я могу предсказать ещё до того момента, как оно родится в мозгу, меня тянет туда не угощение — вся эта селёдка, винегрет, колбаса, которые я терпеть не могу, и вовсе уж не белая эта гадкая жидкость, которую я глотал без счёта и разбора долгие годы, протянувшиеся с тех пор, как лежал в своей детской, и мечтал попасть за стол, и жгуче завидовал взрослым, — теперь мне всё это скорее противно, чем вожделенно, но я не могу отсутствовать там, не могу, потому что это чревато страшной обидой для той, что почти совсем неспособна обижаться, — это будет предательство, это будет нарушение всего, что возникло между мною и ею, мы ведь только двое из всей квартиры, мы-то с нею знаем, что Он воскрес, и потому каждый праздник, не языческий — дикий выходной, не какой-нибудь день памяти французских головорезов, которые чуть не спалили весь Париж из одной только злобности, из-за того, что проиграли своё заведомо безнадёжное, своё безумное дело, — каждый настоящий праздник, христианский, когда я надеваю свой лучший, свой «другой костюм» и иду к поздней обедне, каждый такой праздник начинается для меня с того, что мы с Марь Иванной поздравляем друг друга и целуемся где-нибудь у нас на кухне или в коридоре, ведь мы с нею к тому же прихожане одной и той же церкви, правда, она почти никогда не стоит всю службу, прибежит, поставит свечку, побудет несколько минут в благолепии и опять спешит кормить какую-нибудь парализованную капризную старуху, и вот она, соприхожанка моя, Марь Иванна, сейчас всего в десяти шагах от меня хлопочет евангельскою Марфою «о мнозе», она в заботах, она всё оглядывает скатерть, всё подкладывает кому-то в тарелку, подаёт на стол и белое, и красное, сама перед пустой тарелкой и неполной рюмкой, и голова её забита этими хлопотами, а всё-таки где-то в уголке мозга свербит мысль, что меня нет за столом, что я отсутствую, и сейчас же вслед за этой мыслишкой мысленный взор её проник на секундочку ко мне, сюда, на мою тахту, «а стены проклятые тонки», — и, Боже! она же видит меня, валяющегося с нагой партнёршей! — о, если бы мне, дураку, вовремя ударило в голову, что сегодня проводы, что завтра сдают её возлюбленное чадо в рекрутчину, ведь она же говорила мне об этом, да я, идиот, запамятовал, начисто забыл, ведь я ни за что бы не назначил нашу встречу с Чужой Женой на этот вечер, если бы даже по моему приказу выскочила из преисподней Елена, я бы не повёл её сюда, я пожертвовал бы чем угодно, лишь бы сидеть сейчас там, за столом, где-нибудь неподалёку от Марь Иванны, я за это охотно отдам всё, что есть, было и будет у меня с Чужой Женой, я бы, не колеблясь, затеял бы с ней ссору, вспомни я о проводах, пока мы шли сюда, дорогой, хотя бы совсем рядом — между церковью Климентия и домом причта, но было уже поздно, я не мог поворотить назад от самой моей двери, когда уже прошествовал под одобрительно-двусмысленными взорами и когда Марь Иванна проговорила мне своим шёпотом громче всякого крика: «Миш, сегодня Валерку провожаем, заходи», — она сказала мне это и пошла дальше по коридору, оставивши меня убитым, приконченным, поставив меня перед ужасающим выбором, между двумя огнями, между нашей с нею дружбою и даже любовью и тем, что есть у меня с Чужой Женой, моей соучастницей по преступлению заповеди, которую я на грех, на усугубление греха, решился вызвать именно сегодня, — и вот с того момента, как я отворил дверь и мы вошли в эту комнату, в мою каморку, я всё время оттягиваю ту минуту, когда мне придётся прямо или косвенно объявить Чужой Жене, что я предпочитаю безобразную гулянку за стеною её обществу и её прелестям, покрытым теперь испариной, и я уже нарочно длю молчание, и ни за что, ни за какие блага я сейчас не произнесу волшебные слова: «Ну почему ты молчишь?» — не произнесу, не пророню вообще ни слова, потому что у меня есть ещё надежда на её обыкновенную весьма тонкую настроенность, она поймёт, она должна понять, что нам уже пора разлучиться, что мне невозможно уже отсутствовать на проводах, ведь она же слышала, не могла не слышать, как Марь Иванна, прервав наше движение по коридору, произнесла своим полушёпотом: «Миш, сегодня Валерку провожаем, заходи», — и вот я всё ещё лежу, лежу и не говорю ни слова, и если с час тому я внушал ей мысленно: «Молчи! молчи! молчи!» — то теперь я внушаю Чужой Жене: «Скажи! скажи, что тебе пора, скажи, что хозяева уже заждались тебя! скажи! скажи! скажи!» — я даже беру её запястье, не повернувши, впрочем, к ней головы, не глядя на неё: «Скажи! скажи! скажи! ну скажи», — умоляю я мысленно, а проклятые минуты бегут и бегут, и молчание длится, ничем не нарушаемое, и только звуки оттуда, с проводов, по-прежнему беспрепятственно проникают к нам, — вот сейчас уже кто-то скажет и второй тост, наверное, за Нинку, хотя по всей справедливости надо бы сказать за Марь Иванну, и я всенепременно сказал бы о ней, если бы сидел сейчас за столом на своём месте недалеко от рекрута, и старушка смутилась бы, закраснелась и улыбнулась бы мне своей прекраснейшей на земле улыбкой, улыбкой кротчайшего создания, и я проглотил бы без труда рюмку белой гадости и закусил бы ужасным винегретом или бледной варёной колбасой, навевающей своим видом мысли о малокровии, и это было бы прекрасно из-за той улыбки, — но увы! всё идёт совсем не так, и сейчас там, за столом, кто-то другой поднимется, и произнесёт тост, и, может быть, скажет не про Марь Иванну, даже наверняка не про неё, а потом — третий тост, и тут уже пойдёт полная неразбериха, тут уже примутся глотать белую гадость безо всякой системы и смысла, только успевай Марь Иванна подбрасывать на стол поллитровки, всё уже полетит вверх тормашками, уже у парней начнутся разговоры «Ты меня уважаешь?» — уже наиболее ловкие и дальновидные пьяницы начнут ставить под стол едва початые, а то и полные бутылки, справедливо полагая, что запасы белой гадости у Марь Иванны не могут быть беспредельными, и ни одна из этих утаённых бутылок не опрокинется под столом, ибо соотечественники мои пьющие за долгие годы чудовищной дороговизны, баснословной цены, которую дерут с них за белую гадость, за годы хамства и сознательного унижения, которым подвергаются они в любом месте, где можно выпить, вплоть до скверика при сортире, вплоть до подворотни ближайшего дома, наши пьяницы выработали виртуозное умение держать бутылки под столом, ни на секунду о них не забывая, не

смея шевельнуть лишний раз ногой, будто внизу
спит, положив голову на башмак, любимая собака — самое дорогое существо на свете, — но меня
нет за тем столом, в той комнате, проводы проходят без меня, как те некогда вожделенные вечера
в столовой моих родителей, в их квартире в соседнем замоскворецком квартале — в двух шагах
отсюда, и сейчас на проводах грянет уже второй
тост, и перед ним будет минутная пауза, а я всё
ещё лежу, всё ещё держу руку своей партнёрши,
всё пытаюсь внушить ей: «Ну скажи! скажи же!» —
я уже почти отчаялся услышать от неё спасительное: «Ну, мне пора», — и в моей душе потихоньку
зреет чудовищное, ужасное предательство, мне
уже кажется, что только такой ценой я могу сейчас поторопить, ускорить наш с нею обыкновен-
ный обряд, и если она будет молчать ещё несколько мгновений, если не произнесёт свое: «Ну, мне
пора», — я заговорю первым, я стану лепетать
что-то, я начну своё предательство, своё отречение, и смысл подлых речей моих будет таков, что
я выставлю свои отношения с Марь Иванной
как чисто деловые — она стирает мне и убирает
мою комнату, я притворюсь, что мне вовсе не
хочется туда, за стол, на проводы, что близость
Чужой Жены, её покрытых испариной прелестей сейчас мне всего дороже на свете (этого
я не произнесу, конечно, вслух, но дам почувствовать соответствующей интонацией), и как только прозвучит мой голос, как только я открою рот,
чтобы сказать такое, — всё будет кончено! — я пре-
дам Марь Иванну, — мы ведь все только и делаем,
что предаём вот таким-то невинным образом на
каждом шагу лучших своих друзей, предаём про-

сто так, без особенной необходимости, ради красного словца, для прихоти любого случайного негодяя, мы, не колеблясь, можем отозваться пренебрежительно и насмешливо о любимейшем, интимнейшем друге, если только чувствуем, что это может быть почему-либо приятно ничтожнейшему из ничтожнейших наших собеседников, — и какие же мы твари после этого! — и я, намеревающийся сейчас открыть пасть, чтобы одной фразой предать мою Марь Иванну, святую мою Марь Иванну, я — последняя из этих тварей, смеющая к тому же мысленно осуждать каких-то дамочек, которые в невинности своего разврата рассказывают обнажённым любовникам о своих мужьях и детях, — ещё мгновение, и я отрекусь от всего — от взаимных поздравлений наших по утрам в дни больших христианских праздников, отрекусь от Нерукотворного Спаса, от образа, что я привёз Марь Иванне из Троице-Сергиевой лавры, вот сейчас, сейчас будет второй тост, будет короткая пауза над столом, затишье, и какая-нибудь красавица, воспользовавшись тишиной, вдруг засмеётся переливчатым зазывным смехом, потом все чокнутся, выпьют, и гул возобновится, и тогда я начну своё отречение, я и так уже погряз во грехе, и мне ничего уже не стоит прибавить к общей сумме ещё один, ещё и такой, и я с силой уже сжимаю запястье: «Ну, скажешь?! Ну?!» — и — о, счастие! о, ликованье! — она выговорила, она выдавила из себя своё традиционное, обрядовое: «Ну, мне пора», — умница, девочка моя, насколько же ты толковее, нет, насколько же ты тоньше, нежели большинство твоих предшественниц, вот из-за этого мы и состоим с то-

бою в заговоре против целых двух заповедей, оттого и позволяется именно тебе время от времени
выскакивать из преисподней в том самом месте,
где красовалась церковь Параскевы Пятницы;
и опять наш обряд сдвинулся с мёртвой точки,
мы приблизились к эндшпилю, и теперь следует
последний приступ нежности, проявить которую
совершенно нетрудно, она ведь сестра благодарности, но только приступ этот последний должен
быть отнюдь не продолжительным, и — ни, ни! —
ни в коем случае не страстным, — сегодня всё
должно идти по максимально сокращённой про-
грамме, а потому — подавай нам «листвие смоковное», оно даст нам возможность постараться держать себя на людях так, будто мы уединялись,
скрывались от глаз для каких-нибудь совершенно
невинных занятий, вроде филателии или нумиз-
матики, но уж никак не для того чтобы «ядоста,
ядоста», «вземши от плода древа, еже есть посреде рая», — и нам предстоит теперь второй проход
по коридору, и в это время, когда мы уже выходим, взгляды моих соседей бывают ещё двусмыс-
ленней, ещё фамильярней, ещё определённей
в своём одобрении моих подвигов на поприще
клубнички, на ниве, где произрастают проклятые плоды, — и только мысль о том, что скоро
весь этот кошмар будет позади, что, проводив
свою партнёршу, я возвращусь в квартиру один,
придаёт мне силы, — вернувшись, я всякий раз захожу в свою комнату и сейчас же выношу на кухню грязные рюмки, чтобы Марь Иванна поскорее вымыла их, я привожу в надлежащий порядок
свою постель, я, наконец, водворяю Книгу в изголовье, а потом снова выхожу из комнаты, хоть со-

всем ненадолго, хотя бы для того, чтобы побеседовать на кухне с Контрой, с Васькой, если у него в это время пауза в игрищах с супругой, в его «брачных и законных наслаждениях», и вот он выполз в одних подштанниках на кухню и курит, сидя на высокой скамейке, потный, полупьяный, и в это время я готов слушать хвастовство, которое касается главным образом его сексуальной мощи, но по мне лучше эта беседа, нежели пребывание в осквернённой комнате, где только что была тщательно убрана постель, где настежь форточка, где в изголовье тахты вновь появилась Книга и где на всё на это взирают лики с Изначальной Скорбью во взорах, а ещё лучше бывает вовсе убежать из дома, не слушать бесстыдные откровенности Васьки, а поспешить в соседний квартал, в квартиру моих родителей, выпить с ними чашку самого последнего ночного чаю, который отец сам заваривает на электрической плитке, тут же, в столовой, увидеть их обоих, отца и мать, заметить, как они оба постарели с тех пор, с той ночи, когда я ребёнком лежал в темноте нашей с братом детской комнаты, лежал и не спал, лежал и мечтал попасть сюда, в столовую, за этот самый овальный стол, чтобы слушать разговоры гостей, их шутки, и вот теперь я уже сижу в этой столовой сколько хочу, и никто меня уже не гонит спать, и я смотрю на отца и маму, и стараюсь разговаривать с ними как можно мягче, а потом я незаметно исчезаю из столовой, и проникаю в ванную комнату, и спешу принять душ, спешу смыть с себя испарину блудодея, и только тогда, пожелав родителям покойной ночи, я возвращаюсь сюда, в свою каморку, которая к этому времени уже проветрилась, и я опять попадаю под взоры ликов и под Тот Взгляд, но уже несколько другим по ощущению, я чувствую себя слегка обновлённым от соприкосновения с водой, и я медлю, прежде чем снова расстелить свою постель, потому что подушка, вернее, наволочка ещё сохраняет запах волос и духов моей партнёрши, а вдыхая эти запахи, мне будет гораздо труднее притворяться обновлённым после душа, — и вот раскрепощение, свобода — она уже близка, она не за горами, уже прозвучало вожделенное, спасительное: «Ну, мне пора», — наш обряд сдвинулся с мёртвой точки, но сейчас предстоит неприятная часть — мы должны одеться, водрузить на себя «листвие смоковное», и делать это вдвоём в моей каморке ужасно тесно, очень неудобно, и, как правило, в подобные минуты я всегда вырываюсь несколько вперёд, поспешно натягиваю на себя мою часть «листвия» и норовлю выскочить в коридор, и слоняюсь, топчусь там в ожидании того момента, когда будет готова моя партнёрша, и вот в эти праздные минуты мне уже не приходится брезговать даже обществом Васьки, сидящего на кухне в грязных подштанниках со слюнявой папиросой во рту, и я слушаю его хвастовство, и теперь уже мой собственный мысленный взор проникает снаружи в мою каморку, «а стены проклятые тонки», — и я своим мысленным взором теперь слежу за тем, как партнёрша моя в хорошо известной последовательности прикрывает свою наготу, и я высчитываю время, чтобы вовремя появиться там, чтобы не было ещё одной задержки — на этот раз уже по моей вине, — но сейчас ни о чём таком не может быть и речи, я не могу сейчас и носа высунуть в коридор, потому что меня тотчас же силком затащат на проводы, и нам приходится, демонстративно отворачиваясь друг от друга, стараясь не задевать друг друга, брать из общей кучи смоковной листвы листы по принадлежности и порядку очерёдности, и для меня это — ужасное испытание, и только близость развязки, финала придаёт мне силы, но я не устаю удивляться тому, каким образом подавляющее большинство мужчин могут существовать и превосходнейшим образом существуют в одной комнате с женщиной, даже с избранницей, даже с Дивной Донной, с Благороднейшей, даже с исступлённо любимой, мне всегда почему-то кажется, что после двух недель такой жизни Дант Алигьери бежал бы от Беатриче Портинари самым постыдным образом, через окно, как Подколесин от Агафьи Тихоновны, и уж во всяком случае мне представляется весьма симптоматичным, что «La Divina commedia» и «Vita nuova» вышли не из-под пера Симоне деи Барди, мужа Беатриче, и что касается меня, то я боюсь женитьбы до кошмаров, до страшных сновидений: «Он бросился бежать в сад, но в саду жарко. Он сдал шляпу, видит: и в шляпе сидит жена. Пот выступил у него на лице. Полез в карман за платком — и в кармане жена; вынул из уха хлопчатую бумагу — и там сидит жена...» — и вот мы с Чужой Женой поднимаемся с ложа и берёмся за «листвие смоковное», я должен пройти через это испытание; и есть в этом моменте какое-то колдовство, какое-то жульничество, к которому я за многие годы привык, но так и не научился его не замечать, и жульничество это состоит в том, что на протяжении всего этого в деталях мне известного обряда мою партнёршу непременно дважды подменяют, и первый раз это неизменно происходит в самом начале, в дыму вожделения, когда «отверзошася очи обема» — и вот, очнувшись, я никогда не могу убедить себя в том, что обнажённая женщина, которую я обнимаю, — это и есть та самая, кого я вызвал из преисподней и кого вёл по проулку между церковью Климентия и домом причта, и всегда кажется, что мне незаметно подсовывают другую, пусть похожую на ту, как близнец, даже больше, чем могут быть похожи близнецы, и в юности, когда меня это ещё поражало, пока я не привык к этому колдовству, я несколько раз принимался наблюдать, следить за обрядом, как дотошный зритель не спускает глаз с ловкого престидижитатора, и всякий раз, как незадачливый этот зритель, я оказывался обманутым, мало того, я ни разу не заметил даже ничего подозрительного, и тем не менее, лёжа в наготе, я обнимал уже не ту, которую встретил и вёл по Пятницкой, и даже не ту, на чьих устах уже здесь, в комнате, запечатлел нарочито долгий приветственный поцелуй, — и вот сейчас я демонстративно стараюсь не глядеть, как партнёрша моя пытается реставрировать самоё себя с помощью «листвия смоковного», она пытается стать той, кого я встретил, кого привёл и кому наливал коньяк в рюмку, но я-то знаю, что это ей не удастся в полной мере, и в этом пункте всякий раз происходит вторая часть колдовства — ей никогда не удастся стать точно такой же, какой она была, это будет уже какое-то третье подобие, третий близнец, похожий на первых двух до мистики, и всё-таки не один и тот же человек, и я давно уже не удивляюсь этому, я стараюсь не думать, не обращать на это внимания, а Чужая Жена, быть может, наблюдает такие же метаморфозы, происходящие со мною, она достаточно тонко организована, чтобы заметить их, если что-нибудь подобное происходит и с нашим братом, однако у меня никогда не доставало решимости заговорить на эту тему ни с одной из моих дам.

И вот мы уже готовы, для поверхностного взгляда — мы совершенно такие же, какими вошли в мою каморку часа два тому, какими прошли мимо трёх лукавых ангелочков — итальянцев по происхождению, что объяснимо, ибо Климентий носит имя Римского, а не Константинопольского, прошли через наш коридор, состоявший в ту минуту сплошь из разинутых дверей, мучимых не голодом, но любопытством, мимо взоров соседей моих, взоров, несущих в себе одновременно двусмысленное одобрение и что-то такое же пронзительное, как рентгеновские лучи, — мы вошли сюда, под взгляды ликов, где сейчас уже стоим одетые, уже можно идти, но я медлю, надо прислушаться, потому что несколько последних минут шум проводов уже не доходил до моего сознания, и я мысленно не присутствовал там, и вот теперь, я слышу, сюда доносится беспорядочный гам, какой должен быть далеко после второго тоста, где-нибудь перед самым третьим или сразу же после третьего, — слышны возбуждённые голоса и смех, вилки уже не стучат больше, гости теперь уже не насыщаются, а только закусывают, и вся красота стола — плод усердия и хлопот Марь Иванны — всё пошло теперь насмарку: от селёдок особенного сорта остались только хвосты да головы с разинутыми ртами, из которых торчат пёрышки зелёного лука, винегрет разворочен в своих вместилищах, кружочки колбасы валяются на тарелках как попало, ещё немного, и парни начнут пить взапуски, в кого больше влезет, и несколько поллитровок уже наверняка стоят под столом, а ловкие узурпаторы этих бутылок любовно ощущают ногами припрятанную добычу, невинно улыбаясь при этом верхней частью тела, — и — удивительное везение! — это самый удобный момент, чтобы нам с Чужой Женой выбраться из квартиры незамеченными, избежать так хорошо знакомых мне вовсе недвусмысленных взоров и фамильярных улыбочек, которыми одаривают меня соседи, когда я вывожу свою партнёршу из комнаты, сейчас момент удивительно благоприятный, сейчас ни в коридоре, ни на кухне — ни души, а дом наш, стоящий по колено в земле, очень стар, каждая квартира в нём имеет два выхода, и у меня есть возможность вовсе миновать даже двери Марь Иванны, я могу пройти через кухню, чёрным ходом, которым я обыкновенно не хожу, ибо крыльцо там не сулит мне, выходящему, никакого отдохновения, оно выводит меня не к лёгкой громаде Климента, а к заведению куда более прозаическому — к чучельной мастерской, и мне гораздо легче будет сейчас увидеть прежде подобное заведение, нежели двери церкви, пусть давным-давно закрытой, пусть разорённой, но двери, через которые на протяжении полутора столетий входили —

«с верою, благоговением и страхом Божиим», — и вот уже мы с Чужой Женою вышли из комнаты и двинулись по коридору, я иду сзади неё, я прикрываю наше с ней отступление, бегство, и пока мы не скрываемся за поворотом нашего глаголеобразного коридора, я всё время оглядываюсь на распахнутую дверь Марь Иванны, оттуда несётся «шум и гам гулянья», как изволил когда-то выразиться в Бозе почивший великий поэт, живший в соседнем квартале, и наконец мы выходим на крыльцо, и можно расправить плечи, можно вздохнуть наконец полной грудью, это тем более приятно, что за время нашего призрачного уединения пошёл снег, он и сейчас валит хлопьями, и я даже медлю секунду, прежде чем ступить с крыльца на землю, потому что мне не хочется попирать ногами непорочный бисерный покров, который скрыл на время нашу замоскворецкую грязь, но мне сейчас некогда любоваться снегопадом и свежими сугробами, я тороплюсь на проводы, и об этом напоминает мне «шум и гам гуляний», долетающий теперь сквозь распахнутые форточки окон Марь Иванны, и я ступаю на снежный покров, за мною сходит с крыльца Чужая Жена, я беру её под руку и веду, почти окрылённый грядущим расставанием нашим, близящимся концом нашего обряда, я веду её проулком между церковью Климентия и домом причта, и я с облегчением замечаю, что церковь сейчас можно видеть лишь до лукавых итальянских мордочек над южным входом, что пушистые хлопья скрывают от взора верхний этаж и все пять куполов, и тут в моей душе начинаются новые сомнения, мне хочется расстаться с Чужой Женой как можно скорее, но хоть мы с ней и старые приятели, и упрощать наши отношения, кажется, уже некуда, именно поэтому необходимо придерживаться установленных нами маленьких условностей, которые как бы сами собою возникли в тот первый наш вечер, когда мы сидели в кафе, и я всё гадал, сорвётся рыбка или нет, пока потихонечку подтягивал леску с добычей, — всё ближе и ближе, я был ей так благодарен в тот вечер за сговорчивость и умение молчать, что я не только усадил её в таксомотор, как делал это со многими её предшественницами, не просто «захлопнул даму дверцей», а плюхнулся рядом с нею на сидение и довёз её к тем хозяевам, где она обыкновенно живёт, попадая в столицу, — и от того вечера так уж повелось, вызывая её из преисподней, я всегда точно следовал заведённому обряду, я был верен протоколу, но сегодня я спешу на проводы, сегодня мне необходимо резко сократить всю церемонию, и было бы очень хорошо сейчас захлопнуть Чужую Жену дверцей, поглядеть с облегчением на удаляющиеся красные фонарики автомобиля и вернуться в наш дом, — но такое нарушение надо оговорить загодя, а я никак не могу начать речь об этом, не знаю, как приступить, всё тяну, оттягиваю, откладываю на следующее мгновение, как это вообще свойственно моей натуре, и вот мы уже выходим на Пятницкую, к тому месту, где обыкновенно пробегают таксомоторы, а я всё ещё молчу, и вот уже машина с зелёным огоньком причаливает к тротуару, с трудом затормозив на свежем снегу и оставив на мостовой две чёрные полосы, и уже сейчас начинать этот разговор поздно, я покорно сажусь вслед за Чужой

Женой на пружинное заднее сидение и захлопываю дверцей нас обоих; но вместе со щелчком замка, который запер нас, в мою душу приходит облегчение, ибо теперь неопределённость кончилась, потому что, если в дороге не будет аварий, я попаду на проводы примерно через сорок минут — столько должны занять оба конца — отсюда до дома, где живут гостеприимные хозяева, и оттуда обратно — в Замоскворечье, и вот уже потихоньку слабеет ощущение стыда, которое пребывало со мною с той самой минуты, как Чужая Жена выскочила наружу из преисподней на месте, где красовалась церковь Параскевы Пятницы, — а мы как раз сейчас минуем безобразное цилиндрическое здание с редкозубой колоннадой, — стыд перед теми, кто видел сначала нас воочию, а потом следил за нашими действиями мысленными взглядами, чувство это наконец почти покидает меня, потому что тут, на заднем сидении, в темноте нас никто не увидит, разве что шофёр бросит сквозь своё зеркальце несколько нескромных взоров, но это маловероятно, потому что по свежевыпавшему снегу машину надо вести очень осторожно и внимательно, да мы и не дадим ему поводов для таких взглядов, поскольку сидим даже не вплотную, и только, как всегда, как это предписывает наш обряд, утвердившийся в первый вечер, я только беру её руку и опять удивляюсь тому, какая гладкая у неё кожа, — странное дело, я много раз думал о том, что не худо бы обратить внимание на гладкость этой кожи в комнате, на тахте, но почему-то там мне это никогда не приходит в голову, и здесь мне видится нечто тоже связанное с нашим обрядом, а стало быть, это так и должно оставаться, — и я держу её гладкую руку в своей руке, пока наше таксо едет мимо косых, кривых, ненаглядных моих замоскворецких домиков, пока оно везёт нас туда, к гостеприимным хозяевам моей партнёрши, которые живут в новом языческом поселении, в одной из тупых, огромных безликих коробок, напоминающих мне жуткое приключение на бывшей Тверской, когда я метался перед страшными лицами, перед железным строем рослых людей какой-то заводской чеканки, бился об их грудные клетки, сделавшиеся в ту минуту стальными, с одним только жгучим желанием — стать невидимым, испариться, исчезнуть, — и путь наш к этому новому поселению пролегает по остаткам колокольного града, с некоторых пор я взял вообще себе за правило ездить и ходить только старыми кварталами, и даже не из неприязни к тупым громадам, а по той простой причине, что я готов смотреть, смотреть, смотреть на старые московские дома, я не могу на них наглядеться, как влюблённый не может наглядеться на свою возлюбленную, которая к тому же больна смертельной безнадёжной болезнью, она дышит уже на ладан, и он боится даже взгляд от неё отвести, ибо жизнь её может кончиться в любую минуту, вот так и я, наученный горьким опытом, спешу насытить свои глаза зрелищем Москвы, вернее, тем, что от неё осталось, потому что знаю — завтра может уже не быть какого-нибудь прелестного игрушечного домика, на котором привык отдыхать мой взгляд, на этом месте будет кран, будет раскачиваться разрушительный шар, беспощадный, как Тотила, я это великолепно знаю, — ведь мне относительно посчастливилось, мне повезло, я застал Москву такой, какой она была после первого чудовищного разрушения, которое произвёл в ней семинарист-карьерист, император всея шашлычная, усатый идол, который носил отчеством имя чахоточного маниака с «Литераторских мостков», и я, конечно же, не могу помнить Охотный Ряд, старые мосты, храм Христа Спасителя, Страстной монастырь, и на месте, где пролегала Тверская, в моё время уже высились несуразные и претенциозные громады, которые стоят там и по сию пору, Садовое кольцо я помню уже не бульваром, а несообразно широкой улицей, но с ещё маленькими, человеческими домами по берегам, Арбатскую площадь я помню, конечно, уже изуродованной, но ещё всё-таки площадью, на которую исподлобья взирал, сидя в кресле, Николай Васильевич Гоголь с постамента андреевского ещё памятника, помню площадью, а не дырой малоприличного назначения, куда суёт свой длинный нос, привстав на цыпочки, какой-то шут гороховый, которого простакам и провинциалам выдают теперь за Гоголя, помню я и переулочки между Поварской и Арбатом, дворянские особняки, помню игрушечную Собачью площадку, которую какой-то дурак или шутник переименовал в площадь Советских композиторов, в центре её был крошечный скверик, а в одном из домиков помещалась музыкальная школа, из чьих окон вечно доносился щенячий скулёж детских скрипочек — там, наверное, готовили советских композиторов, и памятник Пушкина помнится мне ещё в начале Тверского бульвара, он печально глядел туда, где снесли Страстной монастырь, а теперь, ещё более помрачневший, Александр Сергеевич сам стал на том месте и смотрит в противоположную сторону, отворотившись от Путинков, чтобы не видеть уродливое синема и безвкусные рекламы на его фасаде, — и вот я знаю — беду не отвратить, Москва скоро совсем исчезнет среди безбрежного языческого поселения, и я не могу на неё наглядеться, и я вижу сейчас из окна машины от рождения аляповатые низкорослые замоскворецкие домики, стоящие под снегопадом, Москва вообще выигрывает в такую погоду, как, верно, выигрывает смертельно больной после того, как его на минуту вынули из постели и вновь уложили на свежие, белейшие, хрустящие простыни, — под покровом свежего снега даже жалкие, разорённые, осквернённые наши церквушки издали можно принять за действующие (хотя в другое время определить, закрыта ли церковь или нет, можно с первого же взгляда, разница бросается в глаза, как между женой — возлюбленной и брошенной), и я любуюсь моим Замоскворечьем, сейчас припудренным, принаряженным, я счастлив, что живу именно здесь, что жил здесь до сих пор и, если даст Бог, проживу ещё долго, а потом умру, не дожив до того страшного дня, когда приедет кран со своим шаром, беспощадным, как Тотила, подъедет к дому, где живут мои родители, и будет бить, бить, бить, и не станет столовой, где когда-то сидели по ночам желанные гости, пьянчужки, бражники, весельчаки, клоуны, не станет и детской, где я, лёжа в темноте, ловил чутким ухом их громкие голоса и взрывы смеха, моей бывшей детской, где солнечным июньским полднем произошло моё первое падение, но, я надеюсь, Бог не даст мне дожить до этого дня, я счастлив, что живу в Замоскворечье, потому что район этот, эта часть остатков колокольного града пострадала меньше других, нет, в данном случае я не имею в виду физическое разрушение — тут всей Москве досталось и достаётся примерно одинаково, я говорю вот о чём — здесь и до того, как пришло царство юлианова толка, спокон веку тут обитало мещанство, ведь купцы — те же мещане, и вот новое царство по существу ничего нового в наши кварталы не принесло, если, конечно, не считать возникшие тут в самое последнее время «почтовые ящики», институты «по» и «при», комитеты, но население в сути своей осталось прежним, замоскворецкий мещанин только измельчал, не тот уже нынче пошёл, уже ни у кого не хватит денег, чтобы по случаю выздоровления жены поставить каменную церковь, да если бы и нашёлся такой чудак и деньги у него нашлись бы, то наш районный архитектор, верно, сошёл бы с ума, обратись к нему кто-нибудь с эдаким предложением, — нет, мещанин, конечно, пошёл не тот, и коль скоро у кого-нибудь из моих соседей случайно выздоровеет жена, он, пожалуй, на радостях выпросит у неё же, у супруги, трёшку и моментально окажется в сквере подле подземного сортира как раз против алтаря Климентия Римского, — но, повторяю, по сути обитатели наших кварталов остались прежними, это — существа той же породы, только в доме, где раньше существовал один мещанин со своим семейством, теперь набилось их как сельдей в бочку, и если раньше при доме мещанина был просторный сад и в нём старые яблони, то теперь почти у каждого из них что-то вроде палисадничка, кусочек земли размером с могилу, где произрастает чахлая трава, а осенью там сияют предательским жёлтым цветом золотые шары, а в окнах домов занавески такие же самые, как были и прежде, и цветы на подоконниках тех же сортов, а сами эти домики и улицы, ими составляемые, когда-то тихие и патриархальные, не так уж сильно пострадали от всех пертурбаций, что принёс с собою двадцатый век по Рождеству Христову, — совсем другое дело — дворянский район, куда сейчас вбегает наш таксомотор, сделавши вираж мимо стены многострадального Кремля с разорёнными соборами и осквернёнными царскими могилами, с алюминиевыми дворцами — воплощённой мечтою злонамеренных идиотов предыдущего столетия, и вот уже шины нашего авто давят снег на одной из кратчайших улиц Москвы, которая, по счастию, сохранила за собою старое название, пленившее меня ещё в детстве, — Ленивка, — поворот, и мы едем по остаткам Волхонки, сейчас мне предстоит испытание, я буду стараться не смотреть влево — на клоаку, где мои бодрые современники совершают омовения в собственной моче и казённой хлорной извести, там сейчас клубится белёсый пар, мешаясь с хлопьями чистого снега, на месте, где высился белокаменный храм Христа Спасителя, но вот испытание позади, и мы въезжаем в Остоженку, почти нетронутую по всей своей длине, и уже эти кварталы — совсем иное дело, это — не моё родное Замоскворечье, здесь я бы не мог, не хотел бы жить, хотя и обожаю тут бродить, и хожу очень часто, как набожный потомок бродит по древнему погосту, где спят сладчайшим сном его отцы и праотцы, и для меня каждый почти дом из стоящих здесь — памятник, а прилежащие переулки — как фамильные склепы, они и назывались ещё недавно знатнейшими российскими именами — Хилков, Турчанинов, Соймоновский, Всеволожский, Лопухинский, Барыков, Мансуровский, Еропкинский, Коробейников, — дома и усадьбы, сохранившиеся здесь, — всё памятники, ибо уже нет иных надгробий их владельцам, их строителям, потому что, уверен я, могил уже не отыскать на фамильных кладбищах где-нибудь в подмосковной, в ограде красавицы-церквушки, нет этих могил, их давным-давно разорили и осквернили мужички вместе с этой самой церквушкой, — и, конечно, усадьбы Остожья построены грамотными зодчими, не то что наши замоскворецкие домишки с несуразными фронтонами и портиками, возникавшими там и сям по дикой прихоти первых хозяев, в них жили мещане и живут мещане, только изрядно измельчавшие, там теперь тесные палисаднички вместо обширных садов, в окнах те же занавески, на подоконниках те же герани и петуньи, а здесь, в дворянских переулках, — не то, здесь дома страшно изуродованы, залы с лепниной и росписями на потолках разгорожены на каморки, коридоры и галереи сужены до невозможности, усечены со всех сторон, начисто лишены света, комнатушки наделаны всюду — и в бывшей ванной, и в кухне, и чуть ли не в ватерклозете, а кухня организовалась в какой-нибудь тёмной части коридора — там подвесили грязную раковину и поставили газовую плиту, — я много бывал в таких домах, создаётся впечатление, будто в берлоге медведя или в логове льва поселились мыши, огромной колонией там, где жил один царственный зверь, будто гнездо орла иронией судьбы досталось во владение воробьям или канарейкам, — и даже когда я просто гуляю здесь и вижу эти бывшие особняки подмазанными и свежеокрашенными снаружи, я никогда не могу отделаться от мысли о том, каковы они внутри, своим видом они напоминают мне эпизод из пьесы Бабеля «Закат», когда Беня Крик выводит к гостям своего отца, старого Менделя, ещё недавно сильного и своевольного старика, которого теперь забили и изувечили собственные дети, и он выходит, этот старик, напомаженный и припудренный, выходит к гостям, но может произнести только одну фразу: «Не бей меня, Бенчик», — и вот остоженские особняки, непоправимо изуродованные, когда фасады их припудрят, заляпают штукатуркой и абы как покроют свежей краской, они смотрят своими окнами на улицу и молят, молча твердя прохожему только одно: «Не бей меня, Бенчик», — каждый такой изувеченный дом я воспринимаю теперь как надгробие, как памятник первому владельцу и его наследникам, в Бозе почившим носителям великой культуры, угасшей чуть ли не на глазах у меня, родившейся двести лет тому, подобно Онегину, на брегах Невы — там и по сей день стынут мёртвые камни, оставшиеся от того города, где культура возникла, и камни эти, видавшие так много на своём коротком сравнительно веку, весь тот город производит на меня впечатление, подобное тому, что особнячки: «Не бей меня, Бенчик», —

только несравненно более сильное, вот это уж истинное надгробие целой культуре, народившейся на свет по мановению двух российских государей — одного великого, большого любителя голландской выпивки и столь же ревностного ненавистника растительности на отечественных лицах, и другого — ничтожного, кому и года не удалось процарствовать, как его спихнула с престола собственная распутная супруга, но за кратчайшее своё царствование он успел в один поистине прекрасный день — 18 февраля 1762 года — издать указ, позволивший дворянам уединяться в имениях, чтобы там в тиши своих вивлиофик читать французские и немецкие книги, которые к этому времени стали проникать в Россию вместе с импортными напитками, излюбленными августейшим брадобреем, дедом ничтожного невинноубиенного самодержца, — и день 18 февраля можно по всей справедливости почитать днём рождения российской дворянской культуры, которая угасла у меня на глазах, а ещё так недавно полыхала на весь мир заметным пламенем, она и сейчас ещё тлеет самыми последними угольками, и один из них залетел, попал в мою черепную коробку, хотя я не мог бы даже повторить вслед за любимым поэтом: «С миром державным я был лишь ребячески связан», — у меня и эта связь отсутствует, я связан с тем миром разве что обстоятельствами моего первого падения, которое свершилось солнечным июньским полднем в комнате, называемой детскою, со служанкой моих родителей: «И это всё!» — но в мой череп залетел уголёк, искорка яркого пламени, и нет у меня сил равнодушно взирать ни на особнячки — «Не бей меня,

Бенчик», — ни на «камни из мёрзлых пустынь», что остались от города на Неве, на восхитительное надгробие культуры, которую ныне сменила презренная цивилизация, — и я не стал бы, не мог бы жить на Неве, как не мог бы жить в Остожье или в Чертолье, потому что никакому родственнику покойного, даже самой безутешной вдове не придёт в голову поселиться на кладбище, в фамильном склепе, — и уголёк в моей голове по временам жжётся очень больно, иной раз он толкает меня на поступки, противные моей собственной природе, и даже такие, что отнюдь не одобряются в Книге книг, лежащей в моём изголовье, нет, сейчас лежащей на бюро красного дерева, которое я затащил в Замоскворечье, хотя вещь эта родом с Арбата или с Поварской, затащил оттого, что питаю слабость к предметам, так или иначе относящимся к дворянской культуре, и на бюро стоят бронзовые подсвечники, и в ящике лежит печатка дымчатого топаза и тихонько тикает серебряный брегет, но зато навсегда умолк случайно доставшийся мне медный колокольчик, и если я позвоню в него, никто из челяди не прибежит, не придёт и Марь Иванна, которая подметает мою каморку и стирает мне рубашки, я никогда не посмею вызвать её таким образом, но всё же я собираю черепки культуры, и мне больно думать о судьбе особняков Остожья или города на Неве, ибо мне совершенно ясно, что третьим Римом была — не Москва, им стал когда-то именно Петербург, и этот третий Рим пал совершенно так же, как и первые два, — в момент возникновения нового варварского царства, и когда я брожу там, над Невой «буро-жёлтого цвета», среди «камней из мёрзлых пустынь», — мне часто свербит голову мысль, что хорошо бы убрать один из двух памятников августейшему брадобрею и пьянице и вместо него воздвигнуть монумент в честь его ничтожного внука, невинноубиенного собственной распутной супругой, потому что я твёрдо знаю: не будь 18 февраля 1762 года, не было бы в России великой культуры, ибо по чудовищным законам брадобрея Пушкин бы не мог проездиться на Кавказ военным корреспондентом, а как пить дать разделил бы судьбу Бестужева и погиб бы, положим, при штурме Арзрума, ибо принуждён был бы Александр Сергеевич служить за своё Болдино, и эту судьбу вполне мог бы разделить Гоголь за свою Васильевку, и Толстой, быть может, не отделался бы двумя кампаниями, а поехал бы ещё и бить турок, вместо того чтобы отправить туда своего Вронского, поехал бы как миленький за Ясную Поляну и, скорее всего, встретил бы там Достоевского, который попал бы туда за Дарово и Черемашню Каширского уезда Тульской же губернии, так что не случись указ от 18 февраля 1762 года, была бы моя полка наполовину пуста или заполнена лишь переводными томами, — вот почему я непременно бы уничтожил один из памятников великого деда, чтобы воздвигнуть монумент его ничтожному внуку, и я сделал бы это с тем большим основанием, что Книга научила меня внимательнее присматриваться к величию и ничтожеству мира сего, ведь я так и не могу до этой минуты решить про себя, например, велик ли или ничтожен был околевший усатый идол, кто носил отчеством имя чахоточного маниака с «Литераторских мостков» и чьему гению поклонялись и поклоняются столь многие, — я поставил бы памятник российскому императору, ни за что ни про что пристукнутому бутылкой, супругу грязной распутной немки, бандарши, превратившей русский двор в заведение, и я всякий раз снимал бы шляпу, проходя мимо этого памятника, не только в благодарность за его мудрый указ, но и из-за того, что он — первый из всех российских правителей, первый за целое «тысячелетие уже минувшего беспорядка и бестолковщины» — решился уничтожить и уничтожил тайную канцелярию, но, конечно, супруга его, взобравшись не то чтобы с ногами, но даже и с любовниками на окровавленный престол, сей же секунд канцелярию эту восстановила, — я снимал бы шляпу, подходя к его памятнику, но — увы! — это всё только маниловские мечтания, и начиная с того, что я не ношу шляпы, и кончая тем, что никто и никогда памятника этому несчастному монарху не воздвигнет, если не считать, правда, таким монументом чудовищную тризну, которую страна справила по нему, когда погибли тысячи тех самых дворян, которым он возвестил вольность в своём указе и которые предали его, — «русский бунт, бессмысленный и беспощадный», — когда главарь мятежных толп назвался именем убиенного императора, — и не будет ему больше никакого памятника, кроме этого — нерукотворного и кровавого, не будет оттого, что погибла культура, которая была способна об этом подумать, и на смену ей явилась варварская цивилизация, и мне, носящему в голове уголёчек, искорку от того пламени, мне, собирающему черепки, хоть и не связанному с державным миром даже ребячески, мне страшно смотреть вокруг — третий Рим пал, исчезают его истребляемые остатки, впереди предо мною новое средневековье, я смотрю в это страшное будущее и с отчаяньем вижу, что до Ренессанса не докричаться, и вот я, запершись в своей каморке, сижу у своего бюро, слушаю, как ладно тикает брегет — словно и не промелькнули полтора столетия с тех пор, как его хозяин ехал на бульвар и прогуливался там в широкополой шляпе, и я тихонько звоню в колокольчик, я зажигаю свечи в бронзовых подсвечниках и гляжу на огонь сквозь дымчатый топаз, один из тех самых «сибирских прозрачных камней, из которых режут на Руси печати», — я любуюсь своей полкой, где по мной самим установленному ранжиру стоят тома великих писателей, вызванных к жизни указом от 18 февраля 1762 года.

Ещё совсем недавно, перебирая черепки, реликвии, что достались мне от возлюбленной культуры, я часто страшился того дня, когда буду разлучён со всем этим, когда войдут, вломятся в мою каморку самые бесцеремонные гости на свете, когда опишут всё то немногое, что принадлежит мне в этом мире, когда им вдруг покажется, что я — несостоятельный должник империи, что я чего-то недоплачиваю новым кесарям, не только патологически сребролюбивым, но и столь же честолюбивым, требующим теперь не только подати, но и поклонения, претендующим теперь не только на свою часть, но и на Богову, когда придут и опишут всё, что помещается в моей каморке, когда вывезут, увезут, но не предметы эти, а меня самого, как это предписывает новый, но уже хорошо испытанный способ обращения с несостоятельными должниками, увезут меня далеко-далеко, быть может, по шпалам, которые легли на Владимирке, и я поеду по ней в телячьем вагоне и со злорадным смехом буду вспоминать, прислушиваясь к стуку колёс, литературные мечтания чахоточного маниака, что стоял лицом к вокзалу и спиною к церкви Знамения, — я раньше очень боялся этого дня, боялся до тех пор, пока не сообразил, что сверх всех моих жалких черепков есть у меня ещё одна реликвия, доставшаяся в наследство от дворянской культуры, и реликвия эта такого сорта, что никто и никогда не в силах будет у меня её отнять, у меня отберут её разве только вместе с дыханием, — язык, великий язык, который дворянские писатели развили, завершили, утвердили и — неслыханное дело! — ухитрились навязать его такому числу разночинцев, что он постепенно почти вытеснил народную разговорную речь, и уж вот этого наследства у меня не отобрать: «Лишив меня морей, разбега и разлёта и дав стопе упор насильственной земли, чего добились вы? Блестящего расчёта: губ шевелящихся отнять вы не могли», — и это ничего, что вокруг уродуют и коверкают великий язык, пускай все «одевают пальто», пусть пишут «в мой адрес», пусть пожирают не «сласти», а «сладости», пусть даже не «пожирают», а — «кушают» их в первом лице, пусть осведомляются друг у друга: «Сколько время?», — я всё равно буду говорить: «Который час?» — а лучше даже ничего не скажу, а пойду в Замоскворечье, в свою каморку и взгляну на свой брегет, — пускай варвары разменивают великую речь предков на трамвайные объявления, и пусть в остатках колокольного града на разорённой Волхонке притаилась во флигеле банда академика Виноградова, которая только и ждёт момента, выжидает, чтобы в один прекрасный день отменить на Руси мягкие знаки и букву Ы, — никогда я не признаю ничего этого, как никогда не устану оплакивать великую культуру, запершись в своей каморке, позвякивая колокольчиком и слушая, как ладно тикает брегет, я не устану вспоминать тех, кто обладал раньше моими реликвиями, кто склонялся над зелёным сукном моего бюро, — я себе очень хорошо представляю их, ну, если не самих строителей дворцов на Неве и особняков Остожья, то их детей, их внуков, что росли в детских комнатах под надзором просвещённых гувернёров, зубрили греческий и латынь, и если вы захотите посмотреть на них, увидеть, какими они были, возьмите восемьдесят второй том энциклопедии Брокгауза и Ефрона, раскройте его в самом конце, и вы увидите там фотографии — галерею господ сотрудников словаря, вашему взору предстанут прекрасные лица, перед вами промелькнут знакомые фамилии — Менделеев, Соловьёв, Радлов, Бодуэн де Куртенэ, Врангель, Войнаровский, Кони, Милюков, Обнорский, Римский-Корсаков, Случевский, Сеченов, Трубецкой, Туган-Барановский, Шахматов, — лица нобилей, лица разночинцев и кровных детей Авраама, вполне овладевших премудростью дворянской науки (культура долго выносила инъекции из недоучившихся семинаристов и иудеев, бежавших хедера), — и когда выходила эта великая энциклопедия, до катастрофы ещё остава-

лось время, и — какое счастье, что он был издан,
этот словарь, что дворяне смогли запечатлеть таким образом уровень своей науки, ещё достой-
ной называться этим словом, ибо тогда она
в большей своей части не служила ещё целям ис-
требления человечества; они зафиксировали
уровень своих знаний и, наконец, уровень своей
порядочности, объективности и либерализма,
милого даже теперь, после всего здесь случивше-
гося, даже после страшной физической гибели
самих этих наивных либералов, — я совершенно
случайно натолкнулся на галерею господ сотрудников словаря Брокгауза, и я советую всем, кому
погибшая культура дорога, непременно заглянуть
туда, в самый конец восемьдесят второго тома,
и вы увидите, какие они были — просвещённые
внуки хозяев и строителей нынешних особняков — «Не бей меня, Бенчик», — и униженных новыми функциями дворцов Петербурга, — и я, однажды увидевши эту галерею, слишком часто
вспоминаю её — увы! — эти благородные лица то
и дело всплывают в моей памяти, когда надо
и когда не надо, и я помню, ненароком как-то занесло меня в тот самый флигель — «Не бей меня,
Бенчик», — на несчастной Волхонке, где банда
академика Виноградова устроила свой вертеп,
где они вынашивают свои безумные планы по
уничтожению на Руси мягких знаков и буквы Ы,
я попал туда по случайному делу, и они как раз
сходились на очередной совет, чтобы как-нибудь
всё-таки оторвать своих соплеменников и совре-
менников ещё дальше от предков, навсегда отлу-
чить их от языка, на котором так прекрасно изъяснялись господа сотрудники великого словаря,

они собирались там, эти бандиты, к назначенному часу — и те, что пострашнее, — непримиримые враги мягких знаков, и те, что посовестливее, более благоразумные разбойники, ещё сомневающиеся, следует ли плевать в холёные бороды господ сотрудников, — и я стоял там в коридоре у окна, неподалёку от дверей зала, где они сходились, и они шли, шли, шли мимо меня — толстомордые, оживлённые, парами, тройками и поодиночке, все такие благополучные, явно не обременённые своими знаниями, обременённые разве что небольшими семействами, чтобы содержать которые надо всенепременно уничтожить на Руси мягкие знаки, и я всё смотрел на этих упитанных бодрячков, на этих коротконогих пошляков, смотрел и думал о том, что, не знай я достоверно, кто они и зачем сюда сходятся, что будут они сейчас решать судьбу многострадальной российской письменности, я мог бы принять их за приказчиков из обувных лавок или конфекционов, такие это были молодцевато-жуликоватые деляги, совершенно довольные своими мозгами, своими добротными костюмами, своими толстыми портфелями, слегка, может быть, недовольные мизерностью вознаграждения, которое империя им выплачивает за ненависть к букве Ы, — и я всё смотрел, а они всё шли, шли, шли, и я не то чтобы сравнивал свиные рыла, которые они несли на себе вместо лиц, не то чтобы сопоставлял их облики с портретами господ сотрудников, — это было несопоставимо, нет, я только опять и опять горестно думал о том, что некуда бежать от варварской цивилизации, пришедшей на смену высокой культуре, никуда не деться от всеобщего равного и явного невежества, которое эта цивилизация являет собою, и о том, что никто и никогда уже не выкурит эту гадкую банду из флигеля — «Не бей меня, Бенчик», — никто не прогонит этих самодовольных приказчиков, которые иронией судьбы забрались сюда, в Чертолье, в дом, где раньше мог жить один из господ сотрудников моего любимого словаря, он сам или его родной брат, кузен, на крайний случай — просто знакомец, человек одного с ним круга, и, стоя в том коридоре, глядя в мясистые затылки и на упитанные портфели проходящих мимо меня, я ещё раз благословил судьбу, что живу не в этой части Москвы, не в изуродованном особнячке, заляпанном с фасада штукатуркой и кое-как покрытом линючей краской, — упаси меня Бог! — я не хочу жить на кладбище, я — не червь могильный! — я не мог бы жить на набережной Невы, не мог бы жить на Никитской, на Поварской, на Арбате, на Пречистенке, не мог бы жить и на Остоженке, в самом конце которой наш таксомотор взвился сейчас в воздух по новому виадуку, мы пролетели мимо крыш старых провиантских складов, и вот авто мчит нас, разгоняя носом хлопья снега, над изувеченным Садовым кольцом, и мы приземляемся у чудной старой церкви — у Николы в Хамовниках, на ней всякий раз отдыхает мой взор, когда мне приходится углубляться в новое поселение этим путём, я смотрю на нарядное строение и лелею надежду, что святитель Николай, столь возлюбленный на Святой Руси, ещё протянет мне свою руку, он, спасающий на водах, он, покровитель путешествующих, — мне, тонущему в житейском море, мне, изнемогающему на дороге жизни, — и с этой тайной надеждой я получаю последний привет от фасада Хамовнических казарм, имеющего ещё христианский вид, и почти без страха въезжаю в огромное поселение, которое со всех сторон охватило теперь несчастный колокольный град и которое вот-вот уже окончательно Москву задушит, и здесь я уже стараюсь не осматриваться, в этом районе, тем более языческом, что правитель наш предыдущий — стареющий Иванушка-дурачок, который пытался притворяться государственным человеком, велел построить тут огромные цирки, почти на римский манер, хотя, я уверен, мысль об этом сходстве не приходила в голову строителю, по той простой причине, что он вряд ли подозревает о самом существовании Древнего Рима, — и вот я стараюсь не глядеть вокруг, не видеть тупые прямоугольные громады, стоящие по сторонам, но и не глядя на них, я против воли представляю себе сотни, тысячи комнат, битком набитые пожитками, не имеющими ни малейших индивидуальных признаков, — сверкающими сервантами, полированными столами и гардеробами, польскими кухонными гарнитурами, одноногими торшерами, глупыми и неудобными креслами, рявкающими телевизорами, подвывающими магнитофонами, пёстрыми халатами, шёлковыми шлёпанцами без задников, целлофановыми занавесками в ванных комнатах, лысеющими и полнеющими мужьями, расплывшимися задастыми жёнами, их намазанными ресницами, их бигуди под пёстрыми косынками, всем этим стандартным благополучием, заимствованным через цветные иллюстрированные журналы у таких же европейских и заокеанских ничтожеств, — вот тут-то и живут многие из тех, кто дважды в сутки заполняет своими телами и помыслами наш несчастный Климентовский, но сейчас дневные обитатели «почтовых ящиков», институтов, комитетов «по» и «при» спят на своих неудобных раскладных диванах, обитых яркой тканью с пупырышками, спят и видят во сне всё те же надбавки за знание языков, видят с блеском защищённые диссертации, видят вакансии, образуемые смертями и несчастиями ненавидимых начальников и высших, — и я гоню от себя всё это, не гляжу на громады, мимо которых мы проносимся сейчас, я стараюсь сосредоточить внимание на пляске хлопьев перед самым носом нашего таксомотора, я гляжу на безупречно белую и ровную поверхность оснежённой мостовой и не оборачиваюсь назад, чтобы не видеть два параллельных чёрных следа, которые оставляет наше авто, и я почти не замечаю, как машина наша минует гигантский двухъярусный виадук, пронося нас высоко над рекой, минует крутые холмы на берегу реки, где давным-давно два сосунка — один немецкий выродок, другой дворянский сынок — со слезами на глазах сговаривались и клялись погубить ту самую культуру, к которой оба принадлежали по рождению и по воспитанию (наивные и безнаказанные Абрам Терц и Николай Аржак либерального царского времечка), и на этих холмах высится теперь уродливейшее сооружение, московский вариант вавилонской башни, с которой полуграмотные молодчики пытаются дотянуться до вершин науки, — и мы минуем всё это, а я смотрю на снежинки в свете фар нашего таксомотора, подруливающего в это время к четырёхугольной громаде, в крошечном отделении которой имеют жительство гостеприимные хозяева, что сейчас в свете своего одноногого торшера ждут не дождутся появления остановившейся у них милой провинциалочки, которую я всё ещё держу за руку, сидя на заднем сидении остановившегося уже автомобиля, но вот я выпускаю её руку, отворяю дверь, помогаю своей даме вылезти на тротуар, приказываю шофёру подождать меня, довожу её до подъезда, в дверях целу́ю на прощание со всею возможною нежностию, возвращаюсь к машине и, плюхнувшись в этот раз на переднее сидение, доверительно говорю шофёру: «Баба с возу — кобыле легче», — и мы трогаемся назад, и на душе моей совсем легко, мне легче, как той кобыле, оттого, что я буду отсутствовать на проводах всего лишь двадцать минут, и главным образом оттого, что я теперь еду один, со мной нет партнёрши, я сижу впереди, рядом с шофёром, и мне не приходится держать руку шофёра в своей руке, и мне не надо восхищаться гладкостью его кожи, — и веду с ним незначащий разговор о трудности вождения автомобилей в такую погоду, когда свежий пушистый снег ложится на асфальт мостовых, а хлопья всё кружатся, кружатся и кружатся в свете наших фар, и я замечаю, что следы, которые несколько минут назад мы оставили на белом покрове улицы, — отсутствуют, их уже засыпало, а назад я не смотрю, и оснежённая мостовая мне снова кажется совершенно нетронутой, а о завтрашнем утре, когда снег будет попран ногами и шинами, я стараюсь не думать, чтобы случайно не расплескать ощущение лёгкости, возникшее во мне в тот самый миг, как я плюхнулся на сиденье рядом с шофёром и проговорил ему: «Баба с возу — кобыле легче!» — ведь с этой минуты он не мог уже бросать нескромные взгляды сквозь своё зеркальце, он не мог уже поглядывать на заднее сидение, где были мы с Чужой Женой, и хотя я только держал её руку в своей, хотя мы сидели с нею на расстоянии друг от друга, я всё равно болезненно ощущал эти взгляды, как ощущаю их всегда, если даже иду по совсем незнакомой улице под руку с любой женщиной или даже не касаюсь её, рядом с нею, но когда я знаю, что прохожие могут заподозрить в ней мою партнёршу, мою соучастницу по преступлению заповеди, мою сотрапезницу по вкушению проклятого «плода древа, еже есть посреде рая», — и раньше я полагал, будто корень этой моей сверхъестественной стыдливости кроется в том, что дамы мои недостаточно красивы или недостаточно элегантны, но это оказалось не так — мне случалось состоять в заговоре против заповеди с привлекательнейшими дочерьми Евы, и это обстоятельство никогда не спасало положения, я думаю, будь моей партнёршей сама Елена, я равно стеснялся бы близости с нею перед шофёром такси, который вёз бы нас, стеснялся бы его нескромного зеркальца, стеснялся бы официанта в кафе, что в стороне от центра, куда я повёл бы Елену с расчётом не встретить никого из знакомых, — и мне долго пришлось копаться в самом себе и даже призывать на помощь венского профессора господина Зигмунда Фрейда, и вот я наконец нащупал нечто на самом дне памяти, и вначале выплыл какой-то дощатый забор и пышные лопухи, какая-то чуть ли не свалка, а потом уже видна стала вся картина, весь тот эпизод, когда неестественная моя застенчивость если и не зародилась, то уж во всяком случае проявилась впервые в самой полной мере, — я вспомнил себя мальчиком, только что сдавшим первую в жизни порцию экзаменов, после чего в начале лета моего младшего брата и меня отправили в какой-то лагерь для малолетних, где детей учат маршировать строем по жаре и орать хором чудовищные песни, где им настойчиво рекомендуют при случае доносить на собственных родителей по примеру одного из главных новоязыческих страстотерпцев — несчастного мальчишки, которого Дант, знай он эту трагическую историю, непременно сунул бы в самую пасть Люциферу, приделав ради этого ещё одну голову владыке ада, или, чтобы не нарушать свою совершеннейшую композицию, построенную на троичности, пожалуй, сунул бы Брута и Кассия, как соучастников, в одну пасть, освободив таким образом другую для этого юного пионера предательства, — и вот тем далёким летом меня впервые гоняли по жаре, заставляли глотать пыль и учили гадким песням, там был дощатый забор, пышные лопухи и — «В этом разделе книги моей памяти, до которого лишь немногое заслуживает быть прочитанным, находится рубрика, гласящая: Incipit vita nova — десятый, а не девятый раз после того, как я родился, небо света приближалось к исходной точке в собственном своём круговращении, когда перед моими очами появилась впервые исполненная славы дама, царящая в моих помыслах, которую многие, не зная, как её зовут, именовали», но не Беатриче, а Светлана, — и я хоть и не раз влюблялся с тех пор, но это была та самая — первая, неповторимая, до гроба памятная любовь, и Дивная Донна, Благороднейшая, осталась в моей душе такой, как явилась мне там, на берегах мелководной Истры, вовсе не похожей на Арно, — она была худенькой девочкой с тонкими чертами лица и чёрной чёлкой, я помню, как она сидела за своим столиком в обширном сарае, куда нас сгоняли по три раза в день, чтобы кормить мутной похлёбкой или отвратительной подслащённой кашицей, и столик этот стоял таким образом, что я со своего места мог видеть лицо Благороднейшей, и по временам она тоже поднимала взор и, казалось, взглядывала на меня, но сейчас же опускала глаза в тарелку, и это происходило раза два или три в течение каждой совместной нашей трапезы, и каждый такой робкий её взгляд переполнял всё моё десятилетнее существо и ликованием, и сомнением — не случайность ли это? — и ужасной боязнью, что взгляды эти могут быть кем-нибудь замечены, — «отсюда ясно, что в этих взглядах заключалось моё блаженство, переполнявшее меня и превышавшее нередко мою способность восприятия», — и я берёг память об этих взглядах, и всякий раз ходил под их впечатлением до момента, когда нас снова вгоняли в тот сарай, и опять я сидел за своим маленьким столиком, и опять ловил эти робкие взгляды, и опять в душе моей теснились и ликование, и сомнение, и боязнь, что нас заметят, и тогда мне — «О моя юность! О моя свежесть!» — мне ничего тогда не надо было, кроме этих редких взглядов, подтверждавших мою сумасшедшую догадку, что и я небезразличен Дивной Донне, что и мои взгляды так же наполняют её душу и ликованием, и сомнением, и боязнью, и, чтобы быть возможно ближе к Благороднейшей, чтобы видеть её не только во время трапезы, при всегдашнем своём тогда уже существовавшем отвращении к театру, я решился посещать драматический кружок, где и она принимала участие, мы тогда готовили к постановке сказку о Спящей красавице, и, как я теперь понимаю, она, верно, была очень хорошенькая, потому что ей поручили заглавную роль, а я, который в этой ситуации, конечно, мечтал о роли принца, её, разумеется, не получил, и мне пришлось удовольствоваться ничтожной ролью старого бородатого охотника, которому злая мачеха велит отвести принцессу в лес и там убить её, — но этот бородач идёт на должностное преступление и отпускает приговорённую невольницу, — и тут следовал момент, который стоил всей дурацкой роли принца, — маленькая ремарка, набранная в пьесе петитом, — в благодарность за преступление охотник получал баснословный гонорар — поцелуй принцессы, надо сказать, что на репетициях самый момент поцелуя опускался, просто мы с Дивной Донной подходили друг к другу максимально близко, но и это преддверье предполагаемого поцелуя, это приближение повергало меня всякий раз почти в обморочное состояние, — «ноги мои находились в той части жизни, за пределами которой нельзя идти дальше с надеждою возвратиться», — ежедневное физическое приближение к Благороднейшей и надежда на поце-

луй, пусть публичный, пусть на сцене, на спектак-
ле — но ведь он должен состояться, иначе к чему
вся реалистическая школа, к чему система Ста-
ниславского? — это сводило меня с ума, и я вёл
себя как умалишённый, в присутствии Дивной
Донны я откалывал номера не хуже тех, что вы-
кидывал Том Сойер ради Бекки Тэтчер, я заби-
рался на самые верхушки самых высоких деревьев в округе, я раскачивался на самых тонких
ветках и норовил окликнуть оттуда того из своих
приятелей, кто в этот момент находился к ней
поближе, и я был совершенно счастлив от одного
только подозрения, что мне отвечают взаимно-
стью, и счастье это в конце концов переполнило
мою душонку, и я не выдержал, и я рассказал обо
всём другому мальчику, кого почитал тогда своим
первым другом, а теперь я даже не помню его
имени, я рассказал ему всё, рассказал и о том, как
всякий раз за трапезою ловлю редкие взоры моей
избранницы, и тогда, во время этого излияния,
я сказал моему наперснику: «Мы встречаемся
взглядами», — и дальше было всё совсем просто,
на следующее утро ко мне подошёл другой мальчик, кого я тогда почитал злейшим своим врагом
и чьего имени теперь тоже, конечно, не помню,
он подошёл ко мне и с ехидной улыбочкой спро-
сил: «Ну как? Встречаетесь взглядами?» — и я помню, я ничего ему не ответил, мне было не до
него — в эту минуту покачнулось и стало рушить-
ся всё здание моей высокой и тайной любви,
я ничего не сказал моему врагу, я не ответил на
его насмешку, и, несмотря на ад в душе, я спокойно разыскал моего предателя, кого ещё так недавно почитал первым другом, и, ничем не выдавая

истинного своего намерения, я увёл его куда-то
на зады, в самый конец территории, где был дощатый забор и пышные лопухи, увёл якобы для
секретного разговора, а сам, едва мы дошли, не
говоря ни слова, молча ударил его по лицу и принялся бить, бить, бить, он падал, но, когда он под-
нимался, я бил снова и снова, и, наверное, единственный раз тогда за всю мою жизнь я был
беспощаден, как Тотила, я бил, бил и бил, я помню, была кровь на его лице, и был высокий дощатый забор, и были лопухи, и всё это продолжалось,
пока на его крики не прибежали, пока не схватили
меня за руки, и ещё я помню, что спектакль «Спя-
щая красавица» так и не состоялся почему-то, и я —
благодарение Богу! — так и не достиг своей завет-
ной и сумасшедшей мечты — поцелуя, который
предусматривала ремарка, набранная петитом,
и мне тогда ещё не дано было узнать, что – «так
обстоит с желаньями. Недели мы день за днём горим от нетерпенья. И вдруг стоим, опешивши,
у цели, несоразмерной с нашими мечтами», —
и это был, без сомнения, самый счастливый роман в моей жизни, потому что он вовсе не состоялся, оттого что взгляды Благороднейшей,
которые я ловил в столовой детского лагеря, могли быть и случайными, и взгляды эти, и чёлка,
и личико, и ремарка в пьесе, и забор, и лопухи,
и кровь на лице предателя — всё это под рубри-
кой «Incipit vita nova» помнится мне уже смутно,
но чего я не могу никак забыть, то, что преследу-
ет меня до сих пор, до этой самой минуты, — на-
смешливая интонация и фраза: «Ну как? Встречаетесь взглядами?» – с тех пор я никогда не слышал
этих слов произнесёнными, но я всегда беспре-

пятственно читаю их во взорах, которые сопровождают меня, если я иду где-нибудь со своей партнёршей, фраза эта мерещится мне в фамильярной услужливости официанта в окраинном кафе, куда я вожу своих дам, чтобы избежать знакомых, в чьих взорах ещё яснее будет написано: «Ну как? Встречаетесь взглядами?» — и потому всякий раз, расставаясь со своей партнёршей, с самой возлюбленной, я испытываю чувство несказанного облегчения, будто со спины удалось сбросить многопудовый мешок, и вот с такой лёгкостью на душе я и мчусь сейчас в таксомоторе, беспечно болтая с шофёром о несправедливостях, царящих в милиции и всюду, сколько видит глаз, пока авто несёт меня домой, в Замоскворечье, на проводы, в пьяную уже, по моим расчётам, компанию, куда я сейчас являюсь один — без партнёрши, где уже давно ждут меня, весельчака, клоуна, пьянчужку, и вот мы уже влетаем в оснежённую Ордынку, и мимо мелькают кособокие наши домики, которые сильно выигрывают в такую погоду, как, верно, выигрывает смертельно больной после того, как его только что уложили на белейшие хрустящие простыни, мы несёмся по Ордынке, — и тут я опять совершаю промашку, вместо того чтобы остановить машину на привычном месте, против дома, где я вырос, где и сейчас живут мои родители, вместо того чтобы вылезти против их ворот, перейти улицу и привычно взглянуть на освещённое окно нашей кухни — единственное, которое можно видеть из первого двора, вместо того чтобы, помедлив минуту, представить себе их обоих — отца и мать, как они сидят сейчас за своими картами в столо-

вой, куда я когда-то так стремился и куда давно
уже получил доступ, представить себе фарфоро-
вый чайник на электрической плитке, в котором
отец заваривает свой последний, уже ночной
чай, представить себе всё это, а потом по левой
стороне Ордынки быстро проскользнуть в Климентовский, на проводы, в нетрезвый «шум и гам
гулянья», — но вместо этого я заболтался с шофёром о всяческих несправедливостях, я слишком
расслабился, и кухонное окно нашей старой квартиры осталось слева за хлопьями снега, а когда
я опомнился, когда крикнул шофёру: «Стой!» —
было поздно, он затормозил, и наш мотор, по
инерции проехавши ещё кусочек улицы, замер
у самих ворот много раз перестроенной церкви
Преображения Господня, что на Большой Ордынке, где 24 октября 1688 года пред образом Бо-
городицы Всех Скорбящих Радости произошло
чудо — исцелилась долгие годы мучимая недугом
сестра патриарха Иова Евфимия, и с тех пор ико-
на эта прославилась на всю Святую Русь, и даже
вся церковь стала называться по её имени.

Да, я совершил промашку, я ещё раз усложнил
себе путь на проводы, лучше бы мне не кричать
своё «Стой!» — лучше бы проехать немного дальше, и остановиться на самом углу Климентовского, и через три минуты уже быть на проводах,
а теперь я стою у ограды, отпустивши автомо-
биль, стою и медлю подле своей приходской
церкви, как я медлю подле неё всегда, в особенности ночью, когда нет никаких прохожих, я не
останавливаюсь тут, только если я нетрезв или
у меня только что была партнёрша, сообщница

по преступлению заповеди, тогда я норовлю проскользнуть по левой стороне Ордынки, я не гляжу направо, стараюсь не думать о храме, но если я сравнительно чист, я непременно пересекаю мостовую, я подхожу к церкви, а ночью даже прижимаюсь лбом к камням, отделяющим улицу от алтаря, но апсиды — увы! — нет, потому что эту часть строил архитектор с французской фамилией и с католическим, по-видимому, прошлым, и это сказалось на всём убранстве и устройстве, и даже на чугунных тумбах запертых ворот, у которых я сейчас стою, есть изображения всё тех же лукавых католических мордочек — путти, — и вот, пожалуй, единственное обстоятельство, раздражающее меня в возлюбленной культуре, то, что господа дворяне — художники, архитекторы, композиторы — натащили католической мишуры в православные церкви, впрочем, это ни в малой мере не убавляет во мне преданности ни православию, ни дворянской культуре, — да ведь, помнится, не было их, этих ворот с ангелочками, рождёнными на свет Ренессансом, когда в далёкие годы я впервые вошёл в эту церковь, тогда только что заново открывшуюся после войны, во время которой наш усатый идол, император всея шашлычныя, сообразил-таки, что с помощью православия ему сподручнее будет свергнуть в Шпрее другого усатого идола, собственного двойника, кому поклонялись язычники германского происхождения, — и вот тогда-то, после войны, вновь открылась эта церковь, но ворот и чугунной ограды ещё не было, а с северной стороны к колоннам портика привалился ныне уничтоженный дровяной склад, и всё равно, вернувшись в руки верующих, она, как невеста, засияла и сразу затмила своих соседок — Климентия Римского и Воскресение Словущее в Кадашах, и я впервые пришёл сюда подростком в субботу на Страстной в обществе таких же любопытствующих детей, по какой-то не вполне осознанной тяге, и если думать о том, что не дало мне погибнуть окончательно, что спасло меня, не позволило остаться язычником, это, пожалуй, то же самое, что не дало герою Веймарского ересиарха выпить чашу с ядом, — пасхальные хоры, им я обязан своим обращением, как Фауст обязан им жизнью, — «да воскреснет Бог, и расточатся врази Его. Пасха священная нам днесь показася; Пасха нова святая; Пасха таинственная; Пасха всечестная; Пасха Христос Избавитель; Пасха непорочная; Пасха великая; Пасха верных; Пасха, двери райския нам отверзающая; Пасха, всех освящающая верных» — и теперь я понимаю, что в ту Великую субботу меня привела в церковь тяга к чуду, жажда чуда, но проходили минуты, проходил час, другой, а чуда не было, и вначале я помню полутьму и монотонный голос чтеца, а потом всё осветилось и началась заутреня, а чуда всё нет и нет, и я ушёл, как мне казалось, так и не дождавшись чуда, но — странное дело — я ушёл вовсе не разочарованный, и теперь-то я понимаю, разочарования не было оттого, что чудо случилось, произошло, когда священник вышел из алтаря и крикнул народу, крикнул в мир зычным голосом: «Христос воскресе!» — и мир ответил ему единым дыханием: «Воистину воскресе!» — я только потом, гораздо позже понял, что это-то и есть чудо — единое дыхание стольких разных —

хороших, плохих, всяких — людей, людей, которые в эту минуту знают, что Он воскрес, — а ещё позднее я расширил своё понятие о чудесах, мне помогла в этом одна старушка, одна незнакомая мне Марь Иванна, с которой мы шли по Ордынке как-то в сочельник ночью, шли в свой приход, и по дороге она сказала: «Вот ведь чудеса какие Господь делает. Мне уж семьдесят лет, и сердце у меня больное. И со вчерашнего дня у меня во рту крошки не было, а сегодня я комнату свою прибрала, во всей квартире пол вымыла, и так хорошо себя чувствую, так хорошо... Вот чудеса-то», — и когда нищим послевоенным годом Великой ночью впервые в жизни я ушёл из церкви, ушёл, не дождавшись, не заметивши чуда, но не унёс никакого разочарования — это тоже было маленькое чудо, — «яко исчезает дым, да исчезнут. Приидите от видения жены благовестницы, и Сиону рцыте: приими от нас радости благовещения, Воскресения Христова: красуйся, ликуй и радуйся, Иерусалиме, Царя Христа узрев из гроба, яко жениха происходяща» — и потом каждый год в Великую субботу я неизменно шёл в церковь с толпой подобных себе язычников и недоверков, которые по какому-то неосознанному зову идут всё-таки в эту ночь туда, идут один раз в году, — я приходил вместе со всеми и продолжал не замечать чудеса, не замечал ещё и такого чуда, — с детства я совершенно не переношу чужих прикосновений, даже сделанных ненароком, в набитом автобусе, в вагоне чугунки, в очереди, я совершенно не могу терпеть, когда ко мне прикасаются чужие люди, люди, наверное, кем-то любимые, кому-то дорогие, но мне случайная противоестественная близость с ними совершенно непереносима, бывают миги, когда от этих прикосновений меня подхватывает волна дикой ярости, мгновенное жгучее желание оттолкнуть, ударить что есть силы, закричать, бить, бить, бить, рваться из цепких объятий толпы, — и счастье, что чувство это возникает лишь на мгновение, что порыв этот длится лишь секунду, иначе жизнь в городе была бы для меня невозможна, — и вот, приходя в церковь раз в году, только в ту ночь, я долгое время не замечал чуда, которое состояло в том, что хотя под Пасху в храме не то чтобы яблоку негде упасть, но и мизинцем-то пошевелить затруднительно — такая бывает теснота, я никогда, ни разу не почувствовал там, что мне неприятна близость человека, стоящего рядом, прижатого ко мне вплотную, там наличествует особая безгрешность касаний и необременительность тесноты, и понадобилось время, пока я вполне осознал, что только в церкви толпа не производит на меня своего обычного отталкивающего, пугающего, ужасающего впечатления, — я глубоко убеждён: любое, всякое объединение людей без Бога, вне Бога всегда, в любую минуту чревато самими чудовищными, непоправимыми последствиями, недаром ведь возникают в языке словечки вроде «хулиганьё», «солдатня», «матросня», — а позже, когда я стал заглядывать в церковь чаще, чем раз в год, я открыл для себя и ещё одно чудо — преображение, которое происходит с покойниками после того, как их вносят в церковь; выросший и воспитанный в язычестве, я всегда панически боялся трупов, боялся подходить к ним, боялся смотреть на них, лежащих на столе или несомых на полотенцах по узким лестницам к ожидающим свой груз катафалкам, а войдя в церковь, я мог совершенно свободно подойти к гробу и заглянуть в лицо мертвецу, и опять прошло время, прежде чем я понял — это тоже чудо, состоящее в том, что в доме Божием смерть теряет свою силу и проходит страх смерти, — «Бог же несть мертвых, но живых: вси бо Тому живи суть», — и уже когда я опрокинул всех до одного идолов, кому поклонялся, когда я поставил их на подобающее им место — на книжную полку в ногах моей тахты, когда я прочёл их бессмертные творения как равный им, как человек одной с ними веры, я нашёл у Пушкина цитату из православного архиерея Георгия Кониского: «Неверующему чудесам мы смело можем сказать с блаженным Августином: большее из всех чудес чудо есть то, что двенадцать человек, бескнижных, безоружных, нищих, проповедовавших Крест, победили не только владык и сильных земли, но и самих богов языческих и целый свет Христу покорили», — я привожу эти слова, и вот происходит ещё одно чудо — я протягиваю свою руку Пушкину, Пушкин — владыке Георгию, Георгий — блаженному Августину, Августин — одному из тех, безоружных, бескнижных, а тот — принял Хлеб и Чашу из руки Самого Назареянина, и вот уже для меня не существует времени, нет для меня этой преграды, непреодолимой для язычника, с тех самых пор, как я обрёл себя стоящим в церкви, в толпе, чьи прикосновения столь необременительны, и меня нисколько не смущает, что теперь рядом со мною стоят почти сплошь одни старушки, только Марь Иванны в своих белых платочках, опрятные и взволнованные, здесь же незримо стоят пред алтарём и Пушкин, и Гоголь, и Достоевский, и в таком обществе мне ничто не страшно — ни улюлюканье толпы пьяных хулиганов, которых империя натравливает на нас, ни подлые диоклетиановы преследования, потому что я теперь заодно, я теперь на равных с теми, кому ещё недавно поклонялся, пред кем ещё и до сих пор испытываю восхищение, как Стаций пред Вергилием, и где-то далеко, далеко по ту сторону великой схизмы, за временной рогаткой у алтаря, подобного этому, стоит и Дант, которому я в силах простить даже исступлённую ненависть к православию, ему, упрятавшему папу Анастасия II в ад только за то, что тот благосклонно принял константинопольского легата, я ему охотно это прощаю и не вспоминаю о filioque, хоть я, например, моментально возненавидел российского язычника, немецкого выродка с синтетической фамилией, прочитавши, что этот «разъезжающий повсеместно мыслитель» пишет о православии в своей подлой брошюрке: «Восточная церковь проникла в Россию в цветущую, светлую киевскую эпоху, при великом князе Владимире. Она привела Россию к печальным и гнусным временам», — он это излагал уже в Европе, когда укатил навсегда в ту сторону, откуда приехал в брюхе распутной немки, — но мы не станем теперь считаться, кто и к каким временам привёл Россию, по мне, так Салтычиха — невинный ребёнок в сравнении с любым рядовым следователем Лубянки, а опричнина — младенческая игра в казаки-разбойники по сравнению с коллективизацией, — ах, как быстро партизаны и ученики чахоточного маниака и немецкого выродка — этих двух друзей, этих романтических поклонников железнодорожного транспорта, как моментально их последыши смекнули, насколько же легче, нежели «подвозить хлеб насущный толпе голодной и полуодетой», исключить из наслаждения подвозимым значительную часть человечества, просто схватить каждого третьего из этой толпы и отвезти их всех на колёсах в места, достаточно отдалённые от просвещенных взоров, — и у этого выродка, воспитанного и обеспеченного по гроб жизни совестливым русским барином, у него хватало наглости ругательски ругать восточную Церковь! — а ему бы в ножки поклониться православию, хотя бы за тот великий язык, что с детства был вложен ему в его богохульные уста, потому что без православия, без книг, переведённых на славянский равноапостольными святителями, российский язык не мог бы быть таким, каков стал, ибо на протяжении почти тысячелетия дьяки пользовались не родной, а македонской грамматикой, а бояре, мещане и смерды растаскивали по хоромам и курным избам слова и обороты, слышанные в храме, — ему бы — шапку долой, проходя мимо церкви, хотя бы за этот язык, на котором он кропал свои вредоносные статейки и описывал скабрезные подробности собственной семейной жизни, но ему это в голову не приходило, и я невзлюбил его в ту же самую минуту, когда прочёл его глупые претензии к восточной Церкви, ненависть к которой считаю столь естественной и простительной у Данта, для меня это так же нормально, как неприязнь Достоевского к католицизму, и пусть себе на страницах «La Divina Commedia» папа Анастасий томится в смрадном круге ада, — я как-то поймал себя на мысли, что доведись мне разрабатывать подобный сюжет, я бы всенепременно сунул в самое пекло петровского лизоблюда, иезуитского выученика, покровителя протестантов, палача церкви — Феофана Прокоповича, — и это ничего, что язычники с надеждой глазеют на строительство Николаевского вокзала, ничего, что они навсегда отвернулись от Знаменской церкви, ничего, что они даже снесли эту церковь, ничего, что теперь они глядят с надеждой уже не на вокзалы, а на космодромы, полагая, что счастье им принесут ракеты, взмывающие в самое небо среди адского пламени и дыма, — я-то прекрасно вижу, чем это кончится, вижу недалёкие времена, когда несчастных узников станут увозить от просвещённых взоров в космические лагеря на далёкие холодные планеты в специальных ракетах с решётками на иллюминаторах, так пусть они любуются своими космодромами, — я всё равно повернусь лицом к алтарю, и это ничего, что со мною у бескровной жертвы стоят сейчас по большей части немолодые женщины, но я ведь знаю, сколько поколений христиан, сколько отцов и праотцов незримо присутствует в этом месте, — «тако да погибнут грешницы от лица Божия, а праведницы возвеселятся. Мироносицы жены, утру глубоку, представша гробу Живодавца, обретоша Ангела на камени седяща, и той провещав им, сице глаголаше: что ищете Живаго с мертвыми; что плачете Нетленнаго во тли? Шедше, проповедите учеником Его!» — я знаю, здесь присутствуют мои возлюб-

ленные писатели, и насколько же легче мне стало постигать их творения с тех пор, как я обрёл
себя в толпе пред алтарём, сделался одного исповедания с ними, — язычником я, верно, не раз читал «Отцов пустынников» и, конечно же, не обращал на эти стихи особенного внимания, но вот
я в первый раз прошёл школу Великого поста, уз-
нал, услышал, выучил наизусть молитву Ефрема
Сирина, коленопреклоненно повторял её вслед
за иереем, полюбил её больше всех других молитв, всё ещё не вспоминая о стихах Пушкина,
и вот, наконец, случайно натолкнулся на «Отцов
пустынников» и был поражён, был потрясён, до
чего же точно передано настроение, самый дух
Постной триоди, как виртуозно переложены слова: «Господи и Владыко живота моего, дух праздности, уныния, любоначалия и празднословия не
даждь ми. Дух же целомудрия, смиренномудрия,
терпения и любве даруй ми, рабу Твоему. Ей, Господи, Царю, даруй ми зрети моя прегрешения
и не осуждати брата моего, яко благословен еси
во веки веков. Аминь», — «Отцы пустынники
и жены непорочны, чтоб сердцем возлетать во
области заочны, чтоб укреплять его средь доль-
них бурь и битв, сложили множество божествен-
ных молитв. Но ни одна из них меня не умиляет,
как та, которую священник повторяет во дни пе-
чальные Великого поста; всех чаще мне она приходит на уста и падшего крепит неведомою силой: Владыко дней моих! дух праздности унылой,
любоначалия, змеи сокрытой сей, и празднословия не дай душе моей. Но дай мне зреть мои,
о Боже, прегрешенья; да брат мой от меня не
примет осужденья, и дух смирения, терпения,

любви и целомудрия мне в сердце оживи», — и «Отцы пустынники» были только началом, мне предстояло новое, второе прочтение великой литературы, и тут уж я увидел всё, в полном объёме, я перестал, благодарение Богу, уподобляться крыловской свинье, которая неспособна поднять своё рыло и на которую весьма похожа — увы! — большая часть нашей читающей публики, — я и сам ведь горазд был раньше повторять, что ад у Данта получился лучше рая или что Алёша Карамазов не вышел, Митя — вот это да! Иван — замечательно! — и я говорил все эти пошлости, и я был слеп! — и заклинаю вас — если вам так кажется, то поймите, это вовсе не значит, что Достоевский или Дант оплошал, это значит, что не для вас это писано, а для христиан, для единоверцев автора, и в этом, только в этом вся причина, — а мне дано было заново прочесть великую христианскую литературу, и мне ведом стал источник, божественная Ипокрена, в которой христианнейшие писатели черпали свою великую силу, — я понял, откуда у Данта такая мощь, когда он живописует мучения, это удаётся ему потому только, что он доподлинно знает — впереди его ждёт рай, Беатриче, Бернард Клервосский, который пригласит его взглянуть, «куда нельзя и думать, чтоб летел вовеки взор чей-либо сотворенный», — куда не смог, побоялся посмотреть Алёша Карамазов, попавши на брак в Кане Галилейской, я понял, что не было бы поэмы о великом инквизиторе, если бы Достоевский не проник вслед за Алёшей сам на этот брак, куда «зван же бысть Иисус и ученицы Его; и Мати Иисусова», — я прозрел наконец и теперь откровенно смеюсь, когда слышу или читаю о заблуждениях Достоевского или о том, насколько второй том «Мёртвых душ» хуже, чем первый, и прочие такого рода милейшие языческие трюизмы, которые распустил по свету чахоточный маниак с «Литераторских мостков» и его последыши, теперь меня на мякине не проведёшь, я теперь точно знаю, откуда у моего соседа — покойного Бориса Леонидовича под старость взялась такая сила, я теперь многое понял, и теперь я с сочувственной улыбкой выслушиваю рассуждения моих друзей — язычников и недоверков, которые мнят себя просвещёнными и на этом основании копаются в ногах у гениев, как крыловская свинья под дубом, не в силах будучи поднять рыло и взглянуть на лица собственных кумиров, — Достоевский записывает в черновике к «Братьям Карамазовым»: «ВАЖНЕЙШЕЕ: никто Евангелия не знает», — и вот он проник вслед за Алёшей на брак, куда «зван же бысть Иисус и ученицы Его; и бе Мати Иисусова», — а читатель ничего такого по-прежнему знать не желает и в лучшем случае небезуспешно шукает чёрта на страницах Кантовой «Критики», а то и просто пробирается на коньячок к Фёдору Павловичу и подслушивает разговоры старого распутника, чьим опытом намерен воспользоваться в своей собственной деятельности на поприще клубнички, — о, как мне знакомо такое чтение! — я ведь и сам из язычников, я и сам ещё недавно читал именно таким образом, — и вот я мысленно вижу какого-нибудь молодца, раскрывающего томик Пушкина на досуге, вот он уселся поудобнее и вдруг — ужас! — наталкивается на такое: «Мы рождены для вдохновенья, для звуков

сладких и молитв», — и вижу, какое у него лицо
сделалось, как ему, бедняге, неудобно за Пушкина, — кажется, и памятник ему поставили на
Страстной, а он, дурья голова, такое сморозил:
«для звуков сладких и молитв», а казалось бы,
наш человек, при царизме был репрессирован,
а тут молитвы... нехорошо, — а ты, братец, за
Пушкина не стыдись, он-то знал, что писал, он не
слушался чахоточного маниака, он не шёл на гру-
бую лесть и хамские окрики этой банды, пото-
му-то он и был Пушкиным, а не каким-нибудь зава-
лящим Некрасовым, — я иногда беседую со своими
друзьями на эту тему, я всё спрашиваю их, почему
так называемые атеисты не дали в литературе ни
одной первостепенной фигуры, почему все вели-
чайшие писатели — или христиане, принадлежа-
щие церкви, или ересиархи, вроде Саксен-Веймарского и Эйзенахского или нашего Тульского
и Яснополянского, но и этим, по правде сказать,
тоже в конце концов деваться от церкви некуда, — наш, бородатый, удрал из своей Ясной По-
ляны прямёхонько в Шамардино, в Оптину пустынь, к старцу Зосиме, а уж потом его оттуда
умыкнули по приказанию его лейб-Мефистофе-
ля, господина Черткова, а тот, бритый, Веймарский, тот никуда не побежал из своего герцог-
ства, но зато перед самой смертью всё-таки
пристроил любимого героя в рай а-ля Дант, оставивши Мефистофеля с носом, — так вот, я спрашиваю вас, почему в литературе все первостепен-
ные фигуры принадлежат христианству? — а вот
та публика, все последыши, ученики, партизаны
чахоточного маниака так ничего и не могут приписать себе, кроме дурацких снов распутной

Веры Павловны или художественного описания адюльтера мадам Герцен, которая наяву вела себя совершенно таким образом, как Вера Павловна на страницах бездарного романа, и тут, в этом месте, мои оппоненты обыкновенно начинают горячиться, однако ничего вразумительного в ответ я так и не услышал! — я-то мог бы объяснить, отчего это обстоит таким образом, да только объяснение моё никак не подойдёт для моих оппонентов, я могу привести ещё одну фразу, которую услышал когда-то от человека, который первым сказал мне после моего крещения: «Но мы-то с вами знаем, что Он воскрес», — и вот как-то этот же человек произнёс: «Диавол творить не может, творить может только Бог», — ну и уж в этом месте мой читатель будет хохотать до колик, я ведь — не Пушкин, это Пушкину можно простить сладкие звуки и молитвы, там, в крайнем случае, язычник улыбнётся наивности представлений поэта и закроет том, — но здесь он откровеннейшим образом посмеётся, ну и пусть посмеётся, меня это уже почти не трогает, я давно привык, что являю собою вид городского сумасшедшего, — «для евреев соблазн, для эллинов безумие», — однако я хоть как-то отвечаю на поставленный вопрос, а вот тот, кто сейчас рассмеялся, никак на этот вопрос не ответит, разве что примется жульническим образом расширять круг великой литературы, будет втискивать туда разную дрянь, вроде всё тех же неприличных в обществе и в печати откровенностей господина с синтетической фамилией относительно того, каким образом и с кем именно его супруга наставляла ему рога, — и в этом пункте мой оппонент-язычник обыкно-

венно ретируется более или менее успешно,
и сейчас же его место в споре занимает недоверок, нечто среднее — то ли ещё язычник, то ли
уже оглашенный, он даже Книгу читал не без удовольствия, ему даже Назареянин нравится многими своими привлекательными чертами, он
вполне готов подтвердить Его существование,
он даже приведёт упоминание о Нём из римских
историков, он не верит в одну только маленькую
деталь, он не верует, что Христос — Сын Божий,
ему это представляется некоторым преувеличе-
нием, он вполне готов признать Назареянина
пророком, талантливым медиком, человеком, за-
мечательным во всех отношениях, и тут я задаю
недоверку провокационный вопрос: «Вы верите
тому, что написано в Евангелии?» — он, не зная,
что это провокация, отвечает утвердительно,
и тогда я задаю второй вопрос: «Так за кого же вы
Его почитаете? Кто Он — жулик или сумасшедший? Ибо только в двух этих случаях смертный
человек может каждую минуту говорить, что
Он — Сын Божий. Он врёт толпе или Сам заблуж-
дается?» — и тут недоверок потихоньку ретируется, но на его место выступает сектант, — этот при-
знаёт Евангелие, готов признать Христа Сыном
Божиим и Спасителем, но его крайне смущает
дурное поведение, свойственное спокон веку части духовенства, ему не нравится, что сгорел Ав-
вакум, не нравится, что у некоторых священни-
ков и сейчас есть автомобили и дачи, и он к таким
священникам исповедоваться не пойдёт и прича-
щаться у них не станет, и вот тут наступает для
меня самое трудное, мне нелегко бывает объяснить, что это действительно было спокон веку,

но не могло же отвратить от церкви того же Данта, хотя он и поместил в ад не одного только папу Анастасия, ибо истинному христианину не может быть тесно в церкви, как не было тесно в католичестве Франсиску из Ассизи, который проповедовал примерно то же, что и сектанты-вальденсы, потому что истинный христианин, стоя пред алтарём, думает о Боге и о самом себе применительно к Богу, а вовсе не о том, какая риза на священнике, приносящем бескровную жертву, христианин не занят мыслями о том, какое вознаграждение получает этот священник и соблюдает ли он посты, а думает прежде всего о том, как плох сам, и, ужаснувшись этому, не смеет судить других, — и если бы таковым, истинным христианином был августинский монах Мартин Лютер, быть может, не случилось бы стольких бед, но он не был кротким, этот честолюбивый отец Сергий, этот Гришка Отрепьев из Эрфурта, и он ещё раз расколол церковь, и нечего было швырять чернильницу в стену, ему надо было собственный лоб расшибить этой чернильницей, ибо чёрт сидел у него в голове, потому что, раз ступивши на эту дорогу, начавши со своих тезисов, он не мог уже не кончить секуляризацией собственности, и он не думал о том, хорошо ли это — отбирать чью-нибудь собственность во имя Назареянина, Того, Кто завещал нам раздавать своё, и не его, Лютера, очередь была ругать свиньёй римского папу (хотя, между нами говоря, папа частенько заслуживал и худших комплиментов — спесивый епископ Вечного города, унаследовавший вместе с титулом понтифика всю языческую гордыню и всю властность Рима, епископ, норовивший присваивать себе и кесарево, и Богово, возомнивший себя непогрешимым, утвердивший столько бредовых ересей — на том основании, что сидит на месте первоверховного апостола, — но ведь Анна и Каиафа «на Моисееве седалище седоша»), — однако это всё могу припоминать я на своей восточной колокольне, которая стоит гораздо ближе к восходу, чем почти все католические алтари, я, но не беглый августинский монах, рождённый и воспитанный в католичестве, потому что если есть на свете что-нибудь нехристианское, то это прежде всего дух противления, желание осудить начальников и высших, чтобы таким образом обелить собственную свою сомнительную персону, — так вот, несмотря на то, что на Пасху в моей приходской церкви Всех Скорбящих Радость не то чтобы яблоку упасть негде, но и мизинцем пошевелить затруднительно, мне всё-таки не тесно пред алтарём, — «Сей день, егоже сотвори Господь, возрадуемся и возвеселимся в онь. Пасха красная, Пасха, Господня Пасха! Пасха всечестная нам возсия. Пасха, радостию друг друга обымем. О Пасха! Избавление скорби, ибо из гроба днесь, яко от чертога возсияв Христос, жены радости исполни, глаголя: проповедите апостолом», — тут не было тесно ни Гоголю, ни Пушкину, ни Достоевскому, которого не обуревало желание быть русским Лютером, в конце концов погубившее драгоценный Божий дар, доставшийся ересиарху Тульскому и Яснополянскому, — и, оказавшись в этой толпе, я обнаружил, что не только заново и в полной мере обрёл величайших христианнейших писателей, а вдруг увидел, что обрёл и мудрый календарь, по которому жили мои предки, обрёл ясное сознание того, что живу сейчас в одна тысяча девятьсот шестьдесят восьмом году по Рождеству Христову, а не в 1968 году так называемой новой или нашей эры (чьей это — вашей — нехристи? И в чём её новизна, этой — вашей — эры?), — я обрёл вехи православного года — Святки, Масленицу, Пасху, Троицу — все двенадцать прекрасных и великих праздников, и, наконец, я в полной мере обрёл родной язык, который не мог бы стать таким без православия, без греческих книг, которые перевели на славянский святые равноапостольные Кирилл и Мефодий, и вот словарь чужого на Руси языка растаскивали из церквей в курные избы и боярские хоромы на протяжении тысячелетия, а грамматику его Крылов и Пушкин сделали общепризнанной, и даже сейчас ещё, когда полуграмотные сельские учительницы преследуют простонародную речь своих учеников, они, сами того не ведая, завершают христианизацию Руси, дело, начатое великим князем с того, что он «повеле кумиры испровещи, овы сечи, а другия огневи предати», — я обрёл, кроме всего прочего, синтезированный язык моей страны, я знаю, что говорю, когда произношу «спасибо», или «Бог весть», или «упаси Бог», или «креста на тебе нет», — в моей голове всё встало на свои места, и религия оттеснила своих узурпаторов: литературу, искусство, науку — этих современных идолов, которым поклоняется большинство моих соотечественников, ибо совсем без веры человек существовать не может, вот они и создают себе кумиров, восстанавливают забытый римский культ гениев, поклоняются гению властелина, гению учёного или гению художника, гению низменного экономического пророка, — и все с завидным упорством не желают замечать той маленькой детали, что сами их кумиры по большей части поклоняются вовсе не друг другу, а Богу, и весьма поучительно проследить всю систему этих диких теперешних верований, каждый из них выбирает себе особенного покровителя, наиболее им лично почитаемое божество, и требует от других максимального к нему уважения, за что платит уважением к их божествам, и таким образом создаётся целая система, вернее, множество систем, множество Олимпов, и самое любопытное, что наиболее, так сказать, просвещённые язычники, усвоившие какую-то часть христианской культуры, могут включить и охотно включают в свою систему даже самого Христа, впрочем, на равных с другими идолами основаниях, — расскажи, например, такому просвещённому анекдотец из жизни Альберта Эйнштейна — он растрогается, рассмеётся, прослезится, а потом прочти ему эпизод из Евангелия, и реакция будет точно такой же — он рассмеётся, растрогается, даже прослезится, он подумает или произнесёт вслух, что оба они — Альберт и Иисус — были людьми замечательными, он даже охотно простит им в эту минуту иудейское происхождение, — и в этом мне видится — увы! — заслуженное христианством возмездие, как в чудовищном варварском разрушении благолепия Святой Руси я вижу отмщение за разорённые античные храмы и капища, за порубленных и сожжённых идолов, так и в том, что современные язычники возводят Спасителя на свои Олимпы, есть, верно, возмездие за то, что прежние святители во время поспешной христианизации, столь часто насильственной, для быстроты и удобства канонизировали языческие божества, как это было сделано на Руси с Пятницею, которую нарекли именем мученицы Параскевы, — но вчуже забавно глядеть на современных язычников, как один поклоняется гению Толстого, другой — гению Чехова, третий — гению Маркса, четвёртый — гению Эйнштейна, пятый — Эйзенштейна, и так можно перечислять до бесконечности, — смешно-то оно смешно, конечно, только временами и страшно, когда близко сталкиваешься с теми, кому религию заменила литература, музыка, живопись, они уже начисто забыли, что искусство и словесность в современном виде родились в доме Божием, под сводами разоряемых ныне церквей, забыли, что прежде этим занимались очень набожные люди, а засим, конечно, художники возомнили самих себя жрецами, а своё дело — эрзацем религии (и это при Живом-то Боге! не ведая, что искусство — всего-навсего антидор, оставшийся нам от проскомидии, от бескровной жертвы), — а как только Бога нет, так уж, известно, всё дозволено, так нет и преступления, а следовательно, жрецам новой религии, сиречь науки или искусства, уже решительно нет запретов, ради достоверности изображаемых картин вполне можно облить керосином и сжечь стадо коров, или ради памяти великого вегетарианца графа Льва Николаевича, чтобы точнее передать игру живой фантазии их сиятельства, можно загубить и замучить несколько табунов коней, всё можно, всё дозволено нам, жрецам «святого» искусства, можно и подличать, можно и доносить на собственных собратьев, можно бросить семью с малыми ребятами, и всё это только чтобы выжить, чтобы человечество случайно не лишилось меня, раз я такой талантливый, такой талантливый, — и вот воображение рисует прелестную картинку — Тициан, расстреливающий из лука натурщика в своей мастерской, — подумаешь, какого-то там ничтожного натурщика, ведь это делает талантливый, гениальный Тициан, и делает исключительно для того, чтобы на его полотне святой Себастиан мучился как можно более достоверно, ведь эта достоверность впоследствии доставит изысканнейшее наслаждение поколениям высоких ценителей живописи, так что стоит ли вам сожалеть о судьбе какого-то несчастного натурщика, семью которого гуманный и сердобольный художник к тому же берётся обеспечить, — не правда ли, очень мило получается, господа? — такое торжество высокого искусства? а? — и я сам, сам был на грани этого, сам был воспитан в этих диких варварских понятиях, но — благодарение Богу! — когда-то давно я впервые ступил на церковный двор, вернее, тогда, кажется, ещё и двора никакого не было при нашей церкви, а уж вот этих чугунных ворот с лукавыми католическими мордочками — этого уже точно не было, и я пришёл сюда весенней ночью, и вошёл в церковь в ожидании чуда, и дождался чуда, да только не заметил его тогда, не понял ещё, что это было чудо, и та Великая ночь спасла меня от язычества, как Фауста от чаши с ядом, — «Воскресения день, и просветимся торжеством, и друг друга обымем. Рцем, братие, и ненавидящим нас, простим вся Воскресением, и тако возопиим: Христос воскресе из мертвых, смертию смерть поправ, и сущим во гробех живот даровав».

И хотя бы ради той, самой первой ночи, ночи торжества и Воскресения, я не могу, не нахожу в себе сил проходить мимо этого места равнодушно, притворяться, будто не вижу ку́пола и колокольни, взнесённых над ними крестов, оттого я и сейчас медлю, оттого и стою у церковных ворот под фамильярными и лукавыми взглядами католических мордочек, оттого и не иду всё ещё на проводы, в «шум и гам гулянья», куда зовёт, куда гонит меня только боязнь обидеть одну из прихожанок этой церкви, Скорбященской, как её именуют наши старушки, и я стою сейчас, скверный блудодей, весь чёрный от пороков, один на всей Ордынке, под снегопадом, а в церкви все огни давно погасли, окна тёмны, и только в самой глубине где-то мерцает лампадка, и мне стыдно, мне страшно, — «мытарь же издалеча стоя, не хотяше ни очию возвести на небо: но бияше перси своя, глаголя: Боже, милостив буди мне грешнику», — и я всё-таки должен спешить, чтобы не причинить ещё большее огорчение и без того уже разобиженной мною соприхожанке моей, святой моей Марь Иванне, и я перехожу снегом запорошённую Ордынку и оказываюсь у каменных ворот трёхэтажного дома с портиком, который захвачен теперь одним из комитетов, недавно учреждённых в нашем когда-то тихом Замоскворечье, тут теперь не без комфорта расположился институт по Латинской Америке при Бог весть чём, скорее всего при самой Лубянке, а ведь ещё недавно, кажется, здесь помещался детский дом, и я когда-то даже учился в одной школе с мальчиками-сиротами, которых тут содержали, тощими, вечно голодными и одетыми в одинаковое отрепье, мы дрались с ними, с этими отчаянными оборванцами, и мы дразнили их, движимые детской языческой беспощадностью, а ещё раньше, во времена, какие я — увы! — не упомню, с которыми я не связан даже ребячески, в этом самом доме жил настоятель нашей церкви — Всех Скорбящих Радости, что на Ордынке, а сзади дома был тогда обширный сад, и в нём старые яблони, и он гулял там, а может быть, даже и пил чай по замоскворецкому образцу, этот степенный протоиерей в обществе своей дебелой и мягкой матушки, — и я себе так хорошо его представляю — высокий, статный, с сильным голосом, с крестом из чистого золота на груди, с пухлыми белыми зацелованными руками, которые почтительно лобызали прихожане, приносившие в церковь свои рубли и копейки, добытые работой и торговлей, эти монеты, позволявшие ему держать столь роскошный дом с садом, пить чай в тени деревьев, есть стерляжью уху с расстегайчиками, любить блины с сёмгою и с икрою, и я даже думаю, что прихожане гордились его статностью и полнотою, как чем-то построенным и содержащимся на их деньги, как, наверное, и в его звучном голосе им слышался звон приносимых в приход монет, приносимых совершенно добровольно, без всякого принуждения, с ясным сознанием того, куда монеты идут, — и когда я представляю себе всё это, думать мне тошно о нынешних обитателях этого особняка — «Не бей меня, Бенчик», — аспирантах, кандидатах, докторах, сумевших сделать в жизни только одно — более или менее пристойно выучить испанский или португальский, и вот их теперь содержат вместе с их накрашенными и разряженными жёнами, с «волгами» и «москвичами», с костюмами и портфелями, с заграничными поездками и всяческими надбавками, содержат на рубли, на монеты, добываемые всё теми же прихожанами не нашей, так другой церкви, не самими прихожанами, так их детьми или внуками, только теперь монеты эти, эти рубли отбираются принудительно, всякими жульническими налогами с оборота, спекулятивными ценами на башмаки, штаны и чулки, баснословной ценой на белую гадость в зелёных бутылках, а они — паразиты, алчные мерзавцы — не только сами сжирают эти краденые деньги, но ещё и по роду своей службы отыскивают там, за океаном, в Южной Америке каких-то оборванцев и бездельников, чтобы и их содержать на эти самые трудовые рубли и копейки, отнимаемые и выманиваемые у менее ловких соотечественников, не одолевших премудрости испанского или португальского, — но мне сейчас не время думать обо всём об этом, не время вспоминать этих узких специалистов в узких костюмах и узких башмаках, мне надо быть на проводах, где Марь Иванна совсем уж, верно, заждалась меня, а я всё ещё путаюсь среди сугробов в русле Ордынки, на самом углу Климентовского, куда мне надо свернуть, и, зайдя за угол, я сразу же различаю за снегопадом смутные очертания Климентия Римского, я теперь приближаюсь к нему с другой стороны, не с Пятницкой, и на душе у меня гораздо легче, потому что я иду по ночному Замоскворечью один, без партнёрши, иду на проводы, иду к Марь Иванне, к её винегрету, к её селёдке особенного сорта, к её припрятанной специально для меня выпивке, и вот уже иду по своему дважды коленчатому переулку, где жил в младенчестве великий драматург, обратившийся теперь в бюст на высокой подставке, я поднимаюсь на крыльцо нашего дома, по привычке оглядываюсь и бросаю взгляд на звонницу Климентия, вхожу в подъезд, отпираю дверь ключом и попадаю в квартиру, где веселье идёт на полную катушку, — я сразу же натыкаюсь в коридоре на наших ребят, парней, которые, по всей видимости, уже допили и припрятанную водку, а теперь со спокойной совестью вышли покурить, — следующая выдача белой гадости, по их расчётам, должна быть не так скоро, а сидеть за неаппетитным столом перед порожними бутылками не хочется, танцевать же под воющий и лающий магнитофон они не умеют и не хотели бы, так что волей-неволей пришлось выбраться из-за стола, а теперь они стоят в коридоре у самой входной двери, стоят, курят и солидно беседуют, как это делают все подвыпившие русские люди, и уловить смысл речей нет никакой возможности, отчасти это объясняется известным состоянием собеседников, отчасти и тем, что магнитофон гонит свои катушки в двух шагах от подоконника, у которого они стоят, — и вот я натыкаюсь на них, когда вхожу в коридор и затворяю за собою дверь, стараясь выглядеть вновь прибывшим и совершенно случайно опоздавшим гостем, а вовсе не тем, кто час тому валялся нагишом в нескольких метрах отсюда, валялся, прислушиваясь к «шуму и гаму», что издавала эта самая компания, будучи ещё несколько трезвее, но уже в сладостном предвкушении того состояния, в котором я застаю их в эту минуту, — и мой приход уже замечен Марь Иванной, и старушка спешит мне навстречу, и она улыбается мне своей добрейшей улыбкой, где нет и тени, нет и отзвука тех мысленных взоров, которые ещё так недавно проникали в мою каморку, «а стены проклятые тонки», — и видели меня нагого с нагой партнёршей в бесстыдном неярком свете, — она улыбается мне искренне, широко, прекрасно, и я тону, я таю в этой улыбке, в этой всепобеждающей доброте, и она произносит своим хриплым полушёпотом всего два слова: «Мишенька пришёл», — и в этих словах, таких простых, не звучит ничего, кроме радости, радушия, ничего иного, кроме того, что выражает в этот момент её приветливый взгляд, её прекрасная улыбка, и мне от этого становится легко, так легко, будто я даже не опаздывал на проводы, а если и опоздал, то по какой-то весьма серьёзной и уважительной причине, и вот уже свободно и просто я иду за Марь Иванной, иду мимо курящих и беседующих нетрезвых гостей, иду мимо воющего и лающего магнитофона, иду мимо беснующихся и крутящихся пар, иду сквозь этот ад древнего, дохристианского обряда проводов, иду за ней с такой доверчивостью, как Дант шёл за Вергилием, и вот она подводит меня к столу, вернее, к нескольким сдвинутым вместе столам, которые совершенно заняли собою их комнату, ту, что попросторнее, а в той, которую мы уже миновали, — с магнитофоном и парами, в маленькой проходной — вообще нет никакой мебели, мебель вся стоит в коридоре — и если бы я вовремя это обстоятельство заметил, я бы не опоздал сегодня сюда, — вот я уже усажен в самый торец стола, и от меня убирают чью-то грязную тарелку, и придвигают ко мне красный от свёклы винегрет, и селёдку особенного сорта, и грибки маринованные, и полукопчёную колбасу, и уже передают чистую рюмку, и уже является на столе бутылка из оставшихся, припрятанных запасов, и мне уже наливают, и пьяницы наши, потрезвее и пошустрее, почуявшие, что с моим прибытием эта бутылка непременно появится на столе, пьяницы приблизились и отыскивают среди царящего на скатерти разорения свои вилки и рюмки, и вот уже всем налили, и Марь Иванна отправилась в соседнюю комнату к магнитофону, чтобы выловить из танцующих Валерку, рекрута, виновника торжества и всей этой неразберихи, этого «шума и гама», он должен чокнуться со мною, с вновь прибывшим, и пьяницы со своими рюмками в руках почтительно ждут его появления и сигнала к выпивке, а я сижу в конце стола и как-то ненатурально улыбаюсь, мне неловко, что из-за меня Марь Иванна вылавливает Валерку, нарушая ритмическое беснование пар, и вот они появляются оба, и Валерка мне тоже улыбается, и я улыбаюсь ему навстречу, потому что парень этот мне вправду нравится, и он берёт рюмку с какой-то красной дрянью, и я поднимаю свою — с белой гадостью, и мы чокаемся, и пьяницы нашего квартала поглядывают на нас с одобрением, и потом тоже чокаются с нами и друг с другом, и мы все выпиваем разом, и Валерка, ещё раз улыбнувшись мне, возвращается туда, к воющему магнитофону, который без устали гонит свои катушки в соседней комнате, и маленькая обрядовая формальность уже позади, ритуал идёт своим порядком, я начинаю есть под ревнивыми взорами Марь Иванны, начинаю похваливать всю эту невкусную еду, этот винегрет, эти мокрые грибки, эту селёдку, которую просто ненавижу, но я мужественно улыбаюсь при этом, а вокруг меня по-прежнему выжидательно толкаются парни, потому что они точно знают, одной рюмкой тут дело не ограничится, и я смотрю на них с симпатией, вовсе не кривя в этом пункте душою, оттого что после рюмки мне впервые за эту ночь становится хорошо, совсем хорошо, и я начинаю присматриваться к окружающим и даже прислушиваться к завыванию магнитофона в соседней комнате, и вдруг сознаю, что звуки, которые он воспроизводит, мне хорошо знакомы, они зафиксированы на плёнку чуть ли не десять лет тому, и, верно, люди, которые теребили свои электрические гитары, барабанили по клавишам, лупили по барабанам, исступлённо кричали, они, верно, уже состарились с тех пор, как записали всё это где-нибудь в роскошной студии за океаном, а звуки, издаваемые ими когда-то, по-прежнему механически выкрикиваются, и я сам несколько лет тому, в бытность мою беззаботным язычником, сам прыгал и бесновался под этот же аккомпанемент, и я был нетрезв и был потен, как пьяны и потны сейчас те, кто прыгает в соседней комнате, — и вот теперь знакомые звуки эти вызывают во мне чувство некоторого отвращения, но смешанного с тоскою по чему-то безвозвратно утраченному,

потому что юность у человека одна, и как бы
мерзко она ни прошла, невозможно о ней вспоминать с одною только неприязнью и гадливо-
стью, — но насколько же лучше бы было, если бы
сейчас в соседней комнате пела гармонь, как это
раньше бывало повсюду в России, как это и теперь ещё бывает, и звуки этой гармони раскры-
ли бы книгу моей памяти на другой странице,
и я откопал бы там свои первые деревенские
впечатления, которые получил в детстве, пела
бы гармонь, был бы дробный стук каблуков,
и двусмысленные частушки сыпались бы с уст
пляшущих, подвыпивших, бойких бабёнок, и весь
этот обряд таким образом ещё более приблизился бы к какому-то далёкому образцу, но этого не
может быть, ведь Валерка без пяти минут студент,
и друзья у него такие же, и девки у них соответствующие, так что гармонисту здесь делать нечего, а бабёнки нетрезвые, которые должны были
бы выкрикивать двусмысленные частушки, если
и присутствуют здесь, то сейчас помалкивают
и небеззлобно поглядывают на молоденьких дев-
чонок, подпрыгивающих в лад изрыгаемой магнитофоном музыке, под которую я и сам всего
несколько лет назад мог прыгать и бесноваться,
но в остальном, если не считать замены гармони
магнитофоном, всё идёт именно таким образом,
как и должно идти, как и шло на Руси веками, как,
верно, провожали какого-нибудь парня в дружи-
ну князя, вот так же, по-русски, выкладывались
на угощение, вот так же напивались, так же сте-
пенно беседовали ни о чём подвыпившие мужики, и я смотрю вокруг себя и в тысячный раз понимаю, как прав был равноапостольный князь,

сказавший: «Веселие Руси есть питие», — и, конечно, не привился бы здесь ислам, а впрочем, чего греха таить, не привилось ведь вполне и православие, которое равноапостольный вводил своею княжиею властию, слишком поспешно, видно, это делалось, мало было «кумиры испровещи, овы сечи, а другие огневи предати», — слишком рано почивали на лаврах хитрые святители, и вот теперь огромное большинство народа рассталось с верою отцов и праотцов без особенных сожалений, хотя почти всех тех, кто сожалел о вере особенно, новая империя быстро отправила к праотцам, и я вынужден признать, что всё стало на свои места с тех пор, как у власти снова оказались язычники, пал Петербург — этот третий Рим и рухнул самым трагическим образом века́ существовавший противоестественный союз империи и Церкви, ибо Галилеянин — не князь мира сего, что и засвидетельствовал в Книге Его любимый Ученик, — и христиан сделалось мало, очень мало, и они стали гонимы новым царством, то прямо, то косвенно притесняемы, — всё стало на свои места, ибо ничто не приносит такой пользы ученикам Галилеянина, как гонения, которым с самого начала подвергся Он и те первые двенадцать, безоружных, бескнижных, и хоть скорбит моя душа о поругании и погубленном благолепии Руси, однако же Книга дала мне ясное понятие о том, что прежде всего надо хранить нерукотворное, в сравнении с которым благолепие, столь дорогое мне, всё-таки — ничто, — и хотя теперь вместо достопамятных сорока сороков с их малиновым перезвоном в Москве благовествует слабенькими колоколами в сорок раз меньше церквей, однако теперь пред алтарём не увидишь, не найдёшь ни одного праздного лица, никто не приходит к бескровной жертве ради одного только мещанского приличия, и Церковь ныне — слава Богу! — не принимает участия в совершаемых государством преступлениях, и если бы только удалось иерархам преодолеть страшную, с византийских времён идущую инерцию в рабском повиновении властителям, нашу Церковь можно было бы назвать счастливейшей, потому что у нас империя не притворяется больше христианским учреждением, и Церковь больше не лезет в её дела, исправно, впрочем, оплачивая гигантскую подать необычайно сребролюбивым новым кесарям, не стеснённым уже более никакой видимостью морали, — и Церковь ослабела под натиском язычников, и это — благо, ибо слабость и есть сила учеников Назареянина; и вот уже Россия, вернее, то, что когда-то было Россией, снова являет собою страну вполне языческую, и толпы, составляемые детьми и внуками россов, уже вполне языческие, и проявляется это всего прежде и всего нагляднее именно в «веселии», которое, по справедливому замечанию великого князя, по-прежнему «есть питие», — и праздники теперь здесь совершаются в точности так же, как, верно, совершались тысячу лет назад, когда население поклонялось Перуну, Велесу, Пятнице, и теперь любой праздник — старый, оставшийся ещё от христиан, или новый имперский, языческий — любой праздник справляется совершенно одинаково — надо, чтобы все присутствующие мужики напились, неплохо, чтобы и подрались, а потом заснули бы страшным пьяным сном в пронзительно синих парадных костюмах и в ярких носках на металлических кроватях с шариками, поверх белых кисейных покрывал, и уже абсолютно неважно, по какому поводу это совершается — в честь ли французских поганцев, которые из злобности чуть не спалили весь Париж, в честь ли Воскресения Господа Бога и Спаса, кому поклонялись отцы и праотцы, в честь ли восстановленного империей старого языческого празднества — первого дня мая, который теперь наименован днём солидарности трудящихся, и в этот день трудящиеся солидаризируются весьма своеобразным способом — напиваются до скотского состояния, а потом норовят навешать друг другу фонарей под глазами, а то и пустить кровь ножичком, — а до того, как князь «повеле кумиры испровещи, овы сечи, а другие огневи предати», этот день именовался днём русалок и сопровождался свальным грехом и ещё такими сверхъестественными безобразиями, что даже известная своим либерализмом православная церковь принуждена была строжайшим образом с этим празднеством бороться и не смогла заменить его чем-нибудь имеющим христианский вид, как это было проделано, например, с Масленицей, которую нарекли Сырной, — всё теперь справляется одинаково — и рождение человека в мир, и брак, на котором — увы! — некому сделать воду вином, и проводы парня в рекрутчину, и обряды эти соблюдаются с тем бо́льшим воодушевлением, с тем большей охотой, что нынешние язычники, потомки православных россов, в большей своей части, конечно, не поклоняются ни гению босого графа Льва Николаевича, ни гению Эйнштейна, ни гению Эйзенштейна, ни гению Джугашвили, ни гению Ульянова, а сделали себе главным и единственным кумиром — бутылку с белой гадостью, Бахуса, Вакха, и поклоняются этой бутылке за то, что она скорее и вернее социалистов может устроить рай на земле, и не всему стаду, а каждому из них в отдельности, потому что, приложившись к ней, можно уже не замечать тягот — ни пожизненного ужаса каторжной своей работы, ни тесноты своей каморки, ни сварливого характера своей подруги, к помощи этого же идола, бывало, прибегали и деды их, а уж эти предались бутылке всецело, — достаточно оценить улыбки, которые сияют на лицах окруживших меня сейчас, потому что для меня и ради меня явилась на столе эта белая гадость — предмет их поклонения, их культа, — вот сейчас мы разольём бесцветную жидкость, взмахнём рюмками, как кадильницами, предварительно произнеся языческую ектенью: «За ваше здоровье», — мы проглотим эту мерзость и тогда сможем возлюбить друг друга бессмысленной, пьяной, противоестественной любовью, и нет — увы! — для большинства из нас, нет в мире никакой иной близости, никакой чистой и ясной любви, ничего такого, что завещал миру скромный Гость на браке в Кане Галилейской, начавший своё Служение с того, что превратил воду в вино, а кончивший его тем, что обратил вино в Свою Кровь, — и, делать нечего, мы произносим: «За ваше здоровье», — мы взмахиваем рюмками, как кадильницами, мы глотаем белую гадость, мы закусываем снедью, приготовленной со всем старанием и со всем искусством, на которое только способна святая моя Марь Иванна, и я тоже честно ем это под её заботливыми и ревнивыми взглядами, а тем временем магнитофон умолк, катушки замерли, и сюда, к столам, возвращаются пары, потные и довольные, приближаются, чтобы приступить ко второму туру вкушения и выкушивания, и к ним уже присоединились те, кто стоял в коридоре, прервав многозначительно-бессмысленные беседы, и вот все уже потянулись к столам, стали вспоминать свои места, опознавать свои грязные тарелки и рюмки, рассаживаться с «гамом и шумом», двигать стулья, на столе явилась дополнительная партия бутылок с белой гадостью и красной дрянью, Марь Иванна снова засуетилась, захлопотала евангельскою Марфою, стараясь хоть как-то обновить обезображенный стол, и все уже сидят, уже откупоривают бутылки, уже наливают в рюмки, уже красавицы жеманятся, интересуясь надписями на этикетках и демонстрируя таким образом свой возвышенный, изысканный вкус, и вот сейчас наступит пауза, подобная той, что была в самом начале, когда меня не было здесь, когда я ещё валялся в нескольких метрах отсюда, отделённый от этого стола призрачными перегородками, — «а стены проклятые тонки», — будет пауза только чуть короче той, первой, которую я слышал с тахты, и будет тост — языческая ектенья, и я буду вознаграждён, хоть и не в самой полной мере, за своё давешнее отсутствие, я смогу внимательно рассмотреть их всех — гостей, сотрапезников, собутыльников, соучастников моих по обряду проводов.

Но, к вящему моему неудовольствию, рядом со мною за столом оказался отец детей, бегающих по нашему коридору, муж безответной дочери воронежского лесника, любитель дневных четвертинок и вечернего телевизионного рявканья, пятидесятилетний дядя Вася, Отелло, ревнующий свою сравнительно молодую супругу с помощью толстого офицерского ремня и чумазых кулаков, — в квартире нашей он зовётся двояко: Контра — это с лёгкой руки нынешнего рекрута Валерки, вторую же кличку он получил после того, как однажды объявил моему брату-актёру: «Мы с тобой артистицкие натуры», — с тех пор Артистицкая Натура — его второе прозвище, трезвый он хитёр и тих, а из пьяного из него всё дерьмо прёт наружу, как пепел из Везувия в последний день Помпеи, тут является на сцену и ревность, и ремень от офицерской гимнастёрки, и кулаки, тут уж его негодование частенько выплёскивается даже через семейные барьеры, тут уж он может громить и нас с Марь Иванной — квартирных клерикалов, и уже в этой диоклетиановой роли он бывает решительно бесподобен, у него могли бы поучиться многие воинствующие безбожники, особенно хорош был один его монолог, когда он орал в коридоре, да так, что во всём нашем доме, верно, было слышно, — «а стены проклятые тонки»: «Вот! Выдумали Бога — народ обманывать! Бога нет! Нет Бога! Есть наука — приплод советской власти!» — кричал Контра с неподдельным артистизмом, и вот сейчас он, этот простой советский человек, оказался моим ближайшим соседом по столу, а тут ещё, к несчастью, некоторое время тому он ухитрился повздорить реши-

тельно со всеми жильцами и даже обидеть крот-
чайшую нашу Марь Иванну, так что пришлось его
предать общеквартирному остракизму и даже
пригрозить околоточным, потому что в припад-
ке буйства он сломал входную дверь и оторвал от
неё почтовый ящик, и после этого геройства никто из нас долгое время с ним не разговаривал,
а вот теперь Марь Иванна, добрая душа, не могла,
конечно, обойти его приглашением на это всеоб-
щее празднество, и он совершенно счастлив таким примирением, обилием дармовой выпивки,
которая идёт уже сверх его повседневной четвертинки, и вот теперь ему, наконец, попался я, и он
решает помириться заодно и со мною, и, конечно же, ми́рится, и чокается сто раз кряду, и поминутно приближает ко мне своё лицо с изуродованным на войне носом, лезет мне прямо в губы
своим мокрым отвратительным ртом, — но вооб-
ще-то он сегодня тут держится маршалом, всё старается предварить рекрута относительно тягот
походной жизни и строгости военной дисципли-
ны, врёт о каких-то малоправдоподобных воен-
ных приключениях, одним словом, «скажи-ка-дя-
дя-ведь-недаром-она-меня-за-муки-полюбила-а-я-
её-за-сострадание-к-ним», — и ужасное соседство
с ним меня раздражает, но с этим — увы! — ничего
уже нельзя поделать, а дальше за Контрой, за Артистицкой Натурой сидит безуспешно молодящаяся
женщина — она живёт в огромном доме, непосредственно примыкающем к нашему, крошечному, так
что кажется, будто наш, малютка, прилепился
к этому гиганту, построенному в отвратительном
стиле начала этого века, кажется, будто наш,
крошка, держится за него, прячется за ним,

и даже не верится, что наш — много старше, а тот — молод, и, собственно говоря, этот великан когда-то прилепился к нашему, а потом быстро перерос его, как молодой негодяй и карьерист, обгоняющий честного старого служаку, — и в этом многоквартирном гиганте, где раньше, верно, живали господа средней руки, а теперь набился невесть кто, разный люд — и замоскворецкий, и пришлый, в одной из квартир живёт пара, оба эскулапы, ей — явно за сорок, хоть она и молодится изо всех сил, ему — за пятьдесят, но он уже полный импотент, и это интимное обстоятельство не только досконально известно всему кварталу, но и регулярно обсуждается, ибо именно потому, что пятидесятилетний доктор поражён этим недугом, его молодящаяся жена и присутствует здесь, на проводах, оттого она и сидит сейчас за этим столом, отделённая от меня пьяным и хвастливым дядей Васей, сидит накрашенная, принаряженная, с обыкновенным своим недвусмысленно распутным выражением на лице, а не будь её супруг полным импотентом, быть может, не явилась бы она сюда в обществе своего любовника, парня сильно моложе её, живущего тут же, в нашем доме, во втором этаже, непосредственно над моей каморкой, он живёт там вместе со своей больной матерью, болезнь которой в нашем квартале считают косвенной реакцией на всё тот же недуг пятидесятилетнего эскулапа, ибо, как утверждают злые языки, мать Игорька хворает оттого, что возлюбленный единственный сын её так много лет уже путается с Мариной, с этой самой врачихой, которая едва ли не вдвое его старше, и позор материнским сединам, проистекающий от этой затянувшейся связи, если и не первопричина её болезни, то уж во всяком случае не способствует выздоровлению, сын её и сейчас сидит подле своей престарелой крали с красным, нетрезвым, безвольным лицом, она соблазнила его уже очень давно, ещё до армии, лет в шестнадцать, и демобилизовался он опять непосредственно в её объятия, и нет у него сил расстаться с нею, хоть, кажется, по временам он тяготится этой связью, но Маринка поит его и балует, а сам он законченный бездельник и альфонс, зарабатывает где-то какие-то сущие гроши, а совместные пьянки их, «и лобзания, и слёзы, и заря, заря» — всё это происходит обыкновенно тут же, в этой самой комнате, где мы сидим в эту минуту, их сюда запускает Нинка, дочь Марь Иванны, несчастная алкоголичка, разумеется, когда старушки нет дома, и Нинке самой в этих случаях кое-что перепадает, не из лобзаний, конечно, а из бутылок, которые Маринка покупает своему Ромео, — а дальше за столом, с Игорьком рядом, сидит его сверстник, может быть, даже и приятель — Руслан, он — старший друг рекрута, живёт он в нашем же переулке, в доме поблизости, и сидит он с особенно значительным и серьёзным лицом, ибо уже всем гостям, даже мне, известно, что Руслан из чисто благотворительных побуждений покупает Валеркин старенький магнитофон, который только что гнал свои катушки в соседней комнате, покупает со всеми дрянными записями, исключительно для того, чтобы помочь Марь Иванне поскорее залатать ужасную брешь в бюджете, которую сделали эти проводы, обилие бутылок с белой гадостью, всё ещё появляющихся на столе, и кроме Руслана я вижу ещё несколько таких же лиц, тех самых, что курили и солидно беседовали в коридоре, тех самых, что вечно видны в сквере возле сортира против алтаря Климентия Римского, и лица эти я помню ровно столько же, сколько самого себя, сколько купол и колокольню Всех Скорбящих Радости, сколько фасад бывшего дома настоятеля, сколько звонницу Климентия, — я помню их стоящими у ворот кособоких домиков, в которых они имеют жительство — занимают жалкую каморку, где помещаются со своими сварливыми жёнами и подрастающими детьми, но всё ещё считают себя и друг друга парнями, ребятами, и на этом основании беззаботно пьют водку и играют в домино за столами, врытыми в землю в тени жалких палисадничков, на Пасху и на день русалок — возобновлённый языческий праздник — они надевают пронзительно синие костюмы и пёстрые, яркие носки, начищают до глянца стоптанные свои башмаки, и всё это ради того, чтобы несколько часов спустя заснуть прямо в том праздничном облачении страшным пьяным сном поверх белого кисейного покрывала, на высокой металлической кровати с никелированными шариками, — и хоть я не знаю их всех по имени, но тем не менее мы солидно приветствовали друг друга, когда я отпер своим ключом дверь и, стараясь выглядеть вновь прибывшим, вошёл в коридор, где они курили, они пробрались вслед за мною и Марь Иванной сквозь беснование танцующих пар сюда, к столу, так как сразу почуяли, что с моим приходом предвидится внеочередная выдача бутылки с белой гадостью, — это они заначивали поллитровки в самом начале торжества, когда я ещё валялся в нескольких метрах отсюда, они и сейчас, я уверен, уже спустили со стола две-три бутылки, а потому и смотрят вокруг с такой дружелюбностию и с таким довольством, потому и лезут сейчас вилками в блюдо с селёдкой особенного сорта, внешне как бы не интересуясь выпивкой, а один из них даже делает вид, будто занят своей соседкой по столу — жалкой, тощей барышней лет двадцати пяти по имени Таня, живёт она в нашем же доме, только в подземной его трети, в подвале, и повадки у неё такие робкие, что, пожалуй, невозможно ей жить где-нибудь выше подземелья, даже в первом этаже, где она сейчас сидит в гостях за белой скатертью и тревожно поглядывает по сторонам своими чуть косящими намазанными глазами, поминутно встряхивает своей головкой, своими слипшимися волосёнками противоестественного цвета, который приобретается где-нибудь неподалёку, в какой-нибудь цирюльне на Пятницкой улице, она держит рюмку красной мерзости своими пальчиками с ядовито-алыми ногтями, она пришла в чёрной плиссированной, единственной своей парадной юбчонке, в бледно-оранжевой шерстяной кофточке с большим вырезом, из которого торчат жалкие её ключицы, и шея, и часть спины с пупырышками, вот она сидит и зыркает вокруг своими глазёнками, а на неё не обращают внимания, и приходится ей кокетничать с соседом по столу, ум которого более занят тем, как бы случайно не опрокинуть скрываемую под столом бутылку, чем её сомнительными копеечными прелестями, — я поглядываю на неё исподтишка, чтобы барышня — упаси Бог! — не заметила моих взглядов и не истолковала их в совершенно определённом смысле, и вдруг я вижу, как она вскакивает и бросается в коридор, и уже увидевши, как Таня вылетает из комнаты, я понимаю — что выхватило её из-за стола, я слышу раздирающий душу крик, который разносится по нашей квартире откуда-то от самой кухни, от чёрного хода, и вот уже вскочили другие гости, уже стучат по коридору многие шаги, но она — Таня из подвала — услышала, поняла и бросилась первая, оттого что несчастные существа обречены откликаться на чужое горе острее, поспешнее других, — но вот уже и я выбегаю из комнаты, а те, кто остались, тревожно повернули головы, прислушиваясь, и последнее, что я успеваю заметить, — олимпийское спокойствие на лицах наших ребят, парней, не двинувшихся, не шелохнувшихся на своих местах, железной хваткой держащих под столом раскупоренные поллитровки, зажатые между стоптанными, но начищенными сегодня по случаю проводов до глянца башмаками, — а крик не прекращается и даже, кажется, растёт, усиливается всякий раз, как только на секунду смолкает, и, забежав за колено нашего коридора, подбегая к кухне, я сначала не вижу кричащую, не могу разглядеть — так плотно окружена она домочадцами и гостями, и только уже подойдя вплотную, я вижу, как бьётся в истерике мать рекрута, дочка Марь Иванны, несчастная, безмужняя Нинка, сорокалетняя баба, тощая, испитая, она кричит и вздрагивает в руках барышни Тани и врачихи Маринки, она вырывается, рыдает с надрывом и выкриками, она пьяна, верно, с самого начала торжества, ей, алкоголичке, достаточно мизерной дозы белой гадости, которая даёт ей краткое забвение, и теперь, уговариваемая и успокаиваемая барышней и врачихой, при молчаливых других свидетелях, она выкрикивает свою обиду всему миру, а обида её действительно велика, воистину непереносима, потому что оскорбил её собственный сын, Валерка, рекрут, ради которого мы все собрались, и сын этот — единственное, что было, есть и будет в её тяжкой жизни, сын, об отце которого я за всё время ни разу не слышал ни от неё, ни от Марь Иванны, ни от самого Валерки, кто один мог бы сейчас остановить эти рыдания, унять эти крики, но кого нет в эту минуту ни на кухне, ни в коридоре, ни среди равнодушных, ни среди сострадающих свидетелей, и она всё бьётся, всё кричит, всё вырывается из рук и вдруг, заметивши меня, кто, по её представлениям, может понять её горе, она начинает в очередной раз пересказывать свою обиду, и оскорбление это непереносимое состоит в том, что ещё в самом начале торжества, когда я ещё валялся в бесстыдном неярком свете, ещё тогда рекрут, единственный сын, Валерка, не провозгласил тоста за неё, а выпил за свою возлюбленную, за Галку, и тем ранил её, мать, в самое сердце, — а я прекрасно понимаю и то, что она не договаривает, она знает — сын стыдится её, стыдится её непростительной слабости к содержимому бутылок, и если у трезвой у неё достаёт сил переносить это, если обычная для всех пьяниц в трезвом виде застенчивость помогает ей нести бремя сыновьего стыда, то у хмельной у неё нет сил терпеть это, и вот я бормочу слова каких-то слабых и бессмысленных утешений, которые, верно, даже не доходят до неё, и мне вторят и барышня и врачиха, и уже припадок постепенно ослабевает, Нинка всё реже и реже всхлипывает, реже вздрагивает, уже позволяет подругам подвести себя к грязной раковине на нашей общей кухне, и я отхожу от них, удаляюсь, моё присутствие здесь излишне, я направляюсь обратно к столу, в комнату, где идут проводы, и в темноте нашего глаголеобразного коридора я чуть не наталкиваюсь на причину этой Нинкиной истерики, её криков и слёз, на рекрутскую возлюбленную — на Галку, она стоит тут, у самого коридорного колена, стоит и смотрит из темноты на всё происходящее, на последние вздрагивания и всхлипы несчастной алкоголички, на то, как барышня и врачиха умывают её заплаканное, красное от слёз и водки лицо, она стоит, и смотрит, и не желает сделать туда ни шагу, стоит курносая, смазливая, с каштановыми локонами до плеч, чуть полноватая и тяжёлая для своих восемнадцати, гордая в эгоизме красоты и юности, смотрит на всё без тени жалости, и, наверное, сознание собственной силы, собственной приобретённой власти над Валеркой, который публично, явно предпочёл её матери, — весь смысл этой сцены несколько утешает её в несчастье, ибо, несмотря на эту победу, она разлучается нынче со своим возлюбленным, которого на три года уводят в плен служители Марса, и в темноте коридора мне удаётся разглядеть на её лице и горе, и подсознательное удовлетворение происходящим на кухне, но я прохожу мимо неё, жестокой, несчастной и гордой в этой части своего горя, я иду обратно, за стол, на своё место подле соседа моего дяди Васи, Контры, Артистицкой Натуры, к его сопливым губам, к его поцелуям в знак нашего примирения и дальнейшей вечной дружбы, к его хвастливым военным россказням, туда, где если и не на самом столе, то уж под столом во всяком случае есть ещё белая гадость — веселие, проклятие и спасение моего народа, иду мимо запертой двери собственной комнаты, куда мне сейчас вовсе не хочется заходить, да и незачем, потому что постель уже в порядке, форточка — настежь, и сквозь это отверстие уходит в снежную замоскворецкую ночь запах пота и удовлетворённой похоти, который оставили после себя моя партнёрша и я, где всё ещё не в изголовье тахты, а на бюро лежит Книга, и вот я опять подхожу к комнатам Марь Иванны, откуда опять несутся мне навстречу подвывания и визги, издаваемые стареньким Валеркиным магнитофоном, про который теперь я знаю, что его покупает Руслан из чисто благотворительных побуждений, чтобы помочь святой моей Марь Иванне, — я останавливаюсь в дверях и вижу беснование пар, я смотрю на танцующих, прыгающих, изгиляющихся, и, к досаде своей, никак не могу победить в себе растущее чувство раздражения, неприязни к ним, и, внимательно прислушавшись к этому чувству, я понимаю, что оно возникло у меня не в эту минуту, когда я встал на пороге комнаты и принялся разглядывать беснующихся, нет, раздражение моё родилось гораздо раньше, за столом ещё, — я не обратил особенного внимания на танцующих, когда Марь Иванна конвоировала меня, вновь прибывшего, к столу сквозь ритмическую неразбериху их движений, — но когда на краткое время магнитофон умолк, когда они, возбуждённые и потные, вернулись за стол, к новой выдаче белой гадости и красной дряни, тут уж я внимательно рассмотрел их, не каждого в отдельности, но именно всех их вместе — пяток новых Валеркиных дружков, только более удачливых, нежели он сам, ухитрившихся проскочить в какой ни есть завалящий московский институт и тем самым миновавших рекрутчину, и теперь его проводы, его несчастье, его неудача оттеняет их привилегированное положение, их удачу, как истерика, крики и слёзы несчастной рекрутской матери только что оттеняли власть, которую получила над её сыном его возлюбленная, — а они, эти новые Валеркины дружки, они ничего не стесняются и даже не находят нужды хоть на минуту притвориться расстроенными или сочувствующими судьбе своего товарища, нет, они явились сюда со своими малоопрятными и крайне эмансипированными партнёршами, они пришли сюда танцевать, бесноваться, накидываться на дармовую выпивку и закуску, они не церемонятся с хозяевами и явно презирают всех прочих гостей, они, как всегда, заняты только собою, как всегда упоены своими умственными способностями, донельзя довольны своими аппетитами, своим иммунитетом к действию белой гадости из бутылок, купленных Марь Иванной на несчастные занятые-перезанятые деньги, и вот я смотрю в эту минуту на них, возобновивших своё беснование, я смотрю на них и узнаю их, — о, как я знаю это наглое, глупое, самодовольное племя, гордое в своей полуграмотности, хвалёное русское студенчество, которое я всегда терпеть не мог, вначале инстинктивно, а потом уже и сознательно, и с которым я никогда — о счастие! — не мог слиться, даже молодым язычником, даже учась в университете, хоть я и был тогда достаточно глуп, самоуверен и вполне плохо учился, — о, как я знаю их, с их вечно дренькающими фанерными гитарами, глупейшими песнями, бессмысленными вечерами и банальными интрижками, — я знаю их, — это они, они, это с ними, вернее, с их предками, столь же самоуверенными, безграмотными, самодовольными, белобрысыми, очкастыми, голодными, прожорливыми, неопрятными, с ними связано у меня всё, всё ненавидимое в обожаемом минувшем веке, всё, что концентрируется для меня в одном ненавистном имени маниака с «Литераторских мостков» — он является для меня средоточием, патриархом, праотцом, пророком и предтечей всех недоучившихся гимназистов, студентов и семинаристов России, всех, которые были, есть и будут, вплоть до недоучившегося тифлисского семинариста Иосифа Джугашвили, носившего своим отчеством имя этого чахоточного, имя неистового наглого графомана, выгнанного и из гимназии, и из университета, этого невежду, пускавшегося поучать гениев, этого зоила, поносившего Гоголя, Пушкина, Баратынского, Достоевского, — я хорошо помню, как во мне, ещё в язычнике, ещё в подростке, возникла ненависть к нему, я прочёл тогда его рецензию на перл русской прозы — на «Повести Белкина», всего несколько строк, написанных в гаерском, гадком, скоморошеском тоне: «Всему свой черёд, всё подчинено неизменным законам, за роскошною весною следует жаркое лето, а за ним унылая осень. Законы физические параллельны с законами нравственными; юность человека есть прекрасная, роскошная весна, время деятельности и кипения сил; она бывает однажды в жизни и более не возвращается. Эпоха юности человека есть роман, за коим начинается уже история; эта история всегда бывает скучна и уныла. То же самое представляется и в деятельности художника: сколько огня, сколько чувств в его произведениях! Последующие бывают изящнее и выше, но зато и спокойнее; это спокойствие называется зрелостию, возмужалостию таланта. Оно правда: но горестная мысль... Воля ваша, а весна — самое лучшее время года! Хорошо ещё, если осень плодородна и обильна, если она озарена последними прощальными лучами великолепного солнца, но что, когда она бесплодна, грязна и туманна? а ведь это так часто случается! Вот предо мною лежат "Повести, изданные Пушкиным": неужели Пушкиным же и написанные? Пушкиным, творцом "Кавказского пленника", "Бахчисарайского фонтана", "Цыган", "Полтавы", "Онегина" и "Бориса Годунова"? Правда, эти повести занимательны, их нельзя читать без удовольствия: это происходит от прелестного слога, от искусства рассказывать, но они не художественные создания, а просто сказки, побасенки; их с удовольствием и даже с наслаждением прочтёт семья, собравшаяся в скучный и длинный зимний вечер у камина; но от них не закипит кровь пылкого юноши, не засверкают очи его огнём восторга, но они не будут тревожить его сна — нет — после них можно задать лихую высыпку. Будь эти повести первое произведение какого-нибудь юноши — этот юноша обратил бы на себя внимание нашей публики; но как произведение Пушкина... осень, осень, холодная дождливая осень после прекрасной, роскошной, благоуханной весны, словом... "прозаические бредни, Фламандской школы пёстрый вздор!" Странное дело — очарование имён! Прочтите вы эту книгу, не зная, кем она написана, — и вы будете в полном удовольствии: но загляните на заглавие — и ваше живое удовольствие превратится в горькое неудовольствие. Будь поставлено на заглавии этой книги имя г. Булгарина, и я бы был готов подумать: уж и в самом деле Фаддей Венедиктович не гений ли? Но Пушкин — воля ваша, грустно и подумать!» — и ведь как загрустил бедняга, как пригорюнился, как затуманился, — только вот вопрос: надолго ли? — ведь сейчас же, через минуту уже оживился — приспела пора делать выволочку Баратынскому, а там пора отечески выпороть Достоевского, пора кропать подлое своё письмо Гоголю, — ах, как хотелось ему ещё при жизни видеть всех писателей в виде приручённой сволочи, как приласкал он за это Некрасова — этот первый литературный селекционер, который придумал: хорошо бы скрестить, совокупить противоестественным браком музу и недоучившегося семинариста, что потом было и сделано его последышами, его партизанами, которым удалось теперь развести неисчислимое стадо подобного скота — грязных мулов, лошаков, мнящих себя кровными арабскими скакунами, но тогда, пока он ещё не отправился на свои «Мостки», до этого далеко было, — а ведь как ему хотелось дожить до блаженного времечка, когда все: и Пушкин, и Баратынский, и Гоголь, и Достоевский — все будут у него такие же паиньки, как Некрасов, все будут с благоговением слушать его полуграмотный бред, замешанный на отходах немецкой философии, все станут молиться его смердящей тени и склонять пред ним колени, — как ему хотелось хоть одним глазком взглянуть на новое языческое царство, как его разбирало: «Завидую внукам и правнукам нашим, которым суждено видеть Россию в 1940 году!» — и вправду — есть чему позавидовать, — добрая половина внуков и правнуков видит Россию сквозь колючую проволоку лагерей и сквозь решётки тюрем, Россия находится на пороге разрушительнейшей войны, во время которой немцы дойдут чуть ли не до Урала, а истинный внук его, носящий отчеством его имя, господин Джугашвили обнимается со своим немецким двойником — господином Шикльгрубером, и объятия эти дружеские происходят на дымящихся развалинах в четвёртой раз разделённой Польши, — не правда ли, великолепная идиллия? — есть на что полюбоваться мечтателю с «Литераторских мостков»? — «Завидую внукам и правнукам нашим!» — кричит дедушка, догнивая в чухонском болоте. «Жид стала лучше, жид стала вэсэлээ», — отвечает с акцентом внук, улыбаясь в усы и покуривая трубку: «"Пуф, пуф, пу, пу, пу, …у …у …ф"», — сказавши это, генералиссимус весь исчезнул в дыме», — ненависть моя к чахоточному маниаку росла постепенно, и я, грешный человек, до сегодняшнего дня не в силах от неё отделаться, хотя мне, признавшему несравненную правоту Книги, никого нельзя ненавидеть, — зато помню, как радовался, как веселился я, читая письма Достоевского, где упоминается его имя, тут уж я ощутил полное единодушие с тем, кто был когда-то главным моим кумиром, а ныне стал возлюбленным единоверцем, — я читал эти письма, и бальзам лился на мою душу, как хохотал я над «шушерой», «смрадной букашкой», «говняком», «паршивиком» и прочими комплиментами, которыми Фёдор Михайлович награждает неуча с «Литераторских мостков», и я был счастлив оттого, что и сам исповедовал те же мысли, — «Я обругал Белинского более как явление русской жизни, нежели лицо: это было самое смрадное, тупое и позорное явление русской жизни... Этот человек ругал мне Христа по матерну, а между тем никогда он не был способен сам себя и всех двигателей всего мира сопоставить со Христом для сравнения. Он не мог заметить того, сколько в нём и в них мелкого самолюбия, злобы, нетерпения, раздражительности, подлости, а главное, самолюбия. Ругая Христа, он не сказал себе никогда: что же мы поставим вместо Него, неужели себя, тогда как мы так гадки. Нет, он никогда не задумывался над тем, что он сам гадок. Он был доволен собою в высшей степени, и это была уже личная, смрадная позорная тупость. Всё это требует больших и долгих речей, но вот что я собственно хочу сказать: если б Белинский, Грановский и вся эта шушера поглядели теперь, то сказали бы: нет, мы не о том мечтали, нет, это уклонение: подождём ещё, и явится свет, и воцарится прогресс, и человечество перестроится на здравых началах и будет счастливо! Они никак бы не согласились, что, раз ступив на эту дорогу, никуда больше не придёшь, как к Коммуне и к Феликсу Пиа. Они до того были тупы, что и теперь бы, уже после события, не согласились бы и продолжали мечтать», — и я наслаждался всем этим, как некогда веселился, читая в «Дневнике писателя» разговор между автором и жалким полуграмотным графоманом, стоявшим спиною к Знаменской церкви, на месте которой теперь станция подземной чугунки, вставшая варварским памятником бредовым мечтаниям об освобождении человечества посредством железных дорог и о том, чтобы заменить всюду Евангелие расписанием поездов, — эти милые идейки вполне разделял и приятель моего маниака, кумир более либеральных язычников, немецкий выродок с синтетической фамилией, тоже большой поклонник «шума колёс, подвозящих хлеб насущный», — он даже пытался звонить по этому поводу в Лондоне в большой станционный колокол Вест-Энда, — и я однажды устыдился своей ненависти к этим безумным господам в такой степени, что у меня даже явилась мысль поехать на брега Невы, где стынут камни третьего Рима, где родилась когда-то великая культура, что долгое время переносила инъекции недоучившихся семинаристов, поехать в город, в чьём названии мне слышатся два одинаковых имени, двух императоров — великого и ничтожного, отправиться на недобитый ещё язычниками Невский, зайти в изуродованный Гостиный двор — «Не бей меня, Бенчик», — купить там игрушечную железную дорогу с бегающими паровозиками и вагончиками, с мигающими светофорами, с рельсами и шпалами, купить её и свезти на Волково кладбище, на «Литераторские мостки», найти там могилу моего чахоточного и пустить на ней эту дорогу — то-то бы его душа радовалась! — а ещё лучше было бы подарить ему такую дорогу при жизни, принести её на угол Фонтанки и Невского, прямо к нему на квартиру, чтоб он сидел на полу в своём халате и играл бы в эти паровозики и вагончики, и, может быть, отказался бы он тогда от своей чудовищной претензии на должность кондуктора русской литературы, — но нет! — не оставил бы он никогда этой своей самозваной должности и продолжал бы кропать свои вредоносные статейки, никогда бы ему от этой привычки не избавиться, как и мне, видно, никогда не отделаться от ненависти к нему, боюсь, не достичь мне такого совершенства, потому что даже Книге пока не удаётся освободить меня от исступлённой любви к великой дворянской культуре и от ненависти к губителям её, — и вот я стою сейчас в дверях, стою и смотрю на пляшущих, беснующихся юнцов, таких белобрысых, очкастых, неопрятных, самоуверенных, самодовольных, полуграмотных — этот идеальный материал, из которого выделываются, из которого вербуются уже вторую сотню лет последыши, первые ученики, партизаны чахоточного маниака, я смотрю на их дикую пляску под музыку, под завывания и визги, которые когда-то кто-то издавал где-то на Западе, смотрю на этот танец и вдруг узнаю его — да, да! это же та самая знаменитая «кадриль литературы»! это же танцует предо мною «честная русская мысль»! — она было изгилялась вот таким же примерно образом на балу у предводительши, который устроили Лембки,

Юлия Михайловна, только с тех пор эта «честная русская мысль» доплясалась, докатилась в своём совершенно естественном танце до доклада Жданова и до откровений вроде обострения классовой борьбы, и если там, на балу, эту кадриль танцевали бесы, то здесь отплясывают бесенята...

Я стою в дверях и смотрю, смотрю на их беснование, а они всё пляшут и пляшут, и вот уже пот проступил на прыщавых и наглых лицах, у кого-то даже очки запотели, у кого-то партнёрша запросила пощады, и наступила пора им опять подкрепить свои силы, и умолкает несчастный магнитофон, который с завтрашнего дня будет повизгивать уже не здесь, а по соседству — у Руслана, и вот мои бесенята, мокрые, утомлённые, устремляются назад к столу, уже лакают из гранёных стаканов липкую сладкую воду, и Марь Иванна вынуждена подкинуть на стол несколько новых бутылок, а тут уже оживляются и аборигены Замоскворечья, наши ребята, парни, уже разбираются рюмки и вилки по принадлежности хозяевам, уже все рассаживаются вновь, и только я один медлю, подойдя к столу вслед за студентами, я жду, чтобы кто-нибудь занял моё место возле дяди Васи, возле Контры, возле Артистицкой Натуры, я не хочу больше, чтоб он лез мне в губы своим мокрым ртом, я и без того согласен на дальнейшую вечную с ним дружбу, и вот я вижу, как один из студентов плюхнулся на мой стул в торце стола, и теперь я спокойно занимаю свободное место, и мне передают мою вилку и наполненную уже белой гадостью рюмку, я беру её машинально, я всё ещё думаю о том, как бесновались только что белобрысые, самодовольные, полуграмотные юнцы, я всё ещё никак не могу отделаться от неприязненных мыслей о чахоточном, — а вокруг у всех уже налито, уже притомившиеся студенты трескают полукопчёную колбасу, суют её за обе щёки, уже какой-то самозваный тамада требует от присутствующих тишины и произнесения публичного тоста, — и тут я вдруг чувствую, как что-то подхватывает меня, и я как бы забываю, что начало торжества давно миновало, забываю, что теперь уже глубокая замоскворецкая ночь со снегопадом, и во мне вдруг — донельзя невовремя — просыпается некто прежний — пьяница, бражник, клоун, желанный гость, — кто болтал, шутил, пил беспробудно несколько лет кряду, кто усаживался за стол первым, а уходил одним из последних — весёлый, беззаботный, бездумный, — я чувствую, что сейчас опозорюсь непоправимо, что не только я уже не тот, но компания давно не та, не только не та, к какой я привык, но даже и не та, что была ещё в начале проводов, пока я валялся нагой в бесстыдном неярком свете, — всё не так, всё невпопад, и ничего, ничего, кроме неловкости, не может получиться, но словно бес толкает меня, и я даже догадываюсь, какой это бес — бес моей ненависти к чахоточному маниаку, к его ученикам, к его послышам, к его подобиям, и ещё я, кажется, уже несколько нетрезв, коньяк, проглоченный в моей каморке, и несколько рюмок с белой гадостью, опрокинутые тут, за этим столом, уже начинают действовать, и вот — к собственному своему ужасу, стыду — я вижу, я чувствую, что поднимаюсь над столом, и уже стою с полной рюмкой в руке, и уже на меня обращены нетрезвые взоры, и уже воцаряется тишина, на какую только способно общество в этой стадии опьянения, и уже пора говорить, но я медлю, потому что знаю — я сейчас произнесу слова, которые никто тут не поймёт, которые будут сочтены дикими, ибо в них будет только отзвук моих недавних мыслей, только ответ на них, и мыслей этих, естественно, никто не мог прочесть на моём лице, пока я стоял в дверях маленькой комнаты, где крутились и бесновались пары, теперь сидящие за столом и устремившие на меня свои утомлённые взоры, — никто и не обязан был читать мои мысли, никому они тут не могут быть даже интересны, — я всё это ощущаю мгновенно, но бес толкает, торопит меня, длить паузу над притихшим столом больше невозможно, и я раскрываю рот, и я чувствую себя как во сне, когда не волен над своими поступками, я говорю: «Я кое-что видел на своём веку и много прочёл, но никогда и нигде я не видел и ничего не знаю глупее русского студента. Вот за это я предлагаю выпить!» — и я выплёскиваю в рот свою рюмку, не дожидаясь реакции на свои безумные слова, и я плюхаюсь на стул, и только после этого я обвожу глазами присутствующих, я жду чего-то непоправимого, ужасающей неловкости, которая продлится, протянется во времени, жду бурной реакции сотрапезников, но вдруг замечаю, что ничего этого нет, что студенты глотают свою белую гадость так спокойно и естественно, будто ничего не произошло, будто я промолчал, будто не звучал сейчас над столом мой голос, будто не было паузы перед тостом, будто не обращены были на меня все нетрезвые взоры, и, глядя вокруг, глядя на них, глотающих белую гадость и закусывающих её, я понимаю, что не здесь, и не этими словами, и не мне, слабому, дано прошибить их самодовольство, да и никому, пожалуй, это не дано, они просто не замечают, не видят меня, вовсе не притворяясь в этом пункте, они чувствуют себя столь неизмеримо выше этой пьяной, с их точки зрения, выходки, что даже не находят нужным хоть на мгновение оторваться от своих рюмок, от своих тарелок, от кружочков полукопчёной колбасы, нанизанной на вилки, от своих неопрятно стриженных партнёрш, но мне служат утешением сейчас взоры Руслана и других замоскворецких парней, ребят, — они, конечно же, не могли понять до конца и оценить то, что я сейчас публично произнёс, однако они уловили в моих словах самое главное — мою нелюбовь к белобрысым, самодовольным, бесноватым, наглым гостям, глухим к нынешнему горю Марь Иванны, чью водку и колбасу они сейчас поглощают, глухим к Нинкиной обиде, рёвной и слёзной, глухим даже к несчастию существа, в какой-то мере близкого им, — Валеркиной Галки, ныне разлучаемой с возлюбленным, да и по отношению к приятелю своему рекруту — они испытывают не сострадание, а лишь чувство превосходства, поскольку его участь лишь оттеняет их собственную удачливость, то незначащее обстоятельство, что они всеми правдами и неправдами сумели проскочить в какой-то завалящий московский институтик, где их пять лет будут пичкать ненужными и даже вредоносными сведениями, а преподавать им эти сведения будут старшие товарищи, столь же непохожие на господ сотрудников моего любимого энциклопедического словаря, сколь перестроенная и изуродованная Тверская не похожа на улицу Росси, — Руслан и другие наши парни весь вечер глядят на студентов с угрюмостию, испытывают к ним неприязнь, даже ненависть, и вот теперь, после моего дикого тоста, они кивают мне и подмигивают, и я отвечаю им соответствующими взглядами, хоть мне это не так уж и приятно, — но что поделаешь, коли ощутимая нелюбовь способна объединять, сплачивать людей гораздо скорее и вернее, чем недостижимая любовь, и этим губительным обстоятельством в этом мире уже бессчётное число раз пользовались самым бесстыдным образом и Джугашвили, и Шикльгрубер, и даже сам чахоточный графоман, чей облик мне только что померещился в бесновании самодовольных полуграмотных российских студентов, которые не пожелали обратить внимание на мою вызывающую выходку, не слышали или не пожелали услышать смысл моих слов за глотками белой гадости, за кружочками полукопчёной колбасы, за круглыми коленками своих партнёрш, скрытыми под столом от взоров, но не от любопытствующих рук, — и я вовсе не чувствую себя уязвлённым их нарочитым равнодушием, ибо я способен отплатить им той же самой монетой — мне совершенно всё равно, слышали они меня или нет, поняли мои слова или не поняли, это могло бы огорчить меня разве что много лет назад, когда я был ещё совсем юным, когда ещё не начал постигать законы этого мира, когда я ещё знал о нём слишком мало, и почитал его единственной реальностью, и никогда не думал о Книге, имея о Ней самое

смутное понятие, — но потом, позднее, мне от-
крылся один из непреложных законов подлунно-
го мира — они ничего не слышат, они, составляющие этот мир, ничего не хотят и не способны
воспринимать, и в особенности ничего такого,
что может вывести их хоть на минуту из блажен-
нейшего состояния покоя и полнейшего доволь-
ства собою, — «имеяй уши слышати, да слышит», —
вот эта-то способность начисто отсутствует у мира,
они ничего не слышат, не только странных слов,
произнесённых вполпьяна, они не слышат ни
страшных предупреждений, ни грозных сбываю-
щихся пророчеств, — они ничего не способны
воспринимать, иначе как вам удастся объяснить
всё, что здесь случалось? — ведь загодя предупре-
ждали об этом, ведь писали же: «Но кто же люди
эти, — воскликнула невеста, — хотящие, как дети,
чужое гадить место? — Чужим они, о лада, немногое считают. Когда чего им надо, то тащут и хва-
тают. Они, вишь, коммунисты — честнейшие меж
всеми, и на руку нечисты по строгой лишь систе-
ме. Системы их дешевле другая есть едва ли — ста-
ничниками древле у нас их называли... Они ж
и реалисты изящного не любят, знать, сами нека-
зисты, за то красу и губят... Толпы их всё грызут-
ся, коль свой откроют форум, и порознь все кля-
нутся in verba вожакорум... В одном согласны все
лишь, коль у других именье отымешь и разде-
лишь — начнётся вожделенье. Весь мир желают
сгладить и тем ввести равéнство, что всё хотят
загадить для общего блаженства», — и это писано
сто лет назад, а есть и ещё, ежели желаете полю-
бопытствовать: «Почему это, я заметил, — шеп-
нул мне раз тогда Степан Трофимович, — почему

это все эти отчаянные социалисты и коммунисты в то же время и такие неимоверные скряги, приобретатели, собственники, и даже так, чем больше он социалист, чем дальше пошёл, тем сильнее и собственник... Почему это? Неужели тоже от сентиментальности? — Выходя из безграничной свободы, я заключаю безграничным деспотизмом. Прибавлю, однако ж, что, кроме моего разрешения общественной формулы, не может быть никакого... — Шигалёв гениальный человек! Знаете ли, что это гений вроде Фурье; но смелее Фурье, но сильнее Фурье... У него хорошо в тетради, у него шпионство. У него каждый член общества смотрит один за другим и обязан доносом. Каждый принадлежит всем, а все каждому. Все рабы и в рабстве равны. В крайних случаях клевета и убийство; а главное — равенство. Первым делом понижается уровень образования, наук и талантов. Высокий уровень наук и талантов доступен только высшим способностям, не надо высших способностей! Высшие способности всегда захватывали власть и были деспотами. Высшие способности не могут не быть деспотами и всегда развращали более, чем приносили пользы; их изгоняют или казнят. Цицерону отрезывается язык, Копернику выкалываются глаза, Шекспир побивается камнями — вот шигалёвщина! Ха-ха-ха, вам странно? Я за шигалёвщину!» — и вот напрасно, тщетно надрываются на моей полке христианнейшие писатели, тщетно кричат они: «...есть на свете прямой путь, подобный пути, ведущему к великолепной храмине, предназначенной царю в чертоги. Всех других путей шире и роскошнее он, озарённый солнцем и освещённый всю ночь огнями» — «А дорога... дорога-то большая, прямая, светлая, хрустальная, и солнце в конце её...» — они всё равно не будут услышаны, они не могут быть услышаны, ибо Сам Назареянин засвидетельствовал об этом мире: «И возлюбиша человецы паче тму, неже свет», — но познав Книгу, я всё-таки нашёл в себе силы ещё раз удивиться этой глухоте, ибо в Книге уже всё написано чёрным по белому, и тем не менее написанное в Ней влияет на мир в самой малой мере, совсем на незначащее число детей той пары, что вопреки строгой заповеди вкусила от «плода древа, еже есть посреде рая», — и при этом я ещё раз убедился, что Книга есть самое великое в этом мире, и если в Ней ощутим Творец, Непостижимый, однако, то уж изделие Его своевольное, то, что Он творил в день шестый, падшая тварь, подобная глухарю, подобная разъярённой бабе на общей кухне, способная слышать только звук собственного голоса и ничего больше в целой вселенной, — характер этой твари в Книге раскрывается вполне: «Человек же некий бе богат, и облачашеся в порфиру и виссон, веселяся на вся дни светло. Нищь же бе некто, именем Лазарь, иже лежаше пред врáты его гноен и желаше насытитися от крупиц падающих от трапезы богатаго: но и пси приходяще облизаху гной его. Бысть же умрети нищему и несену быти Ангелы на лоно Авраамле: умре же и богатый, и погребоша его. И во аде возвед очи свои, сый в муках, узре Авраама издалеча, и Лазаря на лоне его: и той возглашь рече: отче Аврааме, помилуй мя и посли Лазаря, да омочит конец перста своего в воде и устудит язык мой, яко стражду во пламени сем. Рече же Авраам: чадо, помяни, яко восприял еси благая твоя в животе твоем, и Лазарь такожде злая: ныне же зде утешается, ты же страждеши: и над всеми сими между нами и вами пропасть велика утвердися, яко да хотящии прейти отсюду к вам не возмогут, ни иже оттуду, к нам преходят. Рече же: молю тя убо, отче, да послеши его в дом отца моего: имам бо пять братий: яко да засвидетелствует им, да не и тии приидут на место сие мучения. Глагола ему Авраам: имут Моисеа и пророки: да послушают их. Он же рече: ни, отче Аврааме: но аще кто от мертвых идет к ним, покаются. Рече же ему: аще Моисеа и пророков не послушают, и аще кто от мертвых воскреснет, не имут веры», — вот так Назареянин предсказал притчей свою собственную судьбу в этом мире, — «имеяй ушы слышати да слышит», — да ничего, никогда, никого мир не слышит, а если и слышит, то начисто лишен способности к восприятию, а если даже и поймёт, о чём речь, что ему пытаются внушить, то просто не поверит, тут у них неизвестно откуда появляется чувство юмора, гипертрофированное чувство юмора, они посмеются над пророчеством, они станут хохотать над странным предупреждением, и если они не уподобятся глухарю, не уподобятся разъярённой бабёнке с общей кухни, то в лучшем случае станут похожи на зятьёв единственного праведника, без которого не стоял уже город Содом: «Изыде же Лот и глагола к зятем своим поимшым дщери его и рече: востаните и изыдите от места сего яко погубляет Господь град; возмнеся же играти пред зятми своими», — ох уж это мне чувство юмора! — все играют, все шутят: и Лот, и Моисей, и Исайя, и Иеремия, и Дант, и Гоголь, и Достоевский, — «все такие шутники, такие клоуны! а Пушкин? Слыхали, что отмочил? Для звуков сладких и молитв! А? Мы чуть кишки не порвали!» — великая вещь чувство юмора, — не знаю как у вас, а у моего соседа по столу, рядом с которым я теперь очутился, после того как бежал мокрого рта дяди Васи, которым он мне лез прямо в губы в знак дальнейшего мира и вечной дружбы, — у моего нового соседа чувство юмора, несомненно, присутствует, вот он улыбается мне подбадривающе, он делает вид, что ужасно развеселился, услышав мой безумный тост, — теперь он, кажется, предлагает мне даже своё высокое покровительство, он готов благодетельствовать мне, готов своим авторитетом сгладить неуместность моих слов и моей выходки, и в какой-то мере он в силах это сделать, ибо он — единственный из сидящих за этим столом, кого не смеют презирать наглые, самодовольные, белобрысые, очкастые юнцы, не смеют оттого, что он всей своей персоной, своим сверкающим узким костюмом, своими узкими башмаками, своим галстуком и носками верного тона, всем своим существом, своей зарплатой, премиальными, надбавкой за сомнительное знание языка, своим сданным кандидатским минимумом, он являет собою их эвентуальное блестящее будущее, — равно как и они своими танцами, своими прыщами, своими немытыми белобрысыми головами, своими очками, своими дешёвенькими костюмчиками, своими фанерными гитарами и дурацкими песнями — они являют собою его романтическое прошлое, по которому он уже тоскует по временам и которого ему не заменит ни одна вакансия впереди, даже если сдохнет к вящей радости подобных типов очередная продажная сволочь, именуемая президентом Академии наук, — и я не понимаю, как он попал сюда, почему затесался на замоскворецкие проводы, почему он здесь, а не спит сейчас в своей чешской пижаме на поролоновых подушках своего модного ложа подле своей смазливенькой супруги, чья соблазнительная фигура облечена сейчас в нечто прозрачное, розовое, заграничное, — отчего он не там, в завидной близости от аппетитной подруги его хлопотной жизни, полной меркантильными и честолюбивыми мечтами, восхищением перед начальником — молодым удачливым доктором наук — и тайной завистью к нему, — как он оказался здесь, а не в своей отдельной квартирке, где-нибудь там, в языческом поселении, — такие, как он, не попадаются в Замоскворечье ночью, нет, они — оккупанты, они бывают здесь только днём, и сейчас в это время суток, на проводах замоскворецкого парня в рекрутчину, он — белая ворона, его не должно быть здесь, этого дневного обитателя какого-нибудь института, комитета «по» и «при», какого-нибудь «почтового ящика», как теперь с присущей новоязычеству страстью к таинственности называют все те заводы, конечным продуктом которых будет глобальная ядерная война, то есть, попросту говоря, Апокалипсис, — Почтовый Ящик, — откуда он здесь? как он сюда затесался? непостижимо! — вот он сидит сейчас рядом со мной и явно покровительствует мне, — но кто же он, в сущности, таков? — Почтовый Ящик — это ведь не профессия, — у нас за столом известно, кто есть кто, — вот дядя Ваня, например, со своим мокрым ртом и изуродованным на войне носом, он столяр, Марь Иванна — лифтёрша и уборщица, Маринка — врачиха, Игорёк, Руслан и прочие парни — пролетарии, класс-гегемон, студенты — это студенты, даже обо мне, грешном, тут всё известно — я родился в этих кварталах и рос на глазах Игорька, Руслана и других ребят, вечно стоящих у ворот кособоких домиков или торчащих в сквере против алтаря Климентия, и уже с самого детства из-за двусмысленного ремесла моего отца я получил от этих парней кличку Писатель, мне влепили её сразу, как пашпорт на вечную носку, как вид на жительство, и мне, заклеймённому, уже ничего не оставалось, как и вправду заделаться писателем, примкнуть к грязному стаду мулов, лошаков, мнящих себя кровными арабскими скакунами, к этим тварям, выведенным по рецепту чахоточного маниака от противоестественного совокупления музы и недоучившегося семинариста, — здесь и про меня всё известно, я — писатель, а кто же вы, господин... простите, товарищ Почтовый Ящик? вы говорите — инженер? нет, вы — не инженер, инженер — это известно что такое, инженер, положим, путеец, носил форменную фуражку, получал своё жалованье за службу на дороге, был либерал, был не чужд интересов словесности и искусства, музицировал по вечерам или играл в винт с господами своего круга, столь же интеллигентными, как и он, вот что такое — инженер, — а кто же вы, господин... простите, товарищ Почтовый Ящик? — но ведь я притворяюсь, я прекрасно знаю, кто он и чем он занят, за что империя платит ему вознаграждение большее, нежели тем, кто работает на производстве предметов человеческого обихода, он в своём «почтовом ящике» сидит у чертёжной доски и вычисляет, и выдумывает, и чертит какое-то хитрейшее приспособление от приспособления к тому остроумному приспособлению, от которого в конечном итоге зависит, сколь точно доставит свой апокалиптический груз ракета, нацеленная куда-то по ту сторону океана, ракета, которая призвана погубить тысячи и тысячи ни в чём не повинных женщин, детей или, в лучшем случае, таких вот пареньков, как наш рекрут Валерка, только родом не с Москвы-реки, а, положим, с Гудзона или с Миссури, — вот что он делает днём, наш гость Почтовый Ящик, вот на какие деньги этот узкий, узенький специалист купил свой узкий костюм, свои узкие башмаки, свой галстук и носки верного тона, вот на какие деньги куплена его отдельная квартира, и польский кухонный гарнитур, и рявкающий по вечерам телевизор с огромным мутным рыбьим глазом, и тот самый диван на поролоне, где сейчас в непривычном одиночестве нежится его супруга со своей соблазнительной фигуркой, облечённой во что-то прозрачное, заграничное, розовое, купленное на эти самые деньги, — «спите крепче, палач с палачихой, обнимайте друг друга любовней», — и существование в соседней комнате нарядного, чистенького малютки, тоже спящего сейчас безмятежным лёгким сном, его существование служит неким высшим оправданием этого безоблачного благополучия, вот ради этого невинного дитяти, ради тысяч вот таких же ухоженных и мытых младен-

цев по обе стороны океана весь мир, вся планета
подвергается воистину смертельной опасности,
опасности, растущей в геометрической прогрес-
сии, по мере того как чадолюбивые папочки этих
дитяток придумывают всё более и более совер-
шенные приспособления к приспособлениям
приспособлений, способных разнести в клочья
эту планету, — а папочки эти, как и сосед мой по
столу, стараются как-то не думать обо всём об
этом, почти и не думают, а если ты напомнишь
им, они в тот же миг выставят в своё оправдание
невинных ребятишек, которых необходимо на-
ряжать в заграничное тряпьё и учить в специ-
ализированных английских школах, — да им
и вправду почти никогда не приходит в голову,
что они за своими чертёжными досками заняты
непосредственной подготовкой таких массовых
убийств, что им могли бы позавидовать даже грос-
смейстеры этого дела — Джугашвили и Шикльгрубер, два идола, которые сначала подружились, как Орест и Пилад, а потом поссорились,
как Иван Иванович с Иваном Никифорови-
чем, — Почтовым Ящикам это никогда не приходит в голову, ведь Нильсов Боров, Оппенгейме-
ров можно перечесть по пальцам, а вот этих
бессознательных убийц, не желающих понимать,
что они делают, за что получают свои постыд-
ные деньги, на что содержат смазливеньких жён
и опрятных ребятишек, таких — тысячи и тысячи, и все — специалисты настолько узкие,
что не могут подумать о чём-нибудь превышаю-
щем хитроумное приспособление к приспособлению для приспособления, которое в свою
очередь изготавливается для приспособления,

способного оптимальным способом унести максимальное количество жизней, — они не ведают, что творят, на что уходит у них самое высшее, что есть у человека, единственное, чем он подобен своему Творцу, — возможность создавать, — и вот один из них, из таких наивных убийц, проник ночью в Замоскворечье, на проводы, он затесался за наш стол, он сидит сейчас рядом со мною и покровительственной улыбкой демонстрирует мне своё расположение, и никто вокруг, никто за нашим столом не подозревает, не думает, что он — убийца, и мне бы впору сейчас вскочить и заорать благим матом, чтобы ходуном заходил весь наш трёхэтажный дом: «Убивец! Смертоубивец! Бечевой его вязать! Держите!» — ведь извозчик Комаров пред ним невинный младенец, ведь мсье Верду — его старший брат, убивавший тоже ради жены и ребятишек, — и тот щенок по сравнению с ним, — «Бечевой его вязать!» — но куда там... эх, Пал Иваныч, Пал Иваныч Чичиков! проворонил ты, не купил тогда пеньку у Коробочки, погнался за своими мёртвыми душами, хоть и пеньки-то у неё было полпуда всего, но теперь бы и эта сгодилась — а то где теперь возьмёшь бечеву? чем вязать смертоубивца? — нет пеньки больше на Святой Руси, да и самой Святой Руси тоже нет, — нет канатных фабрик, днём с огнём их не сыщешь, всюду только запретные зоны да почтовые ящики скребутся под землёй — гробовые черви самой планеты, — ну чем их теперь прикажете вязать? хлорвиниловым проводом, который они сами без счёта прут со своих ящиков? — да только это уже совсем не то будет, совсем не то, — а потому я и не вскакиваю и не кричу, хватит мне одной безумной выходки, после которой мой непосредственный сосед по столу господин... товарищ Почтовый Ящик предлагает мне своё высокое покровительство, он искренне хочет мне помочь, хочет замять неловкость, он улыбается мне подбадривающе, он наливает собственною ручкою белую гадость в мою рюмку, наливает и себе, предлагает чокнуться и выпить в знак нашего мимолётного и унизительного для меня союза, — и я подчиняюсь ему, я готов на всё, я чокаюсь с ним, а потом, как бы в утешение, с Игорьком и Русланом, чокаюсь с ними всё той же белой гадостью, которую наша империя продаёт нам за баснословные деньги именно для того, чтобы было чем платить вот таким бессознательным убийцам, почтовым ящикам, чтобы строить смертоносные приспособления с их квалифицированной помощью, и на моём лице, когда я чокаюсь с замоскворецкими парнями, невозможно прочесть моего знания, моих мыслей о том, что, кабы не этот вот мой сосед, кабы не тысячи и тысячи ему подобных, быть может, не драли бы так безбожно деньги с Руслана и с Игорька, кабы не они, не пришлось бы Руслану покупать Валеркин магнитофон, заведомо старый и дрянной, чтобы Марь Иванна, бедняжка, могла бы залатать брешь в бюджете, а Игорьку, верно, не пришлось бы столько лет подряд путаться со своей престарелой врачихой, у него хватало бы на выпивку тех денег, что он зарабатывает честным трудом, — ничего такого у меня на лице не написано, и мы все, чокнувшись, глотаем белую гадость — проклятие, веселие, единственное утешение моего народа, в подавляющем большинстве своём сбросившего бремя Назареянина, вернувшегося в блаженное, бездумное свинское язычество, народа, поклоняющегося теперь только Бахусу, Вакху, бутылке, поскольку бутылка эта вернее и скорее социалистов способна свести на землю Царствие Небесное, устроить рай, и не всем, не целому стаду, а каждому приложившемуся к ней в отдельности, и, чокнувшись, взмахнув полными рюмками, как кадильницами, мы даже уже не произносим языческой ектеньи: «За ваше здоровье», — мы уже пьём просто так, молча, потому что в этой стадии обряда подобные формальности уже не обязательны.

А проводам суждено ещё длиться и длиться, ибо по какому-то неписаному закону провожать парня в рекрутчину следует всю ночь напролёт, кратковременный отдых допускается только под самое утро, непосредственно перед тем, как в последний раз выдадут белую гадость и закуску к ней, и уже сейчас же вслед за этим надлежит сопровождать нетрезвого рекрута в самое присутствие и там передать его заботам какого-нибудь расторопного служителя Марса, но до этого ещё далеко, ещё тянется долгая замоскворецкая ночь со своим снегопадом, ещё будет гнать свои катушки дрянной магнитофонишка, принадлежащий с завтрашнего дня уже Руслану, ещё будут крутиться и бесноваться пары, ещё будет истребляться белая гадость и красная дрянь, и, оглядевши моих сотрапезников, я замечаю, что наступил кризис, кое-кто из парней постарше и восприимчивее к коварному действию своего кумира, что называется, уже готов, два-три лица уже опущены в самые тарелки, кого-то уже уволокла домой привычно разъярённая жена, многие исчезли из-за стола — барышня Таня из подвала уже отчаялась найти здесь себе сегодня кратковременное счастие, уже иззавидовалась вся студенческим партнёршам, наплясавшимся до испарины, и незаметно скрылась, уже и Маринка, краля Игорька, исчезла, пошла, верно, проведать, как там, в соседнем доме, почивает её волей-неволей благоверный доктор, — но она, должно быть, ещё вернётся, поскольку Игорёк, её Ромео, пока крепится, пока сидит за столом со своим безвольным, красным, пьяным лицом, уже и самые студенты не спешат снова выскочить из-за стола и бесноваться со своими партнёршами, они уже и полукопчёную колбасу уничтожают чисто механически, с оттенком меланхолии, уже и Нинка — рекрутская мать — почти протрезвевшая было после надрыва в кухне, после своей истерики, она уже сумела вновь напиться, но уже каким-то другим — тихим, благостным опьянением, и сейчас, сидя за столом, жалуется на сыновье вероломство только своей непосредственной соседке, и медленные слёзы катятся по её худым бледным щекам, уже и Марь Иванна, страдалица, Марфа этого застолья, уже и она на минутку присела, и уже, кажется, до самого утра обряд наш будет тащиться вот так же медленно, будет тянуться, как сама долгая зимняя замоскворецкая ночь, как само время, которое тихонько скрежещет чем-то внутри электрического счётчика в коридоре, — ну поднимется от тарелки, с трудом оторвётся от стола чья-нибудь отяжелевшая от белой гадости голова, ну проглотит её обладатель ещё одну или две рюмки, и снова опустится она в тарелку, ну не выдержит пожилая врачиха, опять покинет мирно почивающего супруга-импотента, снова явится сюда, к этому столу, придёт любоваться на свою утеху, на своего молодого любовника, на его безвольное пьяное лицо, придёт чутко ревновать его, придёт перехватывать лениво-похотливые взгляды, которые он по временам пускает в сторону неопрятных молоденьких студенческих партнёрш, утомлённых и разгорячённых беснованием, ну уснёт прямо за столом Нинка, забывши наконец про свою обиду, и слёзы высохнут на её бледном лице, ну иссякнут наконец у Марь Иванны запасы белой гадости, и тогда все накинутся на красную дрянь и истребят её во мгновение ока, ну отыщет кто-нибудь из парней под столом бутылку, которую узурпировали ещё в начале вечера, да в суматохе забыли, ну явится за своим спящим мордой в тарелке мужем какая-нибудь заспанная и озлобленная бабёнка, примется расталкивать его и уведёт наконец на высокую металлическую кровать с никелированными шариками; ну поднимутся ещё раз из-за стола утомлённые предыдущими турами кружения и беснования белобрысые прыщавые студенты, отяжелевшие наконец от белой гадости и полукопчёной колбасы, выволокут в соседнюю комнату своих сонных партнёрш, запустят магнитофонишко, принадлежащий уже Руслану, и опять примутся подпрыгивать, но уже как бы нехотя, как бы по необходимости, — и так докатится обряд до той точки, когда все забудутся мучительным, нетрезвым, кратковременным сном в самых

неудобных позах, ибо улечься такой уйме народа
здесь при всём желании негде, — все уснут вповалку, в маленькой комнате, бросив свои пальто на
пол, наверное, растянутся студенты, парами, будто сон их застиг внезапно, в момент наивысшей
точки беснования и кружения, и они попадали,
так и не выпуская из рук своих партнёрш, — и наблюдать это всё будет скучно, неинтересно,
а уйти мне никоим образом нельзя, я и так опоздал, я и без того уже обидел Марь Иванну, святую
мою Марь Иванну, и вот я уже, кажется, почти
готов позавидовать моему соседу по столу, Почтовому Ящику, который только что взял меня
под своё покровительство, я вижу, что он сейчас
попытается незаметно выскользнуть из комнаты,
отыщет где-то в коридоре своё модное зимнее
пальто с воротником из серебристого меха нерпы, найдёт и шапку свою того же меха, тихонько
выйдет из нашего дома, направится на Пятницкую, поймает там ночную шалую машину с гостеприимным зелёным огоньком во лбу, плюхнется
на сидение рядом с шофёром, и, вырвавшись из
Замоскворечья, таксомотор помчит его по широ-
ким улицам языческих поселений, возникших на
руинах колокольного града, потом он отпустит
машину и войдёт в одну из тупых одинаковых бетонных коробок, тихонько отопрёт ключом
дверь своего двухкомнатного жилища, он войдёт
туда на цыпочках, бесшумно разденется и уляжется на поролоновые подушки новомодного супру-
жеского ложа, рядом с мирно спящей своей хорошенькой и молоденькой супругой, облечённой
во что-то заграничное, прозрачное, розовое, —
«Движение, произведённое падением её супруга

на кровать, разбудило её. Потянувшись, поднявши ресницы и три раза быстро зажмуривши глаза, она открыла их с полусердитою улыбкою; но, видя, что он решительно не хочет оказать на этот раз никакой ласки, с досады поворотилась на другую сторону и, положив свежую свою щёку на руку, скоро после него заснула», — «Спите крепче, палач с палачихой, обнимайте друг друга любовней», — и я уже готов позавидовать Почтовому Ящику, его покою и комфорту, но стоит мне подумать о его раннем пробуждении, ровно настолько раннем, чтобы, опоздавши на работу, всё-таки на несколько минут опередить шефа, молодого доктора наук, окружённого преклонением с оттенком зависти, стоит мне подумать, какие алчные и суетные заботы ожидают его завтра утром, как и чем он платит за своё весьма относительное благополучие, за новейший телевизор с рыбьим глазом, за квартиру, за поролоновое ложе, за розовое, прозрачное, заграничное, что сейчас надето на его жену, как от зависти, к которой я был готов, не остаётся и следа, я безропотно согласен сидеть за этим обезображенным столом и наблюдать, как замирает церемония проводов, я могу вовсе не торопиться в свою каморку, расположенную всего в нескольких метрах отсюда, ибо мне и вставать завтра не надо в определённый час, и спешить мне некуда, и все, к кому я мог бы относиться с преклонением и оттенком зависти, — увы! — уже умерли, а к нелюди этой, к этому стаду, к которому я волей-неволей принадлежу, к грязным этим мулам, к лошакам, мнящим себя кровными арабскими скакунами, к этим животным, выведенным по рецепту чахоточного селекционера с «Литераторских мостков» от противоестественного совокупления музы и недоучившегося семинариста, к стаду — увы! — к своему я не испытываю ничего, кроме чувства гадливости, усугубляемого тем, что мне, как ни крути, приходится есть из тех же самых смрадных кормушек, из которых империя питает их за услуги весьма определённого характера; и вот я поглядываю вокруг, смотрю на головы, опущенные в тарелки, на студентов, самодовольных и наглых даже в этой степени усталости и опьянения, смотрю на Нинку, уже уснувшую, уже уставшую повторять всем свою обиду — рёвную и слёзную, на Марь Иванну, сидящую с гостеприимно-мученической улыбкою на устах, гляжу на соседа моего, на Почтового Ящика, он лихорадочно соображает сейчас, как бы возможно незаметнее и быстрее покинуть это случайное для него и презираемое им сборище, гляжу на парней, на тех из них, кто ещё держит свою голову над столом, кто способен ещё к поглощению белой гадости и красной дряни, и я думаю сейчас о том, что ничему, верно, не дано уже вновь оживить этот обряд, неотвратимо двигающийся к своему концу, — но я несколько ошибаюсь в этом своём предположении, я слышу вдруг, как хлопает входная дверь, вижу, как вскакивает Марь Иванна, как она спешит встретить кого-то, кто уже так безнадёжно опоздал на проводы, и вот она вводит в комнату моего брата и его жену, мою невестку, младшего брата, того самого, что когда-то лежал в своей кровати в нашей с ним общей детской комнате, и тогда, ночами, у нас с ним было общее жгучее желание попасть в столовую, в общество взрослых, к шутникам, клоунам, бражникам, пьянчужкам, и у него, как и у меня, это нехитрое желание давно уже осуществилось, но как и мне, так и ему, верно, это не принесло в конце концов никакого удовлетворения, ничего, кроме горечи разочарования, — «так обстоят с желаньями. Недели мы день за днём горим от нетерпенья и вдруг стоим, опешивши, у цели, несоразмерной с нашими мечтами», — у нас с братом вообще много сходного, но только ещё больше различий, и несходство наше, было время, доводило меня чуть ли не до исступления, иногда я чувствовал к нему едва ли не ненависть за то, что он, рождённый от одного со мною отца и от одной матери, он — столь несхож со мною, и у нас с ним было множество ужасных сцен, мы наговорили друг другу вороха оскорбительных слов, и эта моя чудовищная претензия на то, чтобы он был вполне похож на меня, преследовала меня очень долго, я не мог отделаться от неё, когда стал оглашенным, претензия эта не сошла с меня и после того, как иерей троекратно погрузил меня в воду «во имя Отца и Сына и Святаго Духа», — и лишь сравнительно недавно мне удалось отделаться от неё, и то не вполне, только тогда, когда Книга дала мне понятие о том, как плох я сам, а вслед за этим ко мне явилась простая мысль, что по этой самой причине несходство со мною, пожалуй, скорее достоинство, чем изъян, и кроме того, я сообразил, что чудовищная претензия эта, свойственная любому Ego, чтобы все ему подобные были подобны ему до идентичности, и есть один из первоисточников всей ненависти в мире, ибо за что Руслан, Игорёк и другие замоскворецкие парни ненавидят в эту минуту белобрысых и самодовольных студентов? — только за то, что те непохожи на них, — за что сейчас наглые студенты платят нашим парням ненавистью же и презрением? — только по этой же самой причине, за что, в конце концов, последыши и партизаны чахоточного маниака с «Литераторских мостков» истребили в этой стране господ сотрудников моего любимого энциклопедического словаря и всех других им подобных господ, истребили чуть ли не до третьего колена вообще всех, кто принадлежал к тому же либеральному и просвещённому кругу? — виною тому всё та же гадкая претензия, основанная на диком понятии о собственной безупречности, на личной смрадной позорной тупости, которая в конечном счёте всегда приводит к беспредельной власти всякую сволочь вроде Шикльгрубера и Джугашвили, претензия эта вербует им с такой лёгкостью легионы партизан, уничтожающих на своём пути всё, всё, что имеет несчастие хоть в какой-то мере отличаться от зеркального изображения их собственных совершенств: а Марь Иванна тем временем усаживает за стол моего брата, младшего брата, который так непохож на меня, хоть мы и рождены на свет одним отцом и одной матерью, а рядом с ним садится его жена — такая, какой никогда бы не могло быть у меня, — они опоздали сюда ещё больше, чем я, они, наверное, тоже не помнили, что Марь Иванна провожает сегодня возлюбленное своё чадо в рекрутчину, они забыли про приглашение, и я даже знаю, где они были до сих пор, они сидели в нашей старой квартире, в той самой столовой, куда мы так мечтали попасть из темноты детской,

и они пили там чай, и брат только что видел наших родителей, он видел только что, как они оба
постарели с той ночи, когда мы лежали в детской
и прислушивались к раскатам смеха, к звяканью
рюмок и бокалов, брат, как и я, запамятовал, забыл о проводах, но он не станет от этого казнить-
ся, он — непохож на меня, и теперь-то я знаю, что
это несходство прекрасно, и мы с ним улыбаемся
друг другу, и я улыбаюсь его жене, и они проти-
скиваются ко мне поближе и усаживаются рядом,
занявши места каких-то гостей, кого уже выбила
из-за нашего стола чрезмерная доза белой гадости, кто уже не торчит головою и грудью над
обезображенным и неаппетитным простран-
ством скатерти, а Марь Иванна опять хлопочет
о мнозе, уже подаёт опоздавшим чистые тарелки,
рюмки, вилки, и уже явилась на стол новая бутылка с белой гадостью — воистину её запасы оказались неисчерпаемыми, — уже привлечён и вино-
вник этого затянувшегося торжества — Валерка,
рекрут, он должен чокнуться с новыми гостями,
и все повернулись к нашему краю стола, от тарелки с трудом оторвалась какая-то налитая свинцом
голова, проводы снова чуть-чуть оживились,
и мой брат, непохожий на меня, говорит какие-то
вполне приличные случаю слова, но каких я бы
никогда не произнёс, и вот все взмахивают рюмками, как кадильницами, все чокаются, и на секунду кажется, что сейчас обряд воскреснет, что
дальше всё пойдёт как по маслу, — но это могло
показаться лишь на мгновение — слишком глубо-
ка уже замоскворецкая ночь со своим снегопадом, и ничему уже не оживить проводов, однако
я опять ошибаюсь в последнем предположении,

наблюдая, как разом две головы, не выдержавшие прилива нового свинца, опустились в тарелки одновременно и слаженно, будто обладатели их специально репетировали этот номер, наблюдая за тем, как наиболее выносливые студенты безуспешно пытаются вновь вытащить из-за стола своих партнёрш и прельщают их перспективой дальнейшего беснования под звуки магнитофона, в этом часу уже бесспорно принадлежащего Руслану — полночь давно миновала, и, несмотря на всё это, проводам суждено ожить ещё раз, должно быть ещё одно явление, на этот раз уже истинно последнее, и вот, предваряя это, начинают происходить мелкие события, чуть ли не знамения, — сначала как-то особенно надолго исчезает из-за стола Марь Иванна, а потом вдруг куда-то спешит проснувшаяся и в очередной раз протрезвевшая Нинка, и вот до нашего притихшего и настороженного стола с нетрезвыми гостями, уже сидящими редко, как зубы в челюсти старца, донеслись до нас голоса и шаги куда-то от кухни, от конца глаголеобразного коридора, послышалась походка Марь Иванны, слишком поспешная и лёгкая для её семидесяти, и вот она, Марфа нашего застолья, опять появилась в комнате, неся нечто на подносе перед собою — и это внесённое оказалось бутылкою шампанского и небольшим, но замысловатым тортом, и, поставивши поднос на стол, Марь Иванна с улыбкой обратилась к нам ко всем: «Это *она* крестника своего, Валерочку, пришла проводить!» — и едва только прозвучал её ликующий хриплый полушёпот, как я уже догадался, что это будет за явление, кто эта *она*, я даже удивляюсь теперь, как это мне в голову не пришло заметить *её* отсутствие на проводах крестника, а Марь Иванна и подоспевшая Нинка продолжают суетиться, хлопочут о мнозе, приводят в порядок свободное место за столом, ставят тарелку, рюмку, достают особенную вилку, торт и шампанское помещаются тут же, подле нового прибора, и вот я вижу, как парни наши глядят с неодобрительной угрюмостию на эти хлопоты и приготовления, ибо и они уже догадались, кто эта *она*, запоздалая гостья; парни ведь знают *её* много лучше, чем я, помнят *её* гораздо раньше — наверное, они заметили *её* ещё совсем девочкой, белокурой и очень хорошенькой, в коричневом форменном платьице и с дерматиновым портфельчиком в руке, они, наверное, тогда уже на *неё* поглядывали, когда ещё только начинали путаться с тощими и развязными оторвами, которые с тех давних пор превратились в усталых, измождённых, сварливых жён, так же как и *она*, эта новая гостья, с тех пор обратилась из стройненькой девочки в слегка расплывшуюся даму, с распутством, видимым во всём облике и особенно ощутимом во взгляде голубых и по-прежнему прекрасных глаз, — но уже тогда, давно, бросая на *неё* самые первые нескромные взгляды, на её фигурку, облечённую в коричневое школьное платьице и чёрный сарафан, парни, скорее всего, уже подсознательно понимали, что дальше этого, дальше прелюбодеяния в сердце своём, дело у них с *нею* не пойдёт, не по зубам им этот кусочек, не по мизерным зарплатам, чуть ли не в большей своей части пропиваемым, не по их полутёмным каморкам в наших кособоких домиках, не по их высо-

ченным наследственным металлическим крова-
тям с никелированными шариками — не по ним,
кишка у них тонка для такой крали, и, сообразивши это, вернее поняв это подсознательно, они
уже тогда, задолго до своих шумных и пьяных свадеб, начали исподволь ненавидеть своих тощих
и развязных невест, которых иначе как оторвами
и не назовёшь и которые со временем не могли
не превратиться в усталых, измождённых, сварливых баб, и парни продолжали бросать на *неё*
плотоядные взгляды и тогда, когда уже были
окручены своими оторвами, после пьяных своих
свадеб, когда *она* из девочки уже превратилась
в соблазнительную девушку, наверное, не тонень-
кую, а уже чуть тяжеловатую, аппетитную, бе-
ленькую, голубоглазую, точь-в-точь такую, о каких мечтают юные лейтенанты на долгих
дежурствах у стартовых площадок ракет с апокалиптическими грузами или где-нибудь на грани-
це, в горах, — парни и тогда продолжали бросать
на *неё* похотливые свои взгляды, продолжали прелюбодействовать с *нею* в сердце своём и не обращали внимания на худеньких и прыщавых ко-
бельков, которые провожали *её* со школьных
вечеров и долго мялись у крыльца, не решаясь
поцеловать *её* — это белокурое и голубоглазое
чудо, а *она* смеялась и исчезала в подъезде, оставляя своих кавалеров с носом, к этим кобелькам
парни не ревновали *её*, чувствуя опять-таки подсознательно, что и этим молокососам кусочек не
по зубам, что и у них кишка тонка и прыщей на
морде больно много, — а пока всё это длилось,
эти провожания, эти школьные вечера, с которых *она* возвращалась возбуждённая, нарядная,

на высоких каблучках и в капроновых чулках, их оторвы успели народить ребятишек, катастрофически подурнеть, окончательно превратиться в усталых, измождённых, сварливых и наглых баб, уже совершенно отвратительных, своим характером сделавших крошечные каморки в кособоких домиках совершенно невозможными для пребывания, так что волей-неволей парни, возвращаясь со своей изнурительной работы, принуждены стали сбегать от своих сожительниц, удирать из дома, но недалеко, всего лишь в тот самый сквер, что разбит вокруг добротного сортира против алтаря Климентия, и, может быть, все наши парни были там в полном составе в тот роковой вечер, может быть, они ещё только собирали деньги, считали двугривенные или уже глотали какую-нибудь красную дрянь, приобретённую за сходную цену в угловом магазине, пили все по очереди — из одного стакана, может быть, все они были в сборе, когда в первый раз увидели, как *она* прошла, прошествовала по Климентовскому переулку с таким кавалером, при первом взгляде на которого можно было понять, что этот — *её* избранник, и воображаю, какими взглядами парни проводили эту пару, как они смотрели в спину высокому, стройному, широкоплечему белокурому офицеру, моряку, кому явно по зубам был этот кусочек, чьей зарплаты вполне хватало и на квартиру в новом языческом поселении, и на польский кухонный гарнитур, и на диван полированного дерева с поролоновыми подушками, и на розовое, прозрачное, заграничное, чтобы *ей* было в чём валяться на этом новомодном ложе, — какая ненависть и зависть читалась в их взглядах! — как они разом опустили глаза, а потом подняли их, будто ни в чём не бывало, и они наполнили стакан тому, кому следовало по очереди, они ничего не сказали друг другу, они вообще никогда в жизни не говорили и не заговорят о *ней*, что бы ни случилось, но явление это, проход этой ладной пары был причиною того, что они ещё раз скинулись на очередную порцию красной дряни, и, может быть, кто-то из них, на кого это произвело особенное впечатление, кто-то быстро смотался домой, в полутёмную каморку, и стянул из-под самого носа своей тощей и сварливой сожительницы последнюю трёшку, предназначенную на покупку хлеба, картошки и постного масла, чтобы хоть как-то дожить до очередной получки, — и он стянул эту заветную хозяйственную трёшку, зная, прекрасно зная, какой скандал грозит ему завтра, когда пропажа обнаружится, но не в силах будучи удержаться, ибо сейчас же необходимо было им всем запить это горе, этот позор всего квартала, всех их вместе и каждого в отдельности, позор, о котором они никогда не произнесут ни одного слова и в котором никогда никто из них даже самому себе не признается, о нём можно только постараться не думать, призвав на помощь своего кумира — Бахуса, всё ту же бутылку с белой гадостью или с красной дрянью, способную дать кратковременное забвение всем и каждому в отдельности, — а потом кто на другой день, кто на третий, кто на четвёртый — все они врозь на этот раз встретили *её* впервые после того рокового вечера, когда *она* прошествовала со своим избранником, и я себе представляю, как изменились их взгляды, направляемые сначала на стройную девочку, а теперь уже на сформировавшуюся юную женщину, как в их взорах к привычной похоти прибавилась ненависть, родившаяся оттого, что наконец подсознательная их догадка подтвердилась — *она* действительно оказалась кусочком не по зубам никому из них и вообще никому из нашего квартала, никому из Замоскворечья, *она* уже принадлежала варягу, узурпатору — ладному рослому морскому офицеру в фуражке с высокой тульей, в хорошо скроенном нарядном кителе, — а *она* и в этот, в следующий за роковым вечером раз шла мимо каждого из них, не замечая ничего нового в их взорах, не замечая только что родившейся ненависти, как не замечала никогда и похоти, потому что едва ли не с детства привыкла к этим взглядам и привыкла не обращать внимания на тех, кто направлял на *неё* такие взоры, ибо *она* подсознательно прекрасно понимала, что никто из наших парней не может быть претендентом на *её* действительно весьма и весьма соблазнительные прелести, и вот с того времени, как *она* впервые прошлась по Замоскворечью в обществе высокого широкоплечего белокурого морячка, ненависть сделалась постоянной спутницей похоти, читаемой во взорах, которые они обращали *ей* вслед по многолетней уже привычке, — и с тех пор тоже прошло много времени, и ненависть сделалась уже такой же привычной, как и похоть, будто они родились на свет вместе, а не одна после другой через несколько лет, — и вот уже теперь, за нашим столом, на этих проводах, неодобрительная угрюмость в глазах тех парней, кто ещё способен держать голову на расстоянии от тарелки, кого не увела ещё со скандалом крикливая и измождённая жена на высокую металлическую кровать с никелированными шариками, кто ещё противостоит гипнотическому действию Бахуса, своего кумира — бутылки с белой гадостью, угрюмость эта, с какой они наблюдают сейчас, как перед появлением новой гостьи Марь Иванна и Нинка хлопочут о мнозе, — она и есть тень привычной ненависти, которая сопровождает неизменную похоть в их взглядах, направляемых на *неё*, но эта тень сейчас же облечётся плотью, угрюмость во взглядах сменится ненавистью, как только *она* переступит порог этой комнаты, но *она*, как и годы назад, не прочтёт ничего в их взглядах, как и не заметит почти ни самих взглядов, ни тех, кто эти взгляды на *неё* направляет, просто не обратит на них внимания.

Я, грешным делом, так хорошо понимаю всю эту механику ещё и оттого, что сам было смотрел на *неё* не без вожделения во взоре, только уж решительно взгляд мой не нёс в себе тогда никакой ненависти, а уж на избранника *её* я смотрел с нескрываемым восхищением в самый первый раз, когда я увидел *её*, когда я увидел их вместе, и единственный раз, когда я видел его, — это было на другой день после того, как летним утром зазвонил телефон в соседнем квартале, в квартире моих родителей, в столовой, куда я когда-то страстно мечтал попасть, телефон зазвонил, и в трубке я услышал *её* голос, и если бы этого не произошло, если бы не этот звонок, прозвучавший в столовой летним утром, мне никогда бы не жить в тесной каморке в нескольких метрах отсюда, не бывать бы мне на этих проводах, не опоздать бы мне на них, не было бы ничего — ни поцелуев с Марь Иванной и взаимных поздравлений по большим христианским праздникам, не было бы и самой Марь Иванны в моей жизни, она навсегда бы осталась для меня лишь одной из безымянных соприхожанок, старушек в белых платочках, кто приходит поклониться Скорбященской, не было бы и этих строк, не раздайся летним замоскворецким утром в телефонной трубке незнакомый женский голос, обладательница которого звонила по объявлению, вывешенному на улице оттого, что требовалось разменять нашу с братом комнату на две, и при этом таким образом, чтобы комнаты эти были бы неподалёку от нашей старой квартиры, и звонок прозвенел, и голос в трубке раздался, и на другой же день я впервые переступил порог этого старого дома, где теперь живу мои московские месяцы и где сейчас мы провожаем Валерку в рекрутчину, — я не помню даже, с кем я пришёл тогда в эту квартиру, кажется, с отцом, я помню только замечательную пару, я их увидел тогда впервые, а его я видел и в последний раз, они, верно, оба несколько переменились с того рокового вечера, когда парни наши впервые увидели их вместе, шествующих по Климентовскому, и тем не менее, глядя на *неё*, я, помнится, не удержался и бросил несколько не совсем скромных взглядов — она была весьма соблазнительна в открытом своём летнем платье, по-женски располневшая — у них была уже дочка, — помню белизну *её* кожи, округлость форм, белокурые волосы, голубые глаза, но внимание моё к *ней* и даже взоры эти — всё было косвенное, — я помню его — ах, какой это был красавец! какой экземпляр! как он был ладен, строен! — «Этакое богатое тело! хоть сейчас в анатомический театр!» — ну, если не так жутко, то — на выставку, в павильон, в павильон, какого у них, верно, нет там, далеко, за чертой колокольного града, где роскошное царство безвкусицы, там — увы! — нет у них такого павильона, где бы демонстрировались образцовые человеческие особи, вот туда бы его, этого бравого офицера с подводной лодки, а не туда — так на обложку цветного иллюстрированного журнала, и сейчас же, сей же секунд написать командующему флотом, министру вооружённых сил: это безобразие, это позор, это преступление — прятать такого красавца на несколько месяцев под воду океана в опасном соседстве с атомным реактором, — ах, какие взгляды я бросал на него! — я, жалкий обладатель коротконогой кармазиновской фигурки, я смотрел на него во все глаза, я не мог на него наглядеться, хотя никак не предполагал тогда, что вижу его в первый и в последний раз в моей жизни, я всё поглядывал на него, пока его по-летнему обнажённая и весьма аппетитная супруга показывала нам (кажется, нам с отцом), демонстрировала нам две жалкие комнатёнки — одну величиною с пачку чаю, другую — с коробку из-под крошечного торта, куда мы с братом должны были переехать, куда и переехали в конце концов, не найдя лучшего варианта для обмена, — только это произошло не тогда, не сразу же, а много спустя, и всё это время мы искали более выгодный вариант и никак не могли решиться на этот — уж очень жалкими показались нам обе комнаты и самый этот дом, на треть свою врытый в землю, слишком шумной и грязной квартира, а пока длились наши колебания, в жизни замечательной этой пары произошли драматические события, о которых мне повествовала впоследствии Марь Иванна своим хриплым полушёпотом, тем самым, которым только что возгласила: «Это *она* крестника своего, Валерочку, пришла проводить!» — и вслед за этим старушка поставила на стол небольшой торт и бутылку дрянной шипучки, — и вот теперь, после всех хлопот о мнозе, после того, как расчищено место на столе, как поставлен прибор и подле него подношения новой гостьи — торт и бутылка, в пиршественную залу наконец вступает *она* — Юла Уорнер нашего квартала, со своей пышной фигурой, со своими накрашенными глазами голубого цвета, способного сводить с ума, с белокурой головкой, со своим нескромным грузинским именем — Тамара, с распутством, уже явно читаемым во всём облике и особенно во взгляде, и угрюмость в глазах парней тотчас же обретает плоть, становится привычной ненавистью, и вместе с этой ненавистью блестит её старшая сестра, ещё более привычная похоть, а *она*, войдя, как всегда, не обращает на их взоры и на них самих ни малейшего внимания, — *она* садится на приготовленное для *неё* место и томно просит откупорить шампанское, эту дрянную шипучку, и я, вспомнив старый свой навык, приобретённый за лихие языческие годочки, раскрываю эту бутылку, мастерски отправив в потолок жульническую пластмассовую затычку и не пролив ни одной капли шипящей влаги, а Марь Иванна тем временем опять подвела к столу Валерку, *её* крестника, и шипучка пенится уже в наших гранёных стаканах, и вот умирающий обряд снова чуть оживляется, и уже тянутся к шипучке парни со своими стаканами и рюмками, и партнёрши белобрысых студентов, и сами студенты, и у парней, быть может, впервые с того памятного вечера, как *она* прошествовала со своим избранником по Климентовскому, в первый раз с тех самых пор теплеют взоры, и в их глазах, обращенных на *неё*, как в те далёкие времена, сейчас видна только похоть, а ненависть исчезла, и изгнать её не могло бы ничто, кроме всё того же их кумира — Бахуса, это под силу только белой гадости, которая по мановению Марь Иванны опять явилась на столе, как только иссякла дрянная шипучка, — и вот глаза наших парней потеплели, и, чокнувшись с *нею* вторично, кое-кто из них мог взрастить в первый раз в жизни сумасшедшую надежду на дальнейшую близость с *нею*, на вкушение в *её* обществе проклятого плода, — и подогревается эта сумасшедшая надежда не только содержимым очередной бутылки, но и распутством, так явно читаемым теперь в *её* облике и в *её* глазах, и ещё — нынешней *её* репутацией, известной всему кварталу, — и от этого проводы наши оживились, как не могли они ожить ни от моего запоздалого на них появления, ни от прихода столь непохожего на меня моего родного брата, — и даже я совершенно уж неожиданно для себя выхожу из некоего оцепенения, свойственного к этому моменту почти всем участникам обряда, и сам не знаю, чему это приписать — действию ли паров белой гадости, более или менее методически поглощаемой мною в течение всей ночи, тому ли, с какой эффектной лихостью я откупорил и разлил по стаканам дрянную шипучку, исчезновению ли из-за стола в общей суматохе моего непосредственного соседа и непрошеного покровителя — Почтового Ящика, который, верно, уже в своём модном пальто с воротником из нерпы и в шапке того же меха пытается поймать на Пятницкой шалого ночного таксиста, — я не могу сразу определить причину, по которой скука смертная вдруг бесследно исчезла и сменилась в моей душе едва ли не возбуждением, и я, зарёкшийся было поглощать новые порции белой гадости, вдруг как-то бездумно и с ловкостью, приобретённой в лихие годочки, опрокидываю в очередной раз свою рюмку, и только тут я ловлю самого себя чуть ли не за руку, как карманного воришку в старом московском трамвае, я вдруг отчётливо понимаю, что и мои взгляды на новую гостью сейчас отнюдь не безгрешны, что и они таят в себе добрую толику вожделения, совершенно такого же, какое я беспрепятственно читаю сейчас во взорах наших парней, и я вспоминаю вдруг, как, откупоривши бутылку шипучки с нарочитой лихостью, наливая гранёные стаканы, чокнувшись с *нею*, я ненароком заглянул в *её* голубые глаза и обнаружил там синее море распутства, куда сейчас же, сей же секунд был готов отплыть, не задумываясь, всё с той же лихостью, какая свойственна была мне пятью годами раньше, — и вот теперь я по старой привычке инстинктивно воодушевился, как вообще всякий раз перед плаванием по морю такого рода, когда отдаёшь концы, не думая, через какой срок, где и когда кончится круиз и какой привкус останется во рту после этого путешествия, и, поймавши себя самого за руку, как карманника, воришку, я теперь должен вести следствие, понять, что именно подстегнуло во мне моего внутреннего врага, классовая борьба с которым у меня год от года обостряется, — мою плоть, моё тело, этого заведомого прелюбодея, с которым мне не расстаться и не расправиться до самого смертного часа, и теперь я должен найти, отыскать, покопавшись в себе, если не первопричину, которая без того видима и ясна, то уж во всяком случае вытащить на свет то побочное пагубное обстоятельство, которое всё-таки дало ход привычке прошлых лет, тому, что, заглянувши в *её* голубые глаза, я разглядел там море распутства, — а такой побочной причиной могло послужить многое, самой первой и примитивной из этих причин могла оказаться та самая застарелая, много старше моей собственной, похоть в глазах наших парней, — это и могло подстегнуть во мне язычника, ибо овладеть предметом вожделения многих есть одно из самых высоких варварских наслаждений, завладеть безраздельно, чтобы потом таскать этот предмет за собою и получать противоестественное наслаждение от того, что массовое вожделение продолжается, водить эдакую соблазнительную суку по всем публичным местам, по кабакам, по клубам нашей гадкой элиты, чтобы все кобели вокруг неровно дышали, и получать от этой собачьей свадьбы едва ли не большее наслаждение, нежели от нормального совокупления с ней, — но сейчас — не то, не могло это так на меня подействовать, и надо копать дальше, надо выдвигать новую гипотезу, — и, пожалуй, гораздо более вероятным обстоятельством, подтолкнувшим заведомого прелюбодея во мне, может оказаться то же самое, что прибавило сегодня к застарелой похоти в глазах парней и огонёк сумасшедшей надежды, — *её* нынешняя репутация, поскольку сплетни о *ней* и об оргиях с *её* участием до сей поры время от времени волнами гуляют по нашему кварталу, и молва эта косвенно повествует о *её* доступности и сговорчивости, а рядом с этими качествами почти всегда присутствует и безответность, которую я со временем больше всего научился ценить у своих дам, появляющихся по моему зову из преисподней в том самом месте, где когда-то красовалась церковь Параскевы Пятницы, — да что там молва, что там сплетни, я ведь и сам почти воочию убедился в этом, я ведь прекрасно помню и вторую нашу с ней встречу, которая произошла много спустя после той, первой, когда я любовался замечательной парой, не столько, правда, *ею*, сколько *её* супругом — рослым, широкоплечим, ладным морским офицером, его осанкой и движениями, его перетянутой ремнём талией, — и после этой встречи прошло время, пока наконец в нашем семействе решились на обмен, поняли, что не найти нам лучшего варианта, чем две жалкие комнатёнки в этой грязной квартире, в первом этаже старенького дома, в квартале, где родился на свет Божий великий русский драматург, — и обмен наш в конце концов состоялся, но я-то был последним действующим лицом в этой операции, всем заправляли тогда мой младший брат и его жена, и поэтому мне довелось увидеть вновь *её* — тогдашнюю хозяйку наших двух теперешних ком-

нат — только в самый день, когда перевозили
вещи, — и я вошёл в тот день в наш старенький
дом, где мы сейчас гуляем на проводах, вошёл во
второй раз в жизни и попал в комнату побольше,
в ту, что теперь занимает мой брат, и я обнаружил
там пару, только пара эта была уже совсем в другом роде, нежели та, которую составляли ладный
рослый морской офицер со своей смазливой белокурой женой, — начать с того, что сама *она* не
была уже такою, как выглядела в первую нашу
встречу, *она* ещё несколько отяжелела, в лице по-
прибавилось вульгарности, и голубые глаза уже
явно выдавали ранее скрытое где-то в самой глубине распутство, — сказалось ли на *ней* само про-
шедшее с первой встречи время или та жизнь,
которую *она*, согласно утверждению молвы, в это
время вела, сказалось ли отсутствие роскошного
фона — рослого широкоплечего самца в элегант-
ной морской форме, — я не знаю, но *она* уже была
не *тою*, и пару с *ней* на сей раз составлял уже не
перетянутый моряк, а тощая, угловатая, безобразно намазанная шлюха примерно *её* лет, которая в это время явно ходила в лучших подругах
и принимала активнейшее участие во всех оргиях, о которых перешёптывается и до сей поры
наш квартал, — да, это была пара, ибо женская
дружба всегда руководствуется чем-то таким,
в результате чего составляются подобные альян-
сы, и шлюха эта тощая принимала тогда во всех
хлопотах столь деятельное участие, будто это она
сама переезжала со своими пожитками на другую
квартиру, она ужасно суетилась и тем самым показывала, что главенствует над своей крайне аппетитной подругой, и отчасти это соответствова-

ло истине, ибо наверняка эта наглая лярва была организатором и вдохновителем всех оргий, где белокурая и голубоглазая разведённая жена морского офицера служила главнейшей приманкой, а этой тощей шлюхе, как крошки с барского стола, доставались разве что те распалённые кобели, которых её пышная подруга почему-либо в самый последний момент не допускала до своих соблазнительных прелестей, — и тогда, в день обмена, войдя к ним в комнату, я тотчас же понял эту расстановку сил, моментально постиг всю эту нехитрую механику, потому что к тому моменту имел уже за плечами несколько беззаботных и безобразных в этой беззаботности лихих языческих годочков, и все разновидности дам этого сорта были мне более или менее знакомы и даже ведомы, и *она*, хозяйка комнат, только улыбалась и поглядывала своими голубыми глазами, а тощая намазанная лярва всё суетилась, всё хлопотала, всё перемещала с места на место странные несколько и не соответствующие ни друг другу, ни просто нормальной жизни предметы, которые прежде помещались в тех двух комнатах, что мы теперь занимаем с братом, и этот разнобой существовал, видимо, по двум причинам: во-первых, аппетитнейшая владелица всего этого, кажется, не имела в себе хозяйских наклонностей, а во-вторых, *она* со своим ладным и рослым супругом почти и не жила тут, комнаты эти были всего лишь залогом московской прописки, — у них была ещё и другая квартира, где-то далеко на Севере, в совершенно новом и совершенно языческом поселении, неподалёку от красивейшего фиорда, где имела пристанище подводная лодка, в кото-

рой *её* мужа на несколько месяцев упрятывали
ежегодно под воду океана в опасном соседстве
с атомным реактором, — и вот владелица никак
не была, видимо, связана со всем этим странным
и ненужным барахлом, которое требовалось пе-
ревозить в тот день на другую квартиру, — зато уж
её подруга, тощая шлюха, та — хлопотала ужасно,
всё укладывала, всё увязывала, волновалась оттого, что опаздывал грузовик, и подмигивала мне
совсем уж недвусмысленно, намекала, чтобы
впредь я не исчезал, чтобы появился у них и на
другой квартире, — и всё это в отдалённой надежде на то, что я, вполне распалённый смазливой
и голубоглазой бывшей женою моряка, когда-нибудь достанусь ей, как это бывало и прежде со
многими кобелями, но я просто улыбнулся тогда
этим её мыслям и надеждам, потому что язычество моё было позади, и я постепенно стал получать гораздо больше удовлетворения от воздер-
жания, нежели от излишеств, — но самую встречу
эту я не забыл, и ничто не выскользнуло из моей
памяти, и я во многом мог доверять злобной
молве нашего квартала, когда судачили об оргиях
с участием этой пары подруг, молве, изредка до-
ходившей до моих ушей в виде хриплого полушёпота Марь Иванны, но теперь, вспомнивши нашу
с *ней* вторую встречу, я могу отстранить и новую
гипотезу, — нет-нет, вовсе не доступность и безответность гостьи, появившейся на проводах с таким опозданием, нет, не это стало причиной
того, что во мне вдруг разбушевался мой старый,
мой старейший внутренний враг, — доступность
и безответность не укрылись от меня тогда, когда
я увидел подле *неё*, уже чуть отяжелевшей, но всё

ещё весьма и весьма соблазнительной, увидел не мужа, ладного и рослого, а тощую, лядащую шлюху, — всё это было уже тогда в полной мере, но ведь я же не заглянул в тот день в голубые глаза, не разглядел в них с такой очевидностью, как сегодня, синее море распутства, я не был готов, как только что, не задумываясь отправиться в круиз по этому морю с былой пиратской лихостью, — и, стало быть, следствие нужно и должно продолжать, стало быть, ещё рано разжимать руку трамвайного карманника, самого себя в данном случае, надо копаться дальше, а я всё никак не могу отделаться от ясного и подробного воспоминания о второй встрече с *нею*, с бывшей хозяйкою наших с братом комнат, с новой гостьей, только что появившейся на проводах, сидящей сейчас за столом неподалёку от меня, мне всё видится *её* тогдашняя ленивая полуулыбка, *её* отрешённость от суматохи, сопровождавшей переезд на новую квартиру, *её* удивительное равнодушие к неожиданным и странным вещам, вовсе не составлявшим собою никакого комплекта, вспоминается и наглая развязная лярва, которая нарочито суетилась вокруг этих предметов, и я теперь понимаю, что эта вторая встреча, эта сцена многое решила в моей нынешней неожиданной для самого себя готовности отплыть, обрубив концы, в синее море распутства, которое я обнаружил в *её* голубых глазах, — тот день многое решил, но явно не он один, не только тогдашняя сцена позволила сегодня распоясаться моему внутреннему врагу, — и теперь я вспоминаю хриплый полушёпот Марь Иванны, который достиг моего слуха много позже, но комментарием к тому дню, ко второй нашей с *нею* встрече, а полушёпот повествовал мне о том, как могла состояться эта сцена, почему в паре с аппетитнейшей пухленькой соблазнительной хозяйкой наших теперешних комнат оказался не рослый ладный морской офицер, а тощая угловатая шлюха, суетливая и наглая, хриплый полушёпот повествовал мне о комедийном, почти фарсовом сюжетном повороте, который произошёл в семейной драме красавца-офицера и его белокурой жены, — одним из результатов этого и было появление тощей лярвы в столь значительной роли, и тот же полушёпот ещё позднее поведал мне о поистине трагической развязке всего сюжета, — и вот уже, кажется, разгадка близка — всё, всё вместе, и сцена второй встречи, и сведения, что нёс в себе хриплый полушёпот, и, в особенности, самая развязка — трагический поворот, кровь и гибель ладного и широкоплечего офицера, которого я после одной-единственной встречи почитал и почитаю образцом мужской особи в семействе падшей твари, — всё это вместе, должно быть, подействовало на меня, сделало мои взгляды, направляемые на *неё*, отнюдь не безгрешными, вывело на поверхность мои былые языческие ухватки, и понимаю теперь, что при всей своей доступности и безответности, с синим морем распутства, наличествующим в голубых глазах, *она* ещё несёт на *себе* ореол роковой женщины, на *ней* есть не видимые никому капельки крови *её* великолепного первого избранника — ладного, рослого, широкоплечего, кто не без *её* участия получил реальную возможность попасть в анатомический театр, возможность, которую я, вовсе не предвидя дальнейших поворотов сюжета, почти напророчил ему своей безумной мыслью в первую нашу с ним и единственную на этом свете встречу, когда я любовался почти исключительно им одним, не замечая почти его беленькой, смазливой, аппетитнейшей жены, *той* самой, что сидит сейчас в опасно близком соседстве со мною за столом; и *она* поймала, перехватила, должно быть, мой взгляд, брошенный тому несколько минут, который обнаружил море распутства в *её* глазах и, верно, вполне выразил *ей* мою готовность без промедления отправиться в круиз по этому морю, *она* сообразила это, а теперь вот несколько озадачена тем, что я вдруг перестал уделять *ей* внимание, с того момента, как схватил сам себя за руку, будто воришку в старом московском трамвае, и теперь, не отпуская пойманной руки, я веду следствие — а этого *она* уже никак не может вообразить, *она* может только заметить, что я вдруг отвлёкся от *неё*, от *её* близости, от *её* прелестей, всё ещё весьма и весьма соблазнительных, несмотря на множество оргий, проведённых в обществе известной мне наглой шлюхи, — и теперь, чтобы вернуть утраченное моё внимание, *она* интимно сообщает мне, что не в силах глотать белую гадость, которую все хлещут вокруг, а красная дрянь у Марь Иванны, оказывается, вся уже вышла, иссякла, — ах, если бы *она* сообщила мне об этом несколько минут назад, когда я ещё не понял причины своего внезапного воодушевления, пока не схватил ещё самого себя за руку, пока не начал следствия по делу о себе самом, применительно к моему внутреннему врагу — язычнику, намекни *она* мне только тогда, до этого, что не в силах глотать белую гадость, с какой резвостью я выскочил бы из-за стола, я полетел бы, побежал бы к себе в комнату, где я не был с той минуты, как мы вышли оттуда с Чужой Женой, я забежал бы туда на секунду, я не вдохнул бы даже порцию воздуха, в котором, верно, ещё присутствует запах удовлетворённой похоти, я бы даже света не включил, я бы только схватил с подоконника початую бутылку коньяку и метнулся бы назад, сюда, к столу, я наполнил бы *её* рюмку со всею возможной галантностью, я проделал бы все это в каком-то едином услужающем движении и всё ещё толком не сознавал бы причины своего необыкновенного воодушевления, пришедшего на смену скуке смертной замирающих проводов, — но теперь, когда я слышу от *неё* это во второй половине следствия по делу о самом себе, когда я держу самого себя за руку, как жалкого карманника, мне невозможно всё это проделать, и прежде всего оттого, что я не решил ещё, как поступить с воришкой — смилостивиться над ним, отпустить ли его руку или быть беспощадным, вывернуть эту руку за спину и, причиняя ему ежеминутную боль, волочь его, тащить куда следует; и вот жеманство *её*, *её* просьба раздобыть что-нибудь получше белой гадости повергает меня в совершеннейшую растерянность, — и начать с того, что коньяк из той бутылки в моих глазах часть совершенно определённого обряда, ритуальный напиток, и обряд, начинающийся выкушиванием его, оканчивается вкушением заповедных плодов, и если теперь *она* отхлебнёт из той бутылки, из которой всего несколько часов тому пила Чужая Жена — нынешний суррогат моей небывшей Дивной Донны, если *она* отхлебнёт оттуда, свершится непоправимое — я волей-неволей сделаю ещё один шаг по тому пути, по тому причалу, на который бессознательно ступил в тот самый момент, когда обнаружил синее море распутства в голубых *её* глазах и выдал *ей* свою готовность тотчас же, обрубив концы, отплыть в это море, — и это я — «я, я, я, тот же самый, который» — несколько часов тому сам перед собою едва ли не хвастался своей моногамией, — и теперь я медлю, и оттого, что я медлю, во мне возрастает растерянность, вызванная *её* жеманством, целым зарядом жеманства, выпущенным в меня с самого близкого расстояния.

И от этой растерянности мёртвая хватка, которой я держал руку карманника, мою собственную руку, незаметно ослабевает, и это даёт воришке некоторую волю, и уже безо всякого зова является в голове голос предка-иезуита, и он суфлирует мне, он подсказывает мне соображения вроде того, например, что я как благовоспитанный человек не смею отказать женщине в просьбе, тем более в такой ничтожной, как раздобыть напиток более благородный, нежели белая гадость, и, в конце концов, не следует придавать мелочам такое значение, не всё ли равно, кто допьёт бутылку коньяку, которую несколько часов тому почали мы с Чужой Женой, нынешним суррогатом моей небывшей Дивной Донны, и даже, пожалуй, хорошо будет, если этот коньяк сейчас явится на столе, это будет нечто вроде моей ничтожной лепты на проводы, помощь святой моей Марь Иванне, пусть ничтожная, пусть несравнимая с тем, что делает Руслан, но всё же лепта, — и прочее, и прочее, и прочее, и всё в том же роде, и так противно становится на душе от всего этого, что уж лучше вырваться отсюда, выйти из-за стола и отправиться за этим несчастным коньяком, чем, сидя здесь, выслушивать, выдумывать все эти подлые иезуитские доводы, легче просто отпустить карманника восвояси, разжать руку, даже не надрав ему для острастки уши, — и вот я вылезаю из-за стола и отправляюсь в весьма и весьма близкий поход — за коньяком, за коньячком! за коньячком! — здравствуйте, Фёдор Павлович, господин Карамазов! вы ведь, кажется, сладострастник? представьте себе, я — тоже! я — тоже сладострастник! я — тоже фон Зон! мы с вами оба сладострастники, — а сейчас главное не включать свет в моей комнате, чтобы ненароком не увидеть ликов на восточной стене, чтобы не прочесть скорби в их Взглядах, не видеть и Книгу, лежащую на бюро, — ничего, ничего не видеть, на всякий случай даже зажмуриться, не вполне доверяя темноте, ощупью найти проклятую бутылку, — помнится, я её поставил обратно на подоконник, прямо под форточкой, ведущей в снежную долгую замоскворецкую ночь, — ах, как хочется растянуть этот путь, слегка размяться на свободе, у меня ведь руки затекли, обе, и та, которая держалась только что мёртвой хваткой, и та, что держала, у обоих — и у карманника, и у сыщика, — и я иду медленно, медленно, хорошо бы затеряться в пути, где-нибудь в нескольких метрах коридора, отделяющих мою дверь от дверей Марь Иванны, — «ещё долго, ещё жить три улицы остаётся; вот эту проеду, потом ещё та останется, потом ещё та, где булочник направо... ещё когда-то доедем до булочника!» — ах, затеряться бы, пропасть, — ещё когда-то дойду до своего подоконника! — а там можно будет постоять, повременить минуту, не разжимая век, вдохнуть полной грудью из той струи, что сейчас вливается в мою комнату сквозь форточку, ведущую в снежную замоскворецкую ночь, — а струя такая свежая после дымной и душной комнаты, где проходят проводы, и воздух пахнет пушистым снегом, и хлопья ложатся сейчас на мостовые, на Пятницкую, на Ордынку, на крыши кособоких домиков наших и даже на торец вывески сапожника Вахлера, что висит поперёк тротуара над Климентовским, — снег призрачным бременем ложится на все пять куполов Климентия Римского, вернее, купола эти принадлежат верхнему этажу — церкви Преображения Господня, — но довольно, довольно, пора идти назад в душную комнату, к столу, и ощупью, не раскрывая глаз, я беру с подоконника бутылку с коньяком — с коньячком! — мне предстоит ещё долгий путь назад, — когда-то ещё дойду до дверей Марь Иванны, ещё целый коридор, а за ним ещё маленькая комната, где теперь никого и ничего нет, кроме умолкнувшего магнитофона, — и вот я трогаюсь с бутылкой в руках, я пересекаю свою крошечную комнату, делаю шаг в коридор, и только услышав щелчок замка, я разжимаю веки и вижу наш узкий в этой части, грязный коридор, освещённый тусклой лампочкой, сегодня он особенно тесен, так как здесь стоит почти вся мебель Марь Иванны, я медленно ступаю по продольным доскам коридорного пола, с которых почти слезла краска, по ним каждый

вечер, и сегодня, вернее, вчера, словом, несколько часов тому гремели детские быстрые шажки —
это играют и дерутся двое детей соседа моего,
дяди Васи, Контры, Артистицкой Натуры, а сейчас они уже спят безмятежным сном — мальчик
поменьше, а девочка постарше, как, впрочем,
и сам дядя Вася, уведённый некоторое время назад своей безответной молчаливой женою, — он
уже лыка за столом не вязал и теперь, верно, раз-
валившись на своём неимоверном супружеском
ложе с шариками, сопит, дышит перегаром и уж
наверняка решительно не хочет оказать на этот
раз никакой ласки спящей рядом супруге, «брачных и законных наслаждений» не желает, и нечем ему будет хвастаться на кухне завтра, то есть,
вернее, уже сегодня, — а ведь он, дядя Вася, он —
тоже сладострастник в этих своих «брачных и законных наслаждениях», и он — сладострастник,
и он... а кто ещё? — ах, да... ещё ваш покорный слу-
га, я сам, собственной персоной уже входящий
в эту минуту в комнату Марь Иванны со своей по-
стыдной ношею, с бутылкой, с коньяком — с коньячком! — в руке, я вхожу с мрачной решимо-
стью, будто ныряю в омут, в холодную чёрную
воду, и чувствую в этот последний момент, как
оба моих «я» — и воришка, мелкий грязный прелюбодей, и сыщик — оба напряглись, насторожи-
лись, оба в выжидательной позиции, как перед
последней схваткой — ну, чья возьмёт? — и вот со
всею галантностию, на какую способен при таком раздвоении личности, я приближаюсь к столу и наливаю коньяк — коньячок! — в *её* рюмку, которую *она* держит собственной ручкой, за что
получаю тотчас же в награду продолжительный

взгляд голубых глаз, и море распутства, наличествующее в них, уже не таится вовсе, а надвигается на меня, как во время прилива, и взгляд этот оценён обоими вполне — и воришкой, и сыщиком, и оба напряглись ещё больше, — а ко вновь появившейся на проводах бутылке тем временем протянулись рюмки, и я, разлив до капли эту жалкую свою и двусмысленную лепту, и мы все, кто в состоянии ещё глотать, чокаемся и выпиваем без всяких слов, и *она* последней опрокидывает свою рюмку, и по тому, как она глотает коньяк, по тому, как выдыхает после глотка, как торопится закусить и чем *она* закусывает, я с уверенностью заключаю, что *она* привыкла хлестать именно белую гадость, и что пить коньяк *она* просто не умеет, и что просьба *её* о более благородном напитке, чем пьют все за нашим столом, обращённая ко мне и произнесённая самым сдобным и многообещающим голосом, — чистейшей воды жеманство, — и от этого, от того, что подтверждается моя давешняя догадка, вдруг становится грустно обоим во мне — и воришке, и сыщику, а тем временем все вокруг уже успели закусить, и опять настала пауза, а с ней возобновилась скука смертная, и уж на этот раз, кажется, никому и ничему не дано воскресить умирающий, издыхающий обряд, тут уж и сам железный Руслан незаметно стал клониться к своей тарелке, и я вдруг замечаю, вижу с удивлением, что моя жалкая постыдная лепта, початая бутылка с коньяком — с коньячком! — она вдруг оказывается той самой последней каплей, что переполняет чашу, — уже и студенты дремлют на стульях, не выпуская, впрочем, и во сне из потных объятий своих партнёрш, и Нинка, рекрутская мать, уже успела ещё раз напиться и снова уснуть за столом, уже отсутствует Игорёк со своей престарелой кралей, — уже явно к концу подошла первая часть ритуала, и вот наступает, должно наступить краткое отдохновение перед утреннею деловою частью проводов, и вот я вижу теперь, что можно по пальцам перечесть тех, кто ещё не в объятиях сна и кто способен ещё сопротивляться дремоте, и среди них — многострадальная Марфа этого застолья, Марь Иванна, и её ненаглядное чадо — рекрут Валерка, разлучаемый ныне со всеми с нами, с нашим домом, с этими комнатами, с мебелью, которая сейчас выставлена в коридор, со своей возлюбленной, наконец, с Галкой, тоже бодрствующей и несчастной в эту минуту, — она давно уже не празднует лёгкую свою победу над спящей пьяным сном матерью возлюбленного, — нет и тени сонливости в глазах моего брата, столь непохожего на меня, хотя кое в чём мы с ним вполне сходны, потому что с тех пор, с той поры, как, лёжа в темноте детской, мечтали попасть в столовую, к взрослым, откуда до нас доносились возбуждённые голоса и раскаты смеха, с тех пор пролетели годы, и мы сами с ним сделались шутниками, клоунами, пьянчужками, бражниками, желанными гостями, и нам этой ночью нипочём изнурительный марафон замоскворецких проводов, тем более что мы оба несколько опоздали к старту, а ещё больше нас опоздала *она* — жеманница, пышная и белокурая, при взгляде на которую мне чудится, будто на *её* нежной белой коже где-то есть, должны где-то быть капельки крови *её* бывшего мужа, рослого и ладного морского офицера, трагически погибшего не в чёрной воде Ледовитого океана, где ложилась на дно его подводная лодка, нет, причиной гибели его оказалось то самое синее море распутства, что я нынче так хорошо разглядел в *её* голубых глазах, в которых сейчас, кстати сказать, тоже нет и намёка на сонливость, я, во всяком случае, не вижу этого, когда обвожу взглядом всё немногочисленное бодрствующее за нашим столом общество, — и тут в голове моей является новая мысль, её подсказывает мне не воришка и, уж конечно, не сыщик, а, скорее всего, шепчет всё тот же подлый предок-иезуитишка, я решаюсь предложить им всем покинуть этот давно обезображенный стол и перейти в мою каморку, я зову их всех к себе — Марь Иванну, Валерку с его Галкой, младшего моего брата и, наконец, бывшую хозяйку моей каморки, *её*, бывшую жену ладного и рослого моряка, *её*, кого я вижу нынче третий раз в моей жизни, но о ком тем не менее мне известно довольно много, потому что встречи с *нею* комментировались хриплым полушёпотом Марь Иванны, и таким образом дошла до меня весть о трагикомическом, почти фарсовом сюжетном повороте, которой произошёл в *её* семейной драме, в их совместной с ладным офицером жизни, протекавшей по большей части где-то далеко на Севере, в безобразном поселении, неподалёку от красивейшего фиорда, где отдыхают после походов страшные подводные лодки, несущие в себе апокалиптические грузы, — они жили там у фиорда, эта выставочная пара — рослый офицер и его смазливая белокурая жена, и он, бывало, уходил в чёрную воду на своей лодке в опасном соседстве с атомным реактором, уходил на месяц, на несколько месяцев в мрачный Ледовитый океан, оставляя на берегу свою жену, с *её* слегка оплывшей фигурой, с *её* нежной кожей, с *её* белокурыми волосами, с *её* голубыми глазами, с притаившимся в них синим морем распутства, тогда ещё, верно, не ведомым никому, кроме него, — он оставлял на берегу это море, и можно было заранее предсказать, что всё это не кончится добром, слишком многие неровно дышали в *её* присутствии чуть ли не с детских *её* лет, — недаром ведь парни наши столько времени глазели на *неё*, не могло это кончиться добром и не кончилось, конечно, и *она* снюхалась с кемто там, на Севере, — не знаю, чем он взял, *её* новый избранник, нравом ли весёлым, экстерьером ли — его я никогда в жизни не видел, как и не был никогда в том поселении, где это всё разыгрывалось, — а там, верно, стоят новёхонькие громады, тупые и прямоугольные, а в каждом отсеке, в каждой квартире сидит по суке на невидимой привязи, по одной офицерской жене, и нет у них, у этих сук, никакой иной заботы, как только следить друг за другом и за своими персональными самцами, как бы там кто с кем не снюхался, — и уж конечно, обнаруживши море распутства в *её* голубых глазах, новый *её* избранник не мог вкусить там с *нею* проклятых плодов, ибо некуда скрыться в том поселении от ревнивых взглядов, несущих в себе нечто пострашнее, чем рентгеновские лучи, — и я не знаю, кто из них придумал хитроумный выход из этого положения — новый ли кавалер *её* или *она* сама, обладательница голубых глаз и белокурых локонов, но только пришло от *неё* с Севера, пришло сюда, в этот маленький домик, стоящий в переулке, где появился на свет Божий великий драматург, пришло в ту самую жалкую и грязную квартиру, откуда мы нынче провожаем Валерку в рекрутчину, письмо, и предназначался этот конверт святой моей Марь Иванне, и содержалась в этом конверте просьба, чтоб Марь Иванна написала в своём ответе туда, на Север, будто дела квартирные требуют немедленного присутствия здесь *её* — тогдашней хозяйки двух комнатушек, что мы теперь занимаем с братом, и Марь Иванна, простая душа, сейчас же эту просьбу выполнила, написала такой ответ, не подозревая даже, какие события воспоследуют за этим, — а непосредственно за этим было вот что: место действия — перрон железнодорожной станции в том самом новейшем языческом поселении, далеко на Севере, главных же действующих лиц четверо — тот самый ладный и широкоплечий офицер, которым я любовался один раз в жизни, он провожает *её*, свою жену, в бывший колокольный град, в Замоскворечье, где *она* должна уладить какое-то мифическое недоразумение с их московским жильём — двумя жалкими комнатками; кроме него присутствует и другой моряк — *её* тайный пока возлюбленный, которого я никогда в жизни не видел, он едет теперь в отпуск, в Москву, и как бы случайно в тот же самый день и тем же самым поездом, что и *она* — третье действующее лицо этой сцены, а кроме *неё* есть и ещё одна дама, тоже офицерская жена, она никуда не едет и ходит пока в лучших подругах уезжающей (это место скоро будет вакантным, и его займёт известная мне тощая московская лярва), и диалог на перроне звучит тот самый, какой всегда слышится на всех станциях, когда до отъезда остаются считаные минуты, и все четверо смеются, и со стороны этот смех может показаться беззаботным, а на самом деле весел и беззаботен лишь бравый офицер, который прошёл давним вечером по Климентовскому переулку под руку с белокурой красавицей — предметом вожделения парней нашего квартала, — только он один из всех четверых смеётся вполне беззаботно, он заглядывает в голубые глаза своей супруги, не предчувствует он своей гибели, не видит, что предвещает ему синее море в *её* глазах, и он просит другого офицера — уезжающего — позаботиться о *ней* в пути, он не подозревает, какой характер примут эти заботы, едва только тронется поезд, — он безмятежен, он счастлив, он только что вернулся из долгого похода, его выпустил на свет из глубочайших недр своих чёрный холодный океан, не ведает он, что гибели ему должно ждать не там, не в соседстве с атомным реактором, а от ненаглядных голубых глаз, от синего моря, притаившегося в них, и он смеётся, он целует жену в последний раз, не подозревая, что поцелуй этот — воистину самый последний, он улыбается, и машет *ей* рукой, и смотрит вслед поезду, уносящему *её* от него навсегда, но он ещё не знает, что навсегда, и вот он остаётся на перроне один, нет, к несчастью своему, к общему несчастью, — не один, рядом с ним стоит другая женщина, кого жена его, уносимая поездом, всё ещё почитает своей лучшей подругой, и ей одной известно всё, и в том числе истинный смысл этого неожиданного отъезда якобы случайно вместе с другим офицером по мифическим квартирным делам, всё вплоть до происхождения письма, писанного в Замоскворечье простой душой Марь Иванной, и вот теперь они стоят вдвоём на перроне, и оба смотрят вслед уходящему поезду, и поезд уже скрылся, и уже пора уходить, и женщина уже давно смотрит не вслед исчезнувшему последнему вагону, а на стоящего рядом с нею ладного и рослого офицера, — а он пока не глядит на неё, его взгляд устремлён на рельсы, убегающие вдаль, он всё ещё мысленно не может расстаться со своей женой — белокурой, голубоглазой, аппетитнейшей, и вместе с тем он так спокоен, так безмятежен, и стоящая рядом с ним женщина, которая глядит на него, та, кого жена его почитает лучшей своей подругой, видит сейчас этот покой, эту безмятежность, и она наверняка любуется им (если я — особь одного с ним пола — не мог при нашей встрече оторвать от него взор, то как же должна была смотреть на него женщина!), и тайна, которую доверили ей уехавшие, делает её всесильной, способной в минуту разрушить его покой и безмятежность, — но вот этот ладный моряк оторвал наконец свой взгляд от рельсов, уходящих за горизонт, и они пошли вдвоём — он и лучшая подруга его жены, с которой он только что разлучился, и его спутница продолжает смотреть на него, всё любуется им, его статью, и я не знаю, был ли у этой женщины предок-иезуит, но мне совершенно ясно, что какой-то голос внутри неё начинает суфлировать, на уме у неё появляются самые благие на вид соображения — вроде того, что негоже такому богатырю и красавцу, нехорошо ему быть так цинически обманутому, что она из одного только человеколюбия должна раскрыть ему

доверенную ей тайну, открыть для его же блага,
ведь невозможно, чтобы такой великолепный,
прямо выставочный экземпляр был связан узами
с вероломной женщиной, и прочее, и прочее,
и прочее, — и пока всё это лезет ей в ум, они идут
вдвоём по улицам нового языческого поселения,
по бездарным прямым улицам, а из тупых бетонных строений, составляющих эти улицы, почти
из каждого окна смотрит на них, идущих, невидимая молчащая сука, посаженная на цепь офицерская жена, и взгляды этих сук, несущие в себе
нечто пострашнее рентгеновских лучей, — увы! —
были не напрасны, потому что всегда обращены
не только в настоящее, но и в будущее, — а они всё
идут парой по этим улицам, сопровождаемые
этими невидимыми взорами, и рослый ладный
офицер по-прежнему не смотрит на свою спутницу, не обращает на неё внимания, не думает о ней,
весь поглощённый разлукой со своей женой — аппетитнейшей, беленькой, голубоглазой, разлукой вечной, которую он — последние минуты —
всё ещё почитает временной, и его спутнице, уже
побеждённой собственными иезуитскими дово-
дами, приходится наконец первой заговорить
с ним, хотя бы для того, чтобы напомнить ему
о себе, обратить на себя внимание такого великолепного самца, рослого, ладного, широкоплечего, а на них почти из каждого окна в этот роковой
миг глядит невидимая молчащая пока сука, — ну,
а дальше, а дальше, а дальше — драматург мог бы поставить ту самую сцену, которая иногда отчётливо всплывает в моей памяти, сцену переезда,
в день обмена нашей с братом комнаты на те две
каморки, что мы теперь с ним занимаем, а рас-

плывшаяся чуть-чуть и уже — увы! — чуть пота-
сканная голубоглазая и белокурая наша партнёрша по обмену — бывшая жена роскошного
морского офицера, который по-прежнему живёт
на Севере, там, у красивейшего фиорда, а она теперь живёт у Москвы-реки постоянно, и в лучших
подругах у неё теперь ходит тощая и развязная
лярва, организатор и вдохновитель всех их
совместных оргий с периодически сменяемым
составом кобелей, и в сцене той лядащая эта
шлюха, лучшая подруга, играет самую активную
роль — она суетится, она увязывает узлы, она пе-
ремещает с места на место странные несколько
и не соответствующие ни друг другу, ни просто
нормальной жизни предметы, хлопочет ужасно,
волнуется оттого, что опаздывает грузовик, вы-
таскивает в коридор всё это странное барахло,
размещавшееся в двух комнатах — побольше,
величиною с коробку из-под торта, и поменьше,
величиною в пачку чаю, — и затем в эту последнюю въехал я, поставил там своё бюро, тахту, по-
весил на стену полку с любимыми томами, а над
тахтою, на восточной стене у меня появились
лики, а в изголовье — Книга, и вот теперь в эту
самую крошечную каморку я привожу всех тех,
кто ещё в силах бодрствовать на проводах, —
самого рекрута, его возлюбленную, святую мою
Марь Иванну, моего брата, который только что
отвёл свою сонную жену в комнатку напротив,
что величиною напоминает коробку из-под торта,
и, наконец, я ввожу к себе *её*, бывшую хозяйку
этих комнат, бывшую жену высокого и ладного
офицера, и пока *она* стоит, пока ещё все на ногах, а я устанавливаю свой маленький расклад-

ной столик, *она* осматривает мою каморку, некогда принадлежавшую *ей*, *она* удивляется новому убранству, а я орудую со столом и поглядываю на своих несколько неожиданных гостей, — и вот мы все теснимся, усаживаемся кое-как вокруг столика, на который Марь Иванна уже поставила бутылку белой гадости, и какую-то колбасу, и ещё что-то, места в комнате очень мало, и как бы ненароком получается так, что мы с *ней* оказываемся сидящими рядом, и при этом на тахте, в той же самой мизансцене, как несколько часов тому я соседствовал с Чужой Женой, только тогда мы были вдвоём, и на столике перед нами была откупоренная бутылка с коньяком — с коньячком! — и я злюсь и радуюсь одновременно, ликую и скорблю от этой скорой, молниеносной замены, — я стараюсь ни о чём дальнейшем не думать, но не думать, конечно, не могу, ибо ни воришка, ни сыщик в моей душе ещё не умерли, и сыщик задним числом уличает воришку, он язвительно объясняет, что именно ради этого двусмысленного соседства на моей тахте, когда мы с *нею* сидим в тех же позах, что с Чужой Женой, ради этого только и понадобилось мне тащить сюда с проводов всех, кто не забылся ещё в двойственных объятиях Бахуса и Морфея, — сыщик срамит, уличает воришку, да только карманник уже изрядно обнаглел, он уже сам напирает на сыщика, и тот — увы! — потихоньку сдаёт свои позиции, — и я уже почти не казнюсь, я уже почти доволен тем, что сижу в непосредственной близости с белокурой и голубоглазой аппетитнейшей бывшей женою бравого моряка, мне приятно, что именно *она* сидит сейчас на моей тахте, и мне кажется, будто ничего, кроме такой близости, кроме публичного этого соседства, мне от *неё* и не понадобится, и хоть в глубине души я чувствую, что это — самообман, мне не хочется думать об этом, — воришка действует уже совершенно нагло и бесконтрольно, но вдруг перед ним, вернее, передо мною возникает новое препятствие, которое никак не объехать и не обойти, — для того, чтобы продвигаться дальше по тому погибельному пути, по тому причалу, на который я вступил вначале бессознательно, когда обнаружил в голубых глазах своей соседки синее море распутства и неосторожно выдал *ей* свою готовность тотчас же отплыть в это море, чтобы продвигаться дальше, я, согласно ритуалу, должен сейчас проявлять знаки публичного к *ней* внимания, я должен суетиться, неровно дышать, любовно взглядывать, и прочее, и прочее, и прочее, в таком роде, например, как держит себя в эту минуту по отношению к своей возлюбленной наш рекрут Валерка, — они с Галкой сидят сейчас с нами за одним столом, но, кажется, никого из нас не видят, не замечают, они скупы сейчас, они не хотят ни минуты из нескольких скудных оставшихся им часов потратить не друг на друга, а на кого-нибудь случайного, третьего, — и мне, пустившемуся теперь по погибельному пути, следовало бы вести себя сейчас примерно вот таким образом, как Валерка, — не сводить глаз со своей соседки, видеть только *её*, думать только о *ней* и грядущем блаженном миге нашего с *нею* соединения, — но — увы! — или — о счастье? — смолоду, даже во времена бурной моей языческой юности, у меня никогда не хватало сил переносить положение самца, кото-

рый втирается в доверие к соблазнительной дуре
или уже приближен ею, — так что, будь я Фауст,
я по одной по этой причине ни за что бы даже не
приблизился к Елене, так же как ни в каких пышных обществах, ни в каких разнузданных компаниях, ни во время самых гадких оргий я не смел
никогда демонстративно подсесть к женщине,
которая имела несчастие понравиться мне в эту
минуту, или заговорить с ней как-нибудь так, чтобы — упаси Бог! — кто-нибудь третий мог угадать
моё к ней влечение или повышенный интерес,
и причина этого кроется не только в моей пато-
логической застенчивости, не только в роковой
для меня фразе, что лишь один раз была произне-
сена, но которая слышится мне с тех пор слишком часто: «Ну как? Встречаетесь взглядами?» —
дело не только в этом, ибо сюда всякий раз
примешивается изрядная толика боязни, самого
настоящего страха, неподдельного ужаса, —
я мало чего боюсь в этом мире, но, пожалуй, ничего так не страшусь, как ревности — во всех её
многочисленнейших проявлениях, — ревности —
этой царицы чувств, этой первоосновы почти
всех без исключения на земле трагедий, ибо ревновать можно отнюдь не только женщину, можно
ревновать славу, успех, толпу, её преклонение,
можно ревновать богатство, силу, власть, счастье, можно ревновать щедрость, доброту, красо-
ту, — и список ревнивцев не открывается, как это
принято полагать, Отелло и отнюдь не закрыва-
ется им же, ибо даже в той самой трагедии есть
ревнивец почище Отелло, и имя ему — Яго, а полный список ревнивцев больших и маленьких был
бы, пожалуй, идентичен переписи населения

всех времён и народов, и в начале этого списка, беря наугад первое, что приходит в голову, можно было бы поместить хотя бы тех троих, кого в преисподней у Данта, в самой бездне, Люцифер жуёт, как корова жвачку, — Иуду, Брута и Кассия, ибо, прежде чем предать своего учителя и благодетеля, надо приревновать его, а ещё выше в этом списке должно значиться имя того, кто приревновал ни больше ни меньше, как Самого Господа Бога к родному брату своему: «И бысть по днех, принесе Каин от плодов земли жертву Богу: и Авель принесе и той от первородных овец своих и от туков их. И призре Бог на Авеля и на дары его: на Каина же и на жертвы его не внят. И опечалился Каин зело, и испаде лице его», — вот вам завязка самой первой, первейшей на земле трагедии, развязка которой, вернее даже кульминация, произошла в широком поле: «на поли, воста Каин на Авеля брата своего и уби его», — и, копаясь на помойке души моей не без помощи сомнительного орудия, которое вручил нам венский профессор медицины герр Зигмунд Фрейд, я сообразил некоторое время тому, что невозможность для меня прочного альянса с которой-нибудь из дочерей Евы, невозможность назвать публично — перед Богом и людьми — одну из них своей избранницей, Дивной Донной, основана у меня на страхе перед ревностью, ревностью не только со стороны какой-то другой из них, кого не предпочёл, а перед ревностью всех, и не только всех дочерей Евы, но перед ревностью вообще всех людей в этом мире — вне зависимости от пола и возраста, — и вот сейчас, когда я уже сижу на своей тахте рядом с *нею*, с обладательницей голубых глаз и белокурых локонов, и *она* сидит подле меня на весьма символическом месте, и ради *неё*, ради вот этой с *нею* близости я привёл к себе в комнату, в мой мирок целую компанию, я увёл их всех с проводов, я уже пошёл на многое — и всё-таки теперь я не могу решиться, я не в силах двинуться дальше по тому погибельному пути, на который тянет, толкает меня, куда зовёт и манит меня воришка, мелкий грязный прелюбодей, поселившийся в моей душе бесёнок, и я даже не решаюсь сейчас обращаться в особенности к моей белокурой соседке, я делаю вид, что всякий раз обращаюсь ко всему этому случайному обществу, к совокупности людей, отобранных даже не мною самим, а их собственным умением сопротивляться гипнотическому действию Бахуса и Морфея, — я что-то рассказываю им всем и стараюсь держать себя при этом как можно более естественно, я пытаюсь скрыть от всех то пагубное обстоятельство, что всё это — и мои забавные рассказы, и самое присутствие их здесь, в моём мирке, отступление от проводов, совершенно не предусмотренное обрядом, всё это — из-за *неё*, из-за соблазнительной голубоглазой блондинки, соседствующей сейчас со мною, — я боюсь оказывать *ей* видимые знаки внимания и особенного расположения моего из страха вызвать ревность — ревность рекрута Валерки и Галки, его возлюбленной, хотя они сейчас вполне поглощены друг другом, мне страшна ревность собственного брата моего, и, наконец, самое главное, я боюсь ревности Марь Иванны, хотя почти наверняка знаю, что она на это чувство неспособна, что она не осудит меня, она даже сумеет разделить мой сомнительный успех, — и тем не менее мне страшно, страшно за наши с ней безгрешные поцелуи по утрам в дни прекрасных христианских праздников, — я ужасаюсь и не смею двинуться дальше по пути, куда манит и толкает меня мерзкий воришка, бесёнок, и он дрожит, он скребётся в моей душе, и хотя я не в силах сейчас справиться с ним, я не могу сейчас придушить его, но теперь уж я его насквозь вижу, — следствие окончено, мне ясны все мотивы, я знаю, отчего он так разбушевался, отчего так сучит погаными своими ручками и ножками, он, негодяй, не может отвести своего взора от аппетитнейшей блондинки с голубыми глазами, чьей руки по его приказу я сейчас незаметно касаюсь локтем, он не может отвернуться от *неё* оттого, что виден ему красный кровавый отсвет, который бросает на *неё* трагическая развязка *её* семейной драмы; и развязка эта произошла уже без *её* непосредственного участия всё там же, в языческом поселении у красивейшего фиорда, набитого подводными лодками и их апокалиптическими грузами, там, среди бессмысленно прямых улиц, среди тупых прямоугольных строений, где в каждой квартире, в каждом окне, как в будке, сидит на незримой привязи злобная сука — офицерская жена, — вот там всё и кончилось через короткий срок после того дня, как знакомый мне всего по одной встрече красавец морской офицер, только что проводивши свою аппетитнейшую жену, шёл по этим улицам в обществе той, кого жена его почитала тогда лучшей своей подругой и кому доверила жгучую тайну своего внезапного отъезда в Москву по мифическим квартирным делам, и они прошли тогда по прямым улицам под взглядами невидимых молчавших всё ещё сук, и он до тех самых пор не обращал внимания на свою спутницу, пока она наконец не заговорила с ним первой, пока она не обратилась к нему сама, и в этот роковой миг они остановились на перекрёстке, и страшные слова её, что она ему сообщила, заставили рослого офицера, когда прошёл шок, в который её сообщение его повергло, — пропало всё, вся его прежняя жизнь, — это заставило его отнестись к своей спутнице с самым пристальным вниманием, что — увы! — тоже не в малой мере повлияло на развязку, ибо она, разрушительница его душевного покоя, его семьи, она в тот же миг взяла на себя и роль утешительницы в неожиданно навалившемся на него ужасном несчастье, — и тут же, пока они стояли всё на том же перекрёстке, пока он выглядел как человек, на которого рушится небо, пока ещё он даже не пытался освоиться с этой новой ужасающей для него ситуацией, наблюдавшим за ними молчащим сукам, верно, уже было вполне ясно, что рано или поздно они должны снюхаться на зыбкой и двусмысленной почве женского сострадания к мужскому горю, — а так как в этом мире всегда оправдываются все самые низменные и самые худшие предположения — и это ещё один из непреложных законов бытия, — всё было уже предопределено, и ещё некоторое время спустя молчавшие дотоле злобные суки уже не молчали о новом альянсе, — ах, если бы мой ладный красавец и его новая подруга были бы осторожны! если бы они придумали что-нибудь для отвода глаз — хоть вроде той роковой якобы случайной совместной поездки в Москву, хоть какой-нибудь ловкий ход, какую-нибудь хитрость, чтобы обмануть бдительность тех недреманных сук, в окружении которых они находились, — но они — увы! — не предприняли ничего такого, и на сцену явилось последнее действующее лицо этой трагедии — участвующий только в кровавой развязке муж утешительницы бравого офицера, ибо он существовал, этот муж, и до него не могло не дойти поздно или рано нарастающее глухое ворчание всех сук из далёкого языческого поселения, — и вот, наконец, самая развязка, каким-то утром, которое при всём желании не назовёшь прекрасным, в одном из тупых прямоугольных строений на лестничной клетке внизу был найден окровавленный труп ладного и рослого красавца, на теле его были следы то ли побоев, то ли ударов о лестницу, и, разумеется, следствие решило предпочесть последнюю версию, ибо у военного следователя, который вёл это дело, без сомнения, есть жена, одна из тех самых сук, что молчат до поры до времени, и вот было решено, что произошло самоубийство, и дело замяли в угоду всем этим сукам, всей этой сволочи, — вот вам развязка, а за ней, как водится, следовал и финал — сцена похорон ладного офицера, и на эту траурную церемонию прилетела на аэроплане его бывшая супруга — белокурая и всё ещё смазливая, и для храбрости она прихватила с собою на Север не тощую лярву — свою лучшую подругу, а нашего Валерку, ненаглядное чадо Марь Иванны, нынешего рекрута, и уже Валерка рассказывал, что тело покойного было страшно изуродовано, что в гробу невозможно было узнать того ладного и рослого морячка, который на беду, на погибель себе прошёл одним далёким вечером по Климентовскому переулку, ведя под руку предмет многолетнего вожделения замоскворецких парней, — а ведь он был такой красавец, такой молодец, что при первом же взгляде на него у меня возникла ужасающая, дикая мысль: «Этакое богатое тело, хоть сейчас в анатомический театр», — но — увы! — по Валеркиному рассказу судя, его уже могли бы не принять в этот театр, он мог бы не понравиться художественному совету этого театра, состоящему из невозмутимых и беспристрастных патологоанатомов...

Так вот оно что! — вот! — кровь, кровавый отсвет развязки этой трагедии, где, как и вообще во всякой трагедии, движущей силой и первоосновой всех событий была ревность, — невидимые капельки крови, которые невозможно смыть, капельки, попавшие на нежную кожу той, которая соседствует сейчас со мною, которая сидит со мною на одной тахте, на двусмысленном месте, — вот что распускает бесёнка во мне, вот что даёт ему волю — возникающий в кровавом отсвете ореол роковой женщины, вот что прельщает меня помимо всех *её* аппетитнейших прелестей, и в эту минуту я вполне убеждён, что на решение Ланского жениться на вдове убиенного первейшего российского поэта повлияли не только её стать и красота, на века прославленные стихами, не только то, что она «чистейшей прелести чистейший образец», — но и то ужасающее обстоятельство, что на ослепительную белизну плеч

Натальи Николаевны, как на снег у Чёрной речки, упали капли праведной крови первого российского гения, кто, подобно Фаусту, женился на ней, на Елене, и при этом погиб подобно Эвфориону, — да и самый Фауст (читай: его создатель ересиарх Саксен-Веймарский и Эйзенахский) — что заставило его в погоне за Еленой мчаться верхом на чёрте, как Вакула за черевичками, лететь через тысячелетия в самую античность? ужели одна только красота Елены? — я убеждён, не состоялся бы этот головокружительный перелёт из новейшего времени в классику, кабы не амфоры ахейской и троянской крови, пролитые за каждый миллиметр её гладкой кожи, — горе вам, лукавые дочери Евы! горе вам и горе нам, безмозглым! каких же дураков вы из нас делаете! сколько же амфор, декалитров, тонн нашей дурацкой крови пролилось и льётся по вашей вине — за вас, ради вас, и кровь эта делает нас ещё большими дураками, распаляет нас, как несчастных быков на корриде, и рождает новую кровь и новый грех, и так — до бесконечности! и как же блаженны те, кто, подобно рыцарю бедному, даже не глядит в вашу сторону, — и до чего же, до какой степени вы вместе с тем ничтожны! ну хотя бы вот эта, что сидит сейчас у меня под боком, из-за *неё* уже погиб такой замечательный, такой выставочный экземпляр, на *её* коже капельки его крови, и на *неё*, на эти капельки науськивает меня сейчас бесёнок, который забрался в мою душу и сучит там изо всех сил своими погаными конечностями, крутит там своим хвостом! до чего же *она* глупа! жалка, пошла! что *она* сейчас рассказывает! какие слова слетают с *её* накрашенных фальшивых губ! — и почему же всё это, что я вижу и знаю, почему ничто из этого не отвращает меня от *неё?* почему я не силах придавить, придушить бесёнка, не в силах даже двинуть рукою, чтобы локтем не ощущать *её* погибельной близости? — *она* сама, все *её* прелести подобны гробам из притчи! прочь! прочь! прочь, проклятое наваждение! «Да воскреснет Бог, и расточатся врази Его, и да бежат от лица Его ненавидящии Его. Яко исчезает дым, да исчезнут!» — и вот, пока я безмолвно кричу всё это, покуда слова эти разносятся лишь под жалким куполом моего черепа, вдруг происходит нечто неожиданное, странное — мой брат стряхивает пепел с сигареты в корзину для бумаг, стоящую под моим бюро, и она вдруг вся разом вспыхивает — все бумаги в ней и прутики, из которых она сплетена, — сноп пламени внезапен и разом вскидывается высоко, и соседка моя от испуга прерывает свой глупый рассказ, и я вскакиваю, чтобы вышвырнуть корзину вон, на улицу, под снегопад, на сугробы, но брат опережает меня и с лёгкостью гасит огонь, — и все мы, всполошившиеся было, вновь усаживаемся на свои места; и первое, что я чувствую теперь, — мой локоть больше не ищет касаний с рукою соседки, я удивляюсь этому открытию и тотчас обнаруживаю, что мне совершенно безразлична *её* двусмысленная близость, а вслед за этим я чувствую, как мир и покой потихоньку возвращаются в мою душу, что исчез, испарился из неё бесёнок, который толкал меня, звал и науськивал, и я поражаюсь этому, но в тот же миг понимаю — он выскочил из меня минуту назад, вылетел, вырвался, будучи пойман, прижат, и он залетел в корзину с бумагами, а вслед за этим и вовсе исчез, растворился в голубом дыме, который распространяет в моей каморке только что погашенная корзина, — и вот я уже различаю в этом дыме едва уловимый запах серы, — да, бесёнок бежал из меня, улетел вместе с пламенем, покинул меня, как некогда легион ему подобных «изшедше же беси от человека, внидоша во свиния: и устремися стадо по брегу в езеро, и истопе», и я сижу теперь — обретоша себя оболчена и смысляща, — а соседка моя уже продолжает свой рассказ, и теперь он даже не кажется таким бессмысленным и глупым, он — самый заурядный, такой именно, какой и должен исходить из уст офицерской жены, и только сейчас, избавившись от наваждения, я вдруг сознаю, что все мы, присутствующие за столом, вовлечены этим рассказом в некую игру, единственным условием которой является запрет — никто из нас ни репликою, ни видом не должен показать, что все перипетии семейной трагедии рассказчицы нам с достоверностью известны, ибо из рассказа явствует, что никакого развода и даже никакой размолвки у неё с рослым и ладным мужем не было, что *она* — не разведённая жена, а законная его вдова, не было, по всей видимости, и совместных с тощей шлюхой оргий, частенько происходивших в этой самой квартире, и будь тот офицер жив, жизнь моей белокурой и голубоглазой соседки текла бы совсем по-другому, и мы все очень легко и охотно даже идём на это условие, все, вплоть до Валерки, кто летал с ней на похороны, и уже по одному по этому он обо всём осведомлён досконально, но рассказчица наша об этом как-то забыла, и Валерка,

конечно, не подаёт виду, и всё идёт великолепно,
и когда кончается этот рассказ, подтвердивший
нашу к ней лояльность, я начинаю шутить, я вдруг
по старой памяти обращаюсь в клоуна, и шутки
мои теперь имеют успех, все смеются им, и точно так же, как соседка моя в момент своего рассказа начисто вдруг забыла о своём скандальном
разводе с убиенным рослым моряком, и я в эту
минуту почти не помню, как попали в мою комнату эти смеющиеся моим шуткам люди, с какой
тайной целью я завлёк их сюда, — и белая гадость
опять льётся рекою, и соседка моя смеётся вместе со всеми и не жеманится больше, не демонстрирует больше свой утонченный вкус, а глотает тот же самый напиток, что и все мы, и Марь
Иванна, моя святая Марь Иванна, всё так же продолжает хлопотать о мнозе, она то исчезает на
минуту, то снова возвращается сюда, к столу, и всё
смотрит на своё чадо, на нашего рекрута, на Валерку, всё не может налюбоваться на него перед
грядущей разлукой, — и я ещё раз убеждаюсь в её
святости, ибо, хотя Валерка почти ни разу не
взглянул на неё, хотя он сейчас всецело погло-
щён созерцанием возлюбленной, обществом своей Галки, в обожающем взгляде Марь Иванны
нельзя заметить и тени ревности, она и на Галку
поглядывает с симпатией, она находит силы и ей
сочувствовать, хотя собственное горе Марь
Иванны уж никак не меньше Галкиного, и когда
старушка присаживается за столик, я вижу, на её
лице возникает выражение покоя, потому что
в моей каморке она не чувствует себя хозяйкой
и незаметно складывает с себя бремя ответствен-
ности за ритуал проводов, и она начинает при-

слушиваться к разговорам, и лицо её теперь светится таким вниманием и почтением к говорящим, что она уже напоминает не Марфу, а сестру её — Марию, и это тем более забавно видеть, что речи звучат самые пустяковые, типично застольные, — но беседа течёт легко и непринуждённо, и так же легко течёт белая гадость, а за окном течёт замоскворецкая ночь, и кружатся снежинки, и никто из нас не думает и не вспоминает о том, что ночь эта на исходе, что неотвратимо надвигается утро, роковое утро, когда Валерка выйдет из дома, чтобы не возвратиться сюда целых три года, а за этот срок так много может произойти изменений, и, главное, у Галки, юной и хорошенькой Галки, может не достать терпения ждать его так долго, и смутные опасения на сей счёт терзают нашего рекрута, и он смотрит прямо в глаза своей возлюбленной, смотрит не отрываясь, он почти гипнотизирует её, и она не отводит своего взгляда, и в её глазах нет и намёка на вероломство, в них только горечь и боль разлуки, и он ей верит, он хочет верить, и не отводит своего взора ещё и потому, что прямо перед ним, на тахте рядом со мною, — живое доказательство женского вероломства, голубоглазая блондинка, которая жила раньше в этой самой квартире, и Валерка знает её со своих детских лет, и он помнит всё, и даже провожающие её взгляды наших парней, но это было так давно, и взгляды эти, и её неудачное замужество, и поездка с нею на похороны убиенного рослого офицера, — это всё так далеко, а Галка, её честные глаза, и в них боль разлуки, — это так близко, что есть силы верить, можно ничего почти не опасаться, — но и расставание уже не за горами,

и время идёт, скрежеща чем-то внутри электрического счётчика, снежинки за окном кружатся
и кружатся, и ночь уже близится к концу неотвратимо, неизбежно, и застолье длится, и надо ещё
побыть наедине с возлюбленной, надо взять, получить у неё более веские залоги любви и верности, чем горечь и боль, читаемая во взоре ненаглядных карих глаз, а в квартире нашей давно
уже всюду тишина, особая предутренняя тишина,
и сквозь наши переборки — «а стены проклятые
тонки», — слышно только, как совсем близко хра-
пит на своей неимоверной супружеской кровати
с шариками, спит пьяным своим сном дядя Вася,
Контра, Артистицкая Натура, да издали, из комнат Марь Иванны, доносится разноголосое сопе-
ние уснувших вповалку подле обезображенного
стола наших парней и белобрысых студентов,
спящих прямо в очках и в обнимку с партнёршами, спит Руслан, спит в соседней комнате принадлежащий уже ему магнитофон, погасивши
свой зелёный глазок, спит весь наш дом, стоящий
по колено в земле, спит барышня Таня в своём
подвальном этаже, спит всё наше изуродованное
Замоскворечье со своими несчастными церквями, спит вся опоганенная и разорённая Москва,
спит, укрывшись пуховыми сугробами, — и в эту
минуту кажется, что до утра ещё далеко, что оно
никогда не наступит, что без конца будет длиться
эта ночь, а вместе с нею и наше застолье, и беско-
нечной будет пауза, внезапно повисшая над столом, отчего все вдруг остро ощутили тишину, на-
рушаемую лишь храпом дяди Васи, сопением
студентов и парней, скрежетанием электрического счётчика, — и вдруг в этой наступившей,

в этой прочувствованной всеми тишине раздался
резкий стук, словно выстрел, — хлопнула наша
входная дверь, и все за столом непроизвольно
вздрогнули, и даже Валерка с Галкой на секунду
перестали смотреть друг на друга, и Марь Иванна
в тот же миг, превратившись снова из Марии
в Марфу, выскакивает в коридор навстречу последнему ночному, нет, уже первому утреннему
пришельцу, а мы все, оставаясь на местах, молча
гадаем, кто бы это мог быть в такой час, неужели — запоздалый гость, но это — совсем невероятно, и недоумение наше длится недолго, в дверях
комнаты появляется Марь Иванна, а за ней мы
видим ещё одну женскую фигуру в пальто и в шер-
стяном платке, это пришла Фатима, татарка,
дворничиха нашего дома, ближайшая подруга
Марь Иванны, — отсутствие её на проводах объясняется тем, что она сейчас соблюдает свой му-
сульманский пост, а столь позднее, вернее, столь
раннее появление — тем, что она принесла Марь
Иванне двадцать рублей взаймы на неопределённый срок, чтобы старушка, растратившаяся вко-
нец, могла дать Валерке на дорогу, — и Фатима не
снимает своего пальто и отказывается войти
в комнату, она стоит перед дверью в коридоре —
такая холодная и такая чистая, как сама замоскворецкая зимняя ночь, как свежий сугроб, который
намело под моим окном, и глаза её светятся доб-
ротою и приветливостью, и при всём желании
невозможно прочесть в них осуждение нам, не
соблюдающим никакого поста и пьющим в эту
минуту вино, что строго запретил её пророк, —
она вовсе не кичится своею чистотою, приобретённой строгим постом и молитвами Все-

вышнему, она пришла, чтобы сделать доброе
дело, выручить Марь Иванну, чтобы дать ей денег и помочь хлопотать дальше, ибо незаметно
приблизился тот час, когда наши парни и студенты со своими партнёршами очнутся от сна, и их
надо будет снова кормить и поить белой гадостью, перед тем как мы пойдём собственно провожать Валерку, поведём его в самое присутствие,
в рекрутский пункт, где его посадят в дощатый
кузов грузовой машины и увезут в никому из нас
не известном направлении, — и Фатима, татарка,
мусульманка, стоит в моих дверях, отказываясь
войти в комнату, стоит, улыбаясь застенчиво
и приветливо, стоит холодная и чистая, и я вдруг
чувствую к ней любовь и благодарность за всё, за
все триста лет образцовой веротерпимости, которую явили татары за время своего владычества
на Руси, за дружбу и союз хана Сартака, сына Ба-
тыя, со святым великим благоверным князем
Александром Ярославичем Невским, за этот
союз, что уберёг наш народ от страшнейшего немецкого пленения, — за всё, за русский нацио-
нальный облик, за наш словарь и тюркские кор-
ни в нём, за мою татарскую фамилию, которая
по-русски звучит лучше любой славянской, за всё,
за всё, за всё, — а рядом с Фатимой стоит в дверях
и тоже улыбается нам моя святая Марь Иванна,
и эти две женщины — олицетворённый ислам
и олицетворённое православие, они улыбаются
нам, грешным, улыбаются всему миру, и я не
знаю ничего на земле чище, лучше и мужествен-
нее их, ибо это они, вот такие женщины, несли
и несут совсем не лёгкое бремя веры наших отцов, несут его с гордостью и без жалоб, несмотря

на все подлые преследования, они несут веру и несли её лучше нас, кичащихся неизвестно чем, и это было всегда, ибо во дни, когда явился к нам Назареянин, настал час, и не было мужчин у Креста и Гроба Распятого, не было даже учеников, и только они, жёны, не покинули Его до конца, и одна из них первой возвестила ученикам Его и всему миру, как Он приказал ей: «Иди же ко братии Моей и рцы им: восхожду ко Отцу Моему и Отцу вашему, и Богу Моему и Богу вашему», — а ещё раньше, за тридцать три года, к женщине, простой смертной женщине, но совершеннейшей всех живущих, кого потомки нарекут «невестой невестною», в город Назарет «послан бысть ангел Гавриил... и вшед к ней Ангел, рече: радуйся Благодатная, Господь с Тобою: благословенна ты в женах!» — и вот сейчас, глядя на двух чистейших женщин, я вдруг явственно понимаю, что ничего на свете не боюсь, мне ничто не страшно, — пускай язычники разнесут все церкви, пусть шар, беспощадный, как Тотила, разобьёт в прах все замоскворецкие кособокие домики, все дворянские особняки — «Не бей меня, Бенчик», — пусть камня на камне не останется от колокольного града, пусть снесут и нашу приходскую церковь — Всех Скорбящих Радости, пусть железным строем всюду станут бетонные громады, — всё равно в великую пасхальную ночь выйдет на улицу чистенькая старушка в белом платочке, моя Марь Иванна, выйдет и придёт поклониться на то место, где стояла наша с нею церковь, и она, конечно, встретит там и другую такую же старушку, и тогда, тогда с ними незримо станет Сам Назареянин, — «идеже бо еста два или трие собрани во имя Мое, ту есмь посреде их», — и я приду в эту великую ночь сюда, к нашей стене плача, и найду эту старушку, Марь Иванну в белом платочке, и я поцелую ей руку, обе руки, я приму у неё благословение, так же почтительно и благоговейно, как она принимала благословение архиерея, и я найду силы поднять глаза к Небу, и я крикну на весь мир: «Смерть, где твоё жало? Ад, где твоя победа?» — ах, как я завидую сейчас им, этим двум женщинам, православной и мусульманке, как я завидую их чистоте, как мне хочется оторваться от прошлого, от всех моих языческих привычек, от поступков, взглядов, мыслей этой ночи и ещё тысячи тысяч ночей и дней, — «Кое убо не содеях зло? Кий грех не сотворих? Кое зло не вообразих в души моей? Уже бо и делы содеях: блуд, прелюбодейство, гордость, кичение, укорение, хулу, празднословие, смех неподобный, пиянство, гортанобесие, объядение, ненависть, зависть, сребролюбие, любостяжание, лихоимство, самолюбие, славолюбие, хищение, неправду, злоприобретение, ревность, оклеветание, беззаконие; всякое мое чувство и всякий уд оскверних, растлих, непотребен сотворих, делателище быв всячески диаволе», — но даже и такой — весь чёрный от пороков, разбойник, тот, что всё ещё не может раскаяться, не хочет стать благоразумным, даже такой — я, глядя на этих двух женщин, не испытываю ревности к ним, а только бесконечную, безмерную благодарность Создателю, Промыслителю, Спасителю моему, — и пусть летит время, пусть скрежещет в коридоре электрический счётчик, пусть всякая минута — безвозвратна, как и эта ночь, когда мы провожаем Валерку, пусть

неотвратимо близится миг, когда мне почти наверняка придётся упасть кубарем в ад — и поде-
лом, я знаю лучше, чем кто бы то ни было, за что
с меня спросится, мне было много дано, я был
здесь на земле взыскан сверх меры, — «яко восприял еси благая твоя в животе твоем», — мне
дано любить многих в этом мире, я не чужд чужо-
му горю и чужой радости, мне открыта великая
литература, музыка, живопись, в уста мне вложен
божественный язык, и, наконец, слабому разуму
моему дано постигать написанное в Книге, мне
дано познавать Тебя, Господи, — «что бо ми есть
на небеси? И от Тебе что восхотех на земли?» —
а приход Фатимы между тем был знаком того, что
утро уже придвинулось к нам вплотную, и Фатима не села за наш стол, и Марь Иванна больше
уже не села, и мы понимаем, что пришла пора
окончить наше застолье, и поднимаемся, и тут
мой брат, непохожий на меня, приходит мне на
помощь, он подаёт мне прекрасную мысль, которая самому мне — увы! — не пришла в голову, он
советует мне уйти отсюда вместе со всеми и предоставить мою комнату в распоряжение рекрута
и его возлюбленной, чтобы они могли побыть наедине хоть эти последние, жалкие два часа, чтобы Валерка мог получить, вырвать у своей Галки
последние веские залоги грядущей трёхгодичной
верности, и я сейчас же шёпотом предлагаю это
рекруту, и он смотрит на меня с такой благодар-
ностью, какой я, право, вовсе не заслуживаю,
и все остальные хоть и не могли расслышать, что
я сказал Валерке, но, очевидно, догадались, потому что глядят на меня с явным одобрением, и мы
выходим из этой комнаты, и я выхожу вместе

с другими, и закрываю за собою дверь, и делаю это без тени колебания — оставляю Валерку с Галкой в моём мирке, подле полки с моими любимыми томами, возле бюро со всё ещё лежащей на нём Книгою, я оставляю их вдвоём непосредственно под скорбными взглядами ликов, глядящих с восточной стены, хотя прекрасно отдаю себе отчёт, чем они станут заниматься, как только щёлкнет язычок замка, — но во мне нет в эту минуту никакого ханжества, я ведаю, что творю, — и вот я вхожу с братом в его комнату — как раз против моей двери, я вхожу туда и укладываюсь на каком-то жутком раскладном кресле, которое при каждом моём неловком движении распадается на три неравные части, и мне приходится подниматься, чтобы устраивать себе постель заново, и я, конечно, долго не могу уснуть и лежу в темноте с открытыми глазами, а чувство покоя, так недавно приобретённое мною, не покидает меня, и — «а стены проклятые тонки» — я лежу и слушаю, как по нашему коридору, стараясь не шуметь, проходит Марь Иванна, а с ней и Фатима, старушка возобновила свои хлопоты о мнозе, она не может себе позволить этой ночью даже краткого отдохновения, даже в те жалкие два часа, на которые Валерка с Галкой уединились в моей каморке, на моей тахте, а я лег на раскладном стульчике в комнате моего брата, и под знакомый звук шагов Марь Иванны, шагов слишком поспешных и лёгких для её семидесяти, я всё-таки забываюсь каким-то подобием сна, а когда я прихожу в себя, просыпаюсь, то слышу осторожный стук по доскам двери и хриплый полушёпот Марь Иванны, она тихо и ласково, но на-

стойчиво повторяет: «Сыночек, вставай, уже
пора!» — и я не сразу соображаю, что шёпот этот
относится не ко мне, что Марь Иванна стучит
в двери другой комнаты, не той, где я лежу на раскладном стульчике, — полушёпот обращён к нена-
глядному чаду её, к Валерочке, кто лежит в эту
минуту на моей тахте, и рука сейчас стучит в де-
рево противоположной двери, и в интонации
Марь Иванны, в хриплом полушёпоте, звучит такая мука оттого, что ей приходится будить своё
чадо, своего Валерочку, уснувшего, верно, совсем
недавно, так уставшего от затянувшихся проводов и прощальных ласк, звучит почти физиче-
ская боль оттого, что ей приходится выступать
в такой роли, надо нарушить его кратковременный покой, разлучить его с Галкой, вырвать его
из объятий возлюбленной, — такая мука в её голосе, что я вчуже почти радуюсь, ибо не мне доста-
лась эта ужасная миссия, и в памяти Валерки я,
верно, останусь тем, кто дал им с Галкой приют
на эти краткие два часа, которые — увы! — уже
промелькнули, так молниеносно, так незаметно, — но кроме мучительного полушёпота Марь
Иванны: «Сыночек, вставай, уже пора!» — мой
слух улавливает — «а стены проклятые тонки», —
я слышу шум протрезвевшего стола, звук приглу-
шённых утром голосов, — это тихонько переговариваются наши парни и белобрысые студенты со
своими партнёршами, они все пробудились, вос-
кресли, вырвались из цепких объятий Бахуса
и Морфея и теперь чинно сидят в соседней комнате за вновь накрытым трудами Марь Иванны
и Фатимы столом, они глядят сейчас с нетерпе-
нием на новые яства и на новые бутылки с белой

гадостью, сидят и ждут появления рекрута, как последнего сигнала к тому, чтобы наброситься на всё это, а за окном волшебную снежную ночь сменило тёмное раннее отвратительное городское утро, которое ничего не сулит, кроме мелких хлопот и неприятностей, и время больше уже не скрежещет электрическим счётчиком, а скребётся дворницкой лопатой о промёрзшую мостовую — это, верно, приступила к непосредственным своим обязанностям Фатима, а подруга её, Марь Иванна, я слышу, всё ещё стоит в этот момент у дверей моей комнаты и никак не может разбудить рекрута, ненаглядное чадо своё, не может вырвать его из последних судорожных объятий возлюбленной и всё повторяет с неизъяснимой мукой и болью: «Сыночек, Валерочка, вставай, уже пора», — и я тихонько, чтобы не разбудить спящих брата моего и его жену, встаю со своей жуткой постели, неслышно одеваюсь и выхожу из комнаты, выхожу раньше, чем рекрут, чем Валерка, а ему не хочется вставать, он даже не отвечает Марь Иванне, и я, выйдя, оказываюсь прямо рядом с нею, стоящею в коридоре у противоположной двери, и она находит силы улыбнуться мне своею святой, благодарной своею улыбкою, и я, осчастливленный её взглядом, иду по коридору дальше, я несу на себе её улыбку в ту самую комнату, где вчера начинались проводы, где теперь снова накрытый стол, а за ним сидят гости и переговариваются вполголоса, сидят в ожидании рекрута, Валерочки, которого Марь Иванна никак не может поднять с моей тахты, — здесь сидят наши замоскворецкие парни со своей заслуженной головной болью и с надеждой на скорое и радикальное от неё избавление, сидят студенты, всё такие же белобрысые, в тех же самых очках и с теми же партнёршами, но, присаживаясь к столу, я вдруг с радостью ощущаю, что я сам уже не совсем тот, кто был здесь, в этой комнате, прошлой ночью, я не чувствую больше неприязни к ним, белобрысым и самодовольным, даже в такой ранний час, нет, я теперь скорее ощущаю род жалости по отношению к ним, ибо я точно знаю, что они, сами не ведая того, переживают сейчас счастливейшую пору своей жизни, о которой до старости будут потом вспоминать с сожалением и даже с оттенком зависти к самим себе, ибо, так и оставшись полуграмотными, постепенно утеряют они довольство собою, свойственное невежественной юности, перессорятся, обременят себя семействами, обзаведутся жёнами, которые станут склочными и сварливыми, и никогда у них не будет больше такого бездумного и беззаботного времечка, когда они с превосходством взирают на весь Божий мир, и будущее им представляется безоблачным, великолепным, и я поглядываю на них теперь совсем не со вчерашней ненавистью и брезгливостью, а с состраданием, и я радуюсь этому новому ощущению, и, чтобы проверить его, я начинаю думать о присноненавистном мне чахоточном маниаке, и — о счастье! — я не нахожу в себе в эту минуту обыкновенной моей застарелой злобы к нему, к его имени, к его делу, к его последышам и партизанам, я и о нём думаю сейчас как о несчастном, задушенном ужасной своей болезнью и ещё худшим, чудовищным своим характером, — вот уж кто истинно не ведал, что творил, жалким своим умишкой полагая спасти Россию и человечество посредством железнодорожных рельсов, он был вполне искренним, да и что мне считаться с ним обидами за русскую литературу? – пусть ему там, в преисподней, где-нибудь в девятой щели восьмого круга, где у Данта томятся подстрекатели, пусть ему там пеняет Мегера, — «А ты... уже твои давно истлели кости, а солнце разу не взойдет, чтоб новых от тебя не осветило бед. Твоих творений яд не только не слабеет, но, разливаясь, век от веку лютеет. Смотри (тут свет ему узреть она дала), смотри на злые все дела и на несчастия, которых ты виною! Вот дети, стыд своих семей, — отчаянье отцов и матерей: кем ум и сердце в них отравлены? – тобою. Кто, осмеяв, как детские мечты, супружество, начальства, власти, им причитал в вину людские все напасти и связи общества рвался расторгнуть? — ты. Не ты ли величал безверье просвещеньем? Не ты ль в приманчивый, в прелестный вид облёк и страсти и порок? И вон, опоена твоим ученьем, там целая страна полна убийствами и грабежами, раздорами и мятежами и до погибели доведена тобой! В ней каждой капли слёз и крови ты виной. И смел ты на Богов хулой вооружиться? а сколько впредь ещё родится от книг твоих на свете зол! Терпи ж; здесь по делам тебе и казни мера! — сказала гневная Мегера и крышкою захлопнула котёл», — не мне, грешному, отмщение, не мне и воздавать, и нечего в это дело мешаться, незачем тревожить сгнившие в чухонском болоте жалкие кости бедного безграмотного графомана, который возомнил себя ментором великих русских писателей, — и я, ощутивши это сейчас, задним числом соображаю, что, верно, не один бесёнок вылетел из меня и растворился в сизом дыму, когда вдруг вспыхнула в моей комнате корзинка с бумагами, распространивши вокруг едва различимый запах серы, и от этой мысли я сейчас ощущаю особенную на душе лёгкость и с симпатией поглядываю уже — на всех без исключения сидящих за столом, за которым как раз в этот самый момент появились наконец с трудом оторванные друг от друга рекрут и его возлюбленная, — а белая гадость уже оказалась разлитой по рюмкам, и вот уже все чокаются, и пошла писать губерния, пошли уписывать, пихать себе за обе щеки горячую картошку, которую Марь Иванна предусмотрительно сварила в каких-то невероятных количествах, и утренняя эта попойка, этот завтрак, сдобренный белой гадостью, решительным образом отличается от вчерашнего застолья, от затянувшегося, бесконечного ночного ужина, который был беззаботен, сейчас — не то, сейчас все сотрапезники поспешают, сейчас все то и дело поглядывают на циферблаты, ибо близится, близится миг, когда Валерка должен быть посажен в дощатый кузов и увезён из Замоскворечья в неизвестном нам направлении, — парни наши особенно торопятся, им непременно надо успеть избавиться от заработанной за ночь головной боли, и они сейчас старательно лечат подобное подобным, клин клином вышибают, глотают без счёта и порядка рюмки с последней белой гадостью, на которую не поскупилась Марь Иванна, и от этого проводы Валерки прошли никак не хуже, чем у людей, и уже обряд этот почти кончился, а старушка моя евангельскою Марфою всё следит неотрывно за нашим столом, всё беспокоится, всё хлопочет о мнозе, ей сейчас никак ещё нельзя расслабиться, и я думаю о том, как хорошо всё-таки, что есть на свете обряды, ритуалы, предусмотрительно сопровождающие все самые значительные события нашей жизни, и горестные в особенности, и вековые эти традиции помогают нам, ибо, занятые тем, чтобы неукоснительно соблюдались все малейшие формальности, мы отвлекаемся от непосредственной скорби как раз в те самые страшные часы и дни, когда горе могло бы быть совершенно нестерпимым, и как хорошо, что была эта ночь, такая беспокойная для Марь Иванны, такая хлопотная, и почти ни минуты у неё не было, чтобы сосредоточиться на мысли о так скоро грядущей разлуке с её возлюбленным чадом, с её Валерочкой, и вот сейчас, кажется, опять все насытились, и водки хватило, оказалось в самый раз, и можно, кажется, успокоиться, присесть, — ах, нет, куда там! — надо же ещё проверить Валерочкин мешок, всё ли там есть, всё ли в порядке, а тут уже надо и самой одеваться, пора, пора отправляться в самый рекрутский пункт, — а тут ещё куда-то запропастились деньги, что Фатима принесла, их надо не забыть и дать Валерочке в дорогу, — ахти, беда какая! — а мы все уже вылезаем из-за стола, и гости с трудом разыскивают в общей куче свои пальто, шарфы, шапки, и вот мы вываливаемся из дома в наш дважды коленчатый переулок, к самой паперти Климента, и Фатима, подруга Марь Иванны, дворничиха, увидевши нас, прекращает свою тяжкую, но прекрасную по сути работу — она сгребает снег в островерхие сугробы вдоль тротуаров, спешит, чтобы успеть, чтобы убрать бисер замоскворецкого чистого снега до того, как спешащие на работу люди начнут попирать его ногами и автомобильными шинами, и вот Фатима выпрямилась и стоит со своей лопатой в руках, смотрит на нас, выходящих из подъезда, возбуждённых и уже опять не вполне трезвых, смотрит и улыбается нам, и её лопата сейчас не скребёт мостовую, и время замирает, прекращает свой неистовый бег, пока Марь Иванна, уже в пальто и в платке, мечется по своим опустевшим комнатам, судорожно припоминая, куда она могла сунуть эти проклятые двадцать рублей, а мы все — гости, рекрут и его возлюбленная — стоим на только что вычищенном Фатимой кусочке мостовой и ждём Марь Иванну...

Но вот и старушка выходит из дома, и Фатима тотчас же прощается с Валеркой, а потом берётся за работу, и время снова несётся вскачь, скрежеща лопатой о мостовую, и мы все трогаемся, идём, и впереди Валерка, Галка и Марь Иванна, а подле них крутится Нинка — рекрутская мать, она уже опять совершенно пьяна, но как-то сдерживается, а мы все — гости — следуем за ними в некотором отдалении, и я иду в паре с Русланом, и разговор у нас с ним самый незначащий, выражающий только сочувствие рекруту и симпатию собеседников друг к другу — единодушие, и вот мы уже пересекаем Ордынку, и следы остаются на мостовой — здесь снег лежит ещё, и дворников ещё не видно, и наши следы — самые первые, ибо не пришёл тот час, когда — «все мчатся, не доев, не допив», — и сначала поспешат на свои

окраинные заводики и фабрички замоскворецкие парни, и их следы лягут после наших, а потом
уже, много спустя, сюда ринутся варяги — Почтовые Ящики, тайные служители Марса, узенькие
специалисты, поспешат во все эти комитеты
«по» и «при», в институты, а сейчас они ещё спят
предутренним сном на своих поролоновых ново-
модных ложах, даже во сне снедаемые честолюбивыми мечтами, — им снятся вакансии, снятся
пухлые диссертации, снятся надбавки за то и это,
но вот, идя рядом с Русланом, я в эту минуту
и к ним не испытываю ничего, кроме сострадания, — их жизнь столь хлопотна, заботы столь
многочисленны и мелки, и судьба их вчуже ужас-
на — империя выучила их, сделала полуграмотными, превратила в узеньких специалистов «по»
и «при», а теперь за это требует, чтобы они се-
кретно служили Марсу, чтобы они исподволь методически готовили последний грандиознейший
на земле спектакль, пиесу для которого написал
две тысячи лет тому любимый ученик Назареянина
на, — и вот мне жалко их — суетных и несчастных,
а в это утро я даже не боюсь чудовищных результатов их труда, я иду сейчас вслед за Марь Иванной, в фарватере Марь Иванны, горестной моей
Марь Иванны, святой моей Марь Иванны, прово-
жающей на службу империи своё единственное
ненаглядное чадо, своего Валерочку, я иду в паре
с Русланом, и мне ничто на этом свете не страшно, я сейчас ни на что не обижен и ни на кого не
зол, — и даже безобразный громадный дом, мимо
которого мы сейчас проходим и который всякий
раз вызывает во мне чудовищное раздражение,
когда я вспоминаю о его содержимом, — даже это

строение оставляет меня на сей раз почти равнодушным, — в этом многоячейчатом хлеве, в этой конюшне со многими стойлами империя расселила в своё время тех самых низменных и бездарных тварей, выведенных по рецепту чахоточного селекционера с «Литераторских мостков» от противоестественного совокупления музы и недоучившегося семинариста, здесь помещаются те самые скоты, к которым я оказался сопричисленным волею судеб, и до сих пор самые честные из них предатели, самые «повареные в чистках, как соль», — до сих пор они живут в этих стойлах, битком набитых старой мебелью, когда-то награбленной в квартирах господ сотрудников моего любимого энциклопедического словаря, до сих пор самые старательные из этих тварей смешивают тут Божий дар с яичницей, а чернила — с кровью, — жил тут, правда, один великий поэт, который пытался совершенно добровольно на некоторое время притвориться такой же, как они, продажной сволочью, да только ничего не получилось из этого, оттого что он был велик, и даже в хлеве этом всеобщем ему пришлось выделить целых два стойла — в одном он не поместился бы, а потом, потом эти самые скоты чуть не затоптали его до смерти своими грязными копытами, чуть не забили его своими крепкими лбами, с которых империя предусмотрительно спиливает рога, а он — великий поэт — ещё при жизни им всё простил, и уж это, последнее, они до сих пор ни запить, ни заесть не могут, — и вот сейчас даже при виде этого хлева я не испытываю обыкновенного в этих случаях чувства гадливости, усугубляемого тем, что в подвале этого же строения, под ним расположена смрадная кормушка, из которой империя подкармливает огромное число этих синтетических тварей за весьма определённые и недвусмысленные услуги с их стороны, и — о проклятие, тяготеющее надо мною с детства! — что вы наделали, что вы сделали со мною, замоскворецкие парни? зачем вы прилепили мне позорную кличку Писатель? — и я, как дурак на гребёнке, обязан кому-то играть, — и я принуждён смешивать Божий дар с яичницей, и я питаюсь из этой же загаженной колоды, и я оказываю империи услуги, пусть косвенные, но услуги же, и я номинально числюсь в одном стаде с этой сволочью, которая имеет здесь стол и дом, — но вот сейчас, когда я иду мимо этого ужасного места в паре с Русланом, в фарватере Марь Иванны, меня посещает что-то вроде сочувствия и к гадким обитателям этого хлева, именно сочувствие, хотя узнай они об этом, разозлились бы, нет, даже рассмеялись бы, — я, жалкий обладатель пяти десятков любимых томов, да нескольких ликов, писанных темперой на дереве, да старенького бюро, да каморки в первом этаже у самой паперти Климентия, я — сочувствую им, у кого в распоряжении многокомнатные стойла, забитые награбленной мебелью, хрусталём, фарфором, в их распоряжении автомобили и виллы, пальцы, уши и шеи их жён сверкают самоцветами, и я — отщепенец, оборванец, городской сумасшедший, пария — смею сочувствовать им! — но я всё же кое-что усвоил из Книги, что открылась мне и вполне недоступна им: «Яко лучше день един во дворех Твоих паче тысящ: изволих приметатися в дому Бога моего паче, неже жити ми в селениих грешничих», — и, кроме того, я хорошо знаю, что станется с этими роскошными стойлами, с мебелью, с хрусталём, с фарфором, с самоцветами и с жёнами в один прекрасный день, когда империя в очередной раз решит, что стадо этих синтетических тварей стало чересчур многочисленным, а сами они слишком разжирели (а так уже не однажды бывало), — и оттого я тем более неспособен сейчас испытывать зависть или неприязнь, — я спокойно огибаю этот хлев, их дом, и сворачиваю вслед за Марь Иванной, за Валеркой, за Галкой, за Нинкой, путающейся у нас у всех под ногами, сворачиваю вместе с Русланом в старый замоскворецкий переулок, знакомый мне с самого детства, — здесь стоит аляповатое здание известной на весь мир галереи, куда язычниками ныне свезена краденная из храмов краса, некогда составлявшая благолепие Святой Руси, и я помню его, этот переулок, сколько себя самого, я ходил по нему вначале подростком, а потом юнцом в страшное заведение, где надсмотрщики, данные мне и моим товарищам в менторы, учили нас каждый день поклоняться новоязыческим идолам, и в том числе чахоточному маниаку из чухонского болота, но меня — благодарение Богу! — они так этому и не выучили, там учили меня на примере самого малолетнего из новых языческих мучеников, юного пионера предательства, учили доносить империи на собственного отца, — и это длилось годами, и все эти годы я ходил по этому старому переулку, я помню его, и он помнит меня, помнит, как я бежал по нему, заледеневшему и оснеженному, бежал тёмным зимним утром, спешил, боясь опоздать на уроки и вызвать мелочные преследования моих едва грамотных языческих менторов, он помнит меня медленно бредущим по нему, весеннему, зелёному и пыльному, а я иду медленно оттого, что у меня в портфеле двойка за последнюю четверть, и чем дольше продлится дорога домой, тем дальше неприятный разговор с родителями, — «ещё долго, ещё жить три улицы остаётся; вот эту проеду, потом ещё та останется, где булочник направо... ещё когда-то доедем до булочника!» — и вот я иду, глазею по сторонам, так внимательно разглядываю кособокие домики и аляповатое здание галереи, выстроенное купцом-меценатом, гляжу так сосредоточенно, будто вижу всё это впервые, а не прохожу здесь каждый Божий день по два раза; переулок помнит меня — глупым самоуверенным юнцом в окружении столь же глупых и самоуверенных сотоварищей по несчастью, кого я почитал тогда лучшими своими друзьями, и мы идём праздновать тот жалкий факт, что нас отмучили уже наши полуграмотные менторы, мы уже получили бумажки, свидетельствующие об этом и о том, что мы удовлетворительно усвоили жалкую сумму языческих знаний и сведений, и мы идём такие счастливые, такие самовлюблённые — ах, какими же мы были глупцами! — он помнит меня и много спустя, идущим из той грязной кормушки, что находится под самым хлевом, и я, повзрослевший, вполне сложившийся язычник, несу по переулку в своём кармане мой первый большой гонорар, выплаченный мне империей за совершенно определённую услугу, и в воображении моём низменном против воли витают — многокомнатное стойло, награбленная мебель, хрусталь, фарфор, чьи-то пленительные ушки, пальчики, шейка, сверкающие самоцветами, и я почти чеканю шаг, мне кажется, что я в состоянии купить всё вокруг, сколько видит глаз, — все до одного замоскворецкие кособокие домики и аляповатую галерею с безвкусными картинами и бесценными иконами, — он всё помнит, этот переулок, и я всё помню, и хоть никогда с самого детства я не чувствовал себя чужим в Замоскворечье, в этом переулке, но ни разу ещё до этого утра, когда я иду вслед за Марь Иванной, Валеркой и Галкой, иду рука об руку с Русланом, ни разу ещё мои шаги не ложились на эту мостовую так закономерно, так твёрдо и уверенно, как в этот первый и единственный раз, я никогда ещё не чувствовал себя в таком нерушимом, неразрывном единении с моим родным Замоскворечьем, с кособокими домиками, с разнесчастными церквями, со всеми последними остатками колокольного града, обречённого разрушению, — но вот переулок выводит нас на набережную канавки, и мы уже приблизились вплотную к цели пути, к тому самому месту, где нам суждено расстаться с нашим рекрутом, с Валеркой, с Валерочкой, с ненаглядным чадом несчастной Марь Иванны, с возлюбленным заранее уже заплаканной Галки, с единственным сыном и единственным оправданием жуткого существования несчастной алкоголички-матери, и вот мы подходим к подъезду незаметного замоскворецкого дома, размером только чуть больше и чуть ровнее держащегося, чем окружающие кособокие собратья, — это здание облюбовали себе и захватили совсем недавно всесильные в любой языческой

империи служители Марса, и здесь уже замер
в ожидании живой добычи грузовик с дощатым
кузовом и брезентовым тентом, а вокруг этой машины стоят небольшими группами замоскворецкие жители — старушки, женщины, парни, и есте-
ственный центр каждой такой группы — молодой
нетрезвый рекрут, сотоварищ нашего Валерки
по несчастью, разлучаемый со своими близкими
и любимыми, и мы составляем такую же группу
вокруг Валерки, и мы тоже стоим на снегу и ждём,
когда из подъезда выйдет в своей ворсатой шинели тот, по чьему приказу рекруты полезут в дощатый кузов, и вот он выходит, этот скромный слу-
житель Марса, он всего-навсего капитан, но
в наших глазах он сейчас всесилен, и мы все как
один сейчас глядим на него, кто с мольбою, а кто
и со злобою, а он в своём административном вос-
торге почти не замечает нас, он достаёт из кармана ворсатой шинели список и начинает громко
выкрикивать имена, и как только его голос, неприятный и громкий, прорезает синеву и тишину
замоскворецкого зимнего утра, все вдруг выходят
из оцепенения и начинают обнимать, целовать,
теребить руками ненаглядных наших рекрутов, —
счёт пошел на миги, — и вот капитан уже окончил
перекличку, сложил свой список, и спрятал его
обратно в карман, и уже громко приказал рекру-
там занимать места в кузове под тентом, и вот,
уже не в силах длить больше минуты расстава-
ния, кто-то из пареньков первый перелез через
высокий борт грузовика, а за ним следуют другие,
и вот уже наш Валерка, чмокнув напоследок Марь
Иванну, нет, ещё раз плачущую Галку, а потом под-
вернувшуюся-таки под руку свою мать — Нинку,

вот уже и наш рекрут перемахнул через борт, и его голова очутилась среди других, высовывающихся из-под брезента, и вот уже они все глядят оттуда — увозимые, вот хлопнула впереди дверца — капитан уселся в кабину рядом с шофёром, грузовик зажёг сзади перед самыми нашими лицами зловещий красный огонёк — извечный Марсов цвет, потом кузов задрожал мелкой дрожью, и машина покатилась по набережной и увезла наших рекрутов, оставивши нам взамен гадкое облачко зловонных паров бензина, которое долго не растворяется в синем замоскворецком утреннем воздухе, но и оно исчезло в конце концов, и вот мы уже идём назад, не спеша, медленно бредём по набережной, по переулку, идём, по-прежнему предводительствуемые Марь Иванной, она ведёт под руку заплаканную Галку и ещё находит в себе силы утешать её, мы идём мимо кособоких домиков, мимо аляповатой галереи, мимо хлева, где среди низменных тварей жил великий поэт, и я опять иду рядом с Русланом, но только — «в течение нескольких минут вид города неузнаваем», — теперь мы уже идём не одни, а вживаемся в число тех, кто «мчатся, не доев, не допив», — мы идём с потоком наших сумрачных в этот час, плохо проспавшихся соседей, кто спешит на свои маленькие окраинные заводики и фабрички, и они сейчас с завистью поглядывают на нас, угадывая, откуда мы идём и как, стало быть, провели прошедшую ночь, а снег уже совсем попран ногами, почти совсем затоптан замоскворецкими жителями, и приятно думать, что в первозданной своей свежести он достался нам, — а когда проснутся, проглотят свой кофий, помчатся в свои комитеты и институты «по» и «при» наши непрошеные варяги, Почтовые Ящики, им достанется на мостовой лишь хлипкая, грязная кашица: и — вот мы опять всей процессией переходим Ордынку, и мы все молчим с той самой минуты, как на набережной в синеве утра исчез, пропал красный огонёк грузовика, что надолго увёз от нас Валерку в своём дощатом кузове, — мы идём по Климентовскому и перед самой церковью сворачиваем в свой дважды коленчатый переулок, а снег подле нашего дома уже лежит аккуратными островерхими сугробами — Фатима окончила свою работу, и тут я молча прощаюсь с Русланом, он не заходит к нам даже для того, чтобы взять свой магнитофон, ещё вчера принадлежавший Валерке, тут все почти расходятся в разные стороны, все прощаются с Марь Иванной, и в дом, кроме неё, входим только Галка, Нинка и я, и хлопает наша входная дверь, и мы оказываемся в своём коридоре, который всё ещё заставлен мебелью, вынесенной от Марь Иванны по случаю прошедших проводов, и я открываю дверь в свою комнату, я чувствую ужасную усталость, я с трудом стаскиваю с себя одежду, и падаю прямо в расстеленную, так и не убранную Галкой постель, и зарываюсь лицом в подушку, которая сейчас издаёт сложный запах — духов моей партнёрши — Чужой Жены и духов Валеркиной партнёрши — Галки, но я слишком устал, чтобы обращать на это особенное внимание, я гашу свет и сейчас же проваливаюсь в мертвящий сон, не могу уже двинуть даже пальцем, но вдруг в самый последний момент, в самом последнем бодрствующем уголке мозга, будто молния, разрывается страшная мысль: Книги всё ещё нет в моём изголовье! — и я вскакиваю нагишом, я хватаю Её, я прижимаю Её к себе, я кладу Её на место, я укладываюсь сам, я почти успокаиваюсь, как вдруг ещё более страшная мысль прорезает моё сознание: а что, если Она закрылась для меня? что, если я не смогу больше разуметь Её? — я беру Её дрожащими руками, я открываю Книгу на первом попавшемся месте, и буквы плывут у меня поначалу, — но вот я уже разбираю слова, и предо мною разворачивается непостижимая реальность, сильнейшая нашего призрачного мира, и я уже вижу, ясно вижу пыльную дорогу, которая пролегла по выжженной солнцем земле, и по пыльной дороге идут четверо — Один чуть впереди, а за Ним трое, и все молчат и идут, превозмогая немыслимый палящий зной, идут, одетые в лохмотья и подпоясанные вервием, и дорога ведёт их к жалкому нищему галилейскому местечку — к Наину или к Ен-Дору, и, обратившись в узкую кривую улицу, она выводит путников на городскую площадь, и площадь эта, несмотря на знойный час, полна народу, — «и пришед ко учеником, виде народ мног о них и книжники стязающися с ними», — и Он, Идущий впереди, издали уже различает в толпе фигуры учеников и видит спорящих с ними фарисеев, и Он останавливается в некотором отдалении и молча наблюдает стязающихся и толпу, их окружившую, но вот кто-то уже заметил Его появление и появление тех троих, что пришли с Ним, — Его хорошо знают в этом местечке, ведь отсюда до Назарета совсем немного стадий, и хоть «несть пророка в своем отечестве» — но сегодня во всём Его облике и в лице люди видят нечто такое, что приводит в изумление, и три Его

молчаливых спутника несут на своих лицах тень
того, что было на вершине Фавора, их вид и их
красноречивое молчание подтверждают смут-
ную догадку толпы, — «и абие весь народ видев
Его ужасеся, и пририщуще целоваху Его», — и вот,
ответивши на приветствия, Он обращается, но
не к ученикам Своим, распалённым распрею,
а к тем — жестикулирующим и кричащим гортан-
ными голосами, — «и вопроси книжники: что стя-
заетеся к себе?» — и тогда мгновенно умолкают
спорящие, до этой минуты в своём пылу не заме-
чавшие, что Он появился на площади, стоят ученики Его, стоят и книжники, и Он смотрит то на
тех, то на других, а они, только что стязавшиеся
друг с другом, узнают и не могут узнать Его, не
в силах постичь странной перемены, которая бесспорно произошла в Нём с того момента, как все
они в последний раз Его видели, видели уходящим из этого города по узкой улице, по пыльной
дороге, что ведёт к подножию Фавора, уходящим
с тремя избранными — Петром, Иаковом и Иоан-
ном, молча стоящими и сейчас за Его спиною, —
и вот все умолкли, над площадью зной и тишина,
и тишину прорезает наконец голос, принадлежащий не стязавшимся, а кому-то в толпе, — «и отвещав един от народа рече: Учителю, приведох сына
моего к Тебе, имуща духа нема: и идеже колиждо
имет его, разбивает его, и пены тещит, и скрежещет зубы своими, и оцепеневает: и рех учеником
Твоим, да ижженут его, и не возмогоша», — и гово-
рящий выходит из толпы, это пришелец, его не
знают в этом городе, он совсем недавно появился
в местечке со своим одержимым сыном, он пришёл сюда, зная, что Назареянин здесь со Своими

учениками, но он не застал Его, они с сыном пришли в город уже после того, как Тот удалился по пыльной дороге, ведущей к подножию Фавора, удалился в сопровождении Петра, Иакова и Иоанна, и тогда кто-то из горожан посоветовал пришельцу попросить об исцелении бесноватого оставшихся в городе учеников Ушедшего, и на площадь смотреть на это сбежалось всё местечко, несмотря на палящий зной, и первыми, конечно, явились сюда книжники, предвидя сладостное посрамление учеников Назареянина, предвкушая грядущее глумление над их неудачей, да и весь народ вокруг смотрит недоверчиво и с насмешкою, и сам пришедший, отец одержимого, уже почти не верит в успех, он решился на это как на самое последнее, почти безнадёжное средство, ибо он уже всё испробовал, и ничто не могло излечить его несчастного припадочного сына, и вот теперь, выйдя из толпы, он говорит твёрдо и прямо глядит на Незареянина, а Тот, посмотрев на него, ещё раз обводит глазами всю толпу, притихшую, затаившую свою недоверчивость, — Он постигает всё, что здесь было, и обращается теперь к отцу одержимого, выступившему из толпы вперёд, — «Он же отвещав ему глагола: о, роде неверен, доколе в вас буду? Доколе терплю вы? Приведите его ко мне», — и толпа раздвигается в предчувствии развязки, — «и приведоша его к Нему. И видев Его, абие дух стрясе его: и пад на земли, валяшеся, пены теща», — и над бьющимся, жалким обнажённым телом, испускающим пену из окровавленного рта, при виде нового этого припадка опять злорадно приободрились книжники, опять засияли их улыбочки, их ухмылочки — знак окончатель-

ной победы, — но Назареянин в эту минуту не
смотрит на них, Он не глядит и на несчастного,
который бьётся у Его ног, Он теперь не отрываясь
смотрит прямо в глаза стоящему впереди толпы
пришельцу, — «и вопроси отца его: колико лет есть,
отнележе сие бысть ему?» — и вот уже отец сам не
в силах отвести своего взгляда от глаз Назареянина, он не в силах даже взглянуть вниз на припадочного своего сына, который содрогается в пыли
между ними, — «Он же рече: издетска: и многажды
во огнь вверже его и в воды, да погубит его: но аще
что можеши, помози нам. милосердовав о нас», —
и вновь в сердце отца уже тлеет безумная надежда,
которая привела его сюда, последняя надежда, ибо
всё остальное уже испытано, а Тот всё не отводит
Своего взгляда, всё смотрит отцу прямо в глаза,
смотрит прямо в душу, ищет в ней какого-то ответа
и потом вдруг говорит раздельно и медленно, так,
что слышно всей оцепеневшей в безмолвии толпе, — «Иисус же рече ему: еже аще что можиши ве-
ровати, вся возможна верующему», — и опять над
площадью мёртвая тишина, слышны только глу-
хие стоны бесноватого, который катается
в пыли, и вдруг эту тишину и площадь прорезает
громкий голос, — «и абие возопив отец отрочате,
со слезами глаголаше: верую, Господи: помози моему неверию», — и толпа, очнувшись, придвину-
лась ещё ближе, — «видев же Иисус, яко срищется
народ, запрети духу нечистому, глаголя ему: душе
немый и глухий, Аз ти повелеваю: изыди из него
и ктому не вниди в него», — и тут же страшный
крик заставил людей отпрянуть, — «и возопив
и много пружався, изыде: и бысть яко мертв, якоже
мнозем глаголати, яко умре», — крик был ужасен,

и бесноватый замер в пыли, и пена запеклась на его губах, и люди зароптали, — «Иисус же емь его за руку, воздвиже его: и воста», — и толпа снова застыла, и все молчат, и книжники молчат, но они, фарисеи, очнулись, как всегда, первыми, они переглядываются между собою — всего несколько взглядов брошено, но уже состоялся консилиум, они уже нашли про себя и для себя медицинское объяснение чуду, и опять заиграли на их лицах пропавшие было ухмылки (о, как я их знаю, эти улыбочки, они сохранили их, пронесли через тысячелетия своей кровавой истории, через всё реченное им устами Моисея, через Освенцим и Треблинку), и теперь они улыбаются, но всё ещё молчат, стоя впереди толпы под палящим зноем, — и первым двинулся с площади Назареянин, а за Ним ученики Его — сначала те, что пришли с Ним в город, а потом и те, что спорили здесь с книжниками, Они ушли, а толпа всё ещё недвижна, и в центре площади стоит исцелённый, а рядом его отец, — «и вшедшу Ему в дом, ученицы Его вопрошаху Его единаго: яко мы не возмогохом изгнати его? И рече им: сей род ничимже может изыти, токмо молитвою и постом», — а Сам ведь Он молился, Он только что молился там, на вершине Фавора, так молился, что — «и ризы Его быша блещащяся, белы зело яко снег, яцехже не может белилник убелити на земли», — и тут я отрываюсь от Книги, потому что строчки плывут у меня перед глазами, мой взор застилают слёзы, я ничего не вижу, я плачу, я прижимаю Книгу к мокрому своему лицу, и я кричу, кричу: «Со слезами глаголаше: верую, Господи: помози моему неверию!»

1968–1969

Эпилог

Прошёл примерно год с того утра, как мы проводили Валерку в армию. На дворе стояла такая же снежная долгая ночь. Я мирно спал в своей комнатёнке, в своём привычном мирке, но — стены, проклятые, тонки... Я услышал топот и голоса:

— Вася, горим!.. Вася, горим!..

А в ответ матерщина...

Я вскочил, накинул халат и выбежал в коридор.

Марь Иванна стояла возле Васькиных дверей, а он в кальсонах и ночной рубашке метался между кухней и своей комнатой.

Дверь, что отделяла нашу кухню от чёрного хода, горела — вся была охвачена пламенем...

(Потом мы узнали, что пожар начался в подвале, огонь перекинулся на деревянную лестницу, а там загорелись все три этажа. Пожарники прикатили быстро и принялись заливать водою пылающий дом... Но он уже был обречён, восстанавливать его так и не стали.)

Я ринулся в свою комнату — оделся, обулся...

И тут погас свет...

Я зажёг свечку и огляделся...

Прощай, мой крошечный мирок...

Я повернул ключ в замке — последний раз в жизни запер эту свою каморку...

Ещё два мгновения, и я вышел на снег, к колокольне Святого Климентия.

В руках у меня был портфель, а в нём Библия и картонная папка — рукопись «Проводов».

Ардов Михаил

ПРОВОДЫ
Хроника одной ночи

Ответственный редактор М. Амелин
Компьютерная верстка: М. Миллер

КНИЖНЫЙ ДОМ «Б.С.Г.-ПРЕСС»
117105 Москва, Варшавское шоссе, д. 3.
Тел.: +7 (495) 626-24-70; e-mail: bsgpress@mail.ru

Книги издательства «Б.С.Г.-ПРЕСС» можно приобрести:

В РОЗНИЦУ В МОСКВЕ
— Книжный магазин «Москва», м. «Пушкинская», «Тверская», ул. Тверская, д. 8.
  Тел.: (495) 629-64-83, 797-87-17.
— ТД «Библио-Глобус», м. «Лубянка», ул. Мясницкая, д. 6/3, стр. 1.
  Тел.: (495) 781-27-37.
— Московский дом книги, м. «Арбатская», ул. Новый Арбат, д. 8.
  Тел.: (495) 789-35-91.
— Дом книги «Молодая Гвардия», м. «Полянка», ул. Большая Полянка, д. 28.
  Тел.: (495) 238-50-01.
— Книжный магазин «Фаланстер», м. «Пушкинская», «Тверская»,
  Малый Гнездниковский пер., д. 12/27. Тел.: (495) 629-88-21.
— Сеть магазинов «Республика». Тел.: (495) 251-65-27.

В РОЗНИЦУ В САНКТ-ПЕТЕРБУРГЕ
— Санкт-петербургский «Дом книги», м. «Невский проспект», «Гостиный двор»,
  Невский проспект, д. 28. Тел.: (812) 448-23-55.
— Сеть магазинов «Буквоед». Тел.: (812) 601-0-601.
— Книжный магазин «Все свободны», наб. Мойки, 28. Тел.: +7 (911) 977-40-47.

ОПТОМ
— КД «Б.С.Г.-Пресс», Москва, Варшавское шоссе, д. 3.
  Тел.: (495) 626-24-72.
— «А. Симпозиум», Санкт-Петербург, 20-я линия В. О., д. 5/7.
  Тел.: (812) 325-66-61.

Подписано в печать 17.11.14. Гарнитура NewBaskervilleC.
Формат 84×108 $^1/_{32}$. Объем 9,5 печ. л.
Бумага офсетная. Тираж 1000 экз. Заказ № 3672.

Отпечатано способом ролевой струйной печати
в АО «Первая Образцовая типография»
Филиал «Чеховский Печатный Двор»
142300, Московская область, г. Чехов, ул. Полиграфистов, д. 1
Сайт: www.chpd.ru, E-mail: sales@chpd.ru, тел. 8(499)270-73-59